ALIVE IN CHRIST

VIVOS EN CRISTO

NIVEL A / LEVEL A

vivosencristo.osv.com / aliveinchrist.osv.com

Jesucristo | Jesus Christ

OurSundayVisitor

El Subcomité para el Catecismo de la Conferencia de Obispos Católicos de los Estados Unidos consideró que este texto, copyright 2015, está en conformidad con el *Catecismo de la Iglesia Católica*; podrá ser usado únicamente como complemento a otros textos catequéticos básicos.

Níhil Óbstat
Rvdo. Esaú Garcia
Census Librorum

Imprimátur
✠ Rvdmo. John Noonan
Obispo de Orlando
18 de mayo de 2015

Our Sunday Visitor Curriculum Division
200 Noll Plaza, Huntington, Indiana 46750
1-800-348-2440

Vivos en Cristo and Alive in Christ are registered trademarks of Our Sunday Visitor Curriculum Division, Our Sunday Visitor, 200 Noll Plaza, Huntington, Indiana 46750.

For permission to reprint copyrighted materials, grateful acknowledgment is made to the following sources:

Excerpts from the English translation of *Rite of Baptism for Children* © 1969, International Commission on English in the Liturgy Corporation (ICEL); excerpts from the English translation of *The Liturgy of the Hours* © 1973, 1974, 1975, ICEL; excerpts from the English translation of *Rite of Penance* © 1974, ICEL; excerpts from the English translation of *Eucharistic Prayers for Masses with Children* © 1975, ICEL; excerpts from the English translation of *Pastoral Care of the Sick: Rites of Anointing and Viaticum* © 1982, ICEL; excerpts from the English translation of *Order of Christian Funerals* © 1985, ICEL; excerpts from the English translation of *Rite of Christian Initiation of Adults* © 1985, ICEL; excerpts from the English translation of *The Roman Missal* © 2010, ICEL. All rights reserved.

Extractos del *Misal Romano* © 1975, Obra Nacional de la Buena Prensa (ONBP) y Conferencia del Episcopado Mexicano (CEM). Extractos del *Ritual de la Penitencia*, Tercera Edición © 2003, ONBP y CEM. Todos los derechos reservados.

Scripture selections taken from the *New American Bible, revised edition* © 2010, 1991, 1986, 1970 by the Confraternity of Christian Doctrine, Washington, D.C., and are used by license of the copyright owner. All rights reserved. No part of the *New American Bible* may be reproduced in any form without permission in writing from the copyright owner.

Todas las citas de la Sagrada Escritura en español están basadas en *La Biblia Latinoamérica*, Edición Pastoral, Letra Grande, Copyright © 1972, 1988, de Bernardo Hurault y la Sociedad Bíblica Católica Internacional (SOBICAIN), Madrid, España. Permitido su uso. Reservados todos los derechos.

Excerpts from the English translation of the *Catechism of the Catholic Church* for use in the United States of America copyright © 1994, United States Catholic Conference, Inc.—Libreria Editrice Vaticana. English translation of the *Catechism of the Catholic Church: Modifications from the Editio Typica* copyright © 1997, United States Catholic Conference, Inc.—Libreria Editrice Vaticana. Used by permission. All rights reserved.

Extractos del *Catecismo de la Iglesia Catolica, segunda edición* © 1997 Libreria Editrice Vaticana — Conferencia de Obispos Católicos de los Estados Unidos, Washington, D.C. La traducción al español del *Catecismo de la Iglesia Catolica: Modificaciones basadas en la Editio Typica segunda edición* © 1997 es publicada para Estados Unidos por la Conferencia de Obispos Católicos de los Estados Unidos — Libreria Editrice Vaticana.

Additional acknowledgments appear on page 654.

Vivos en Cristo Nivel A Student Book
ISBN: 978-1-61278-435-9
Item Number: CU5406

1 2 3 4 5 6 7 8 015016 19 18 17 16 15
Webcrafters, Inc., Madison, WI, USA; July 2015; Job# 123458

Vista detallada **del contenido**

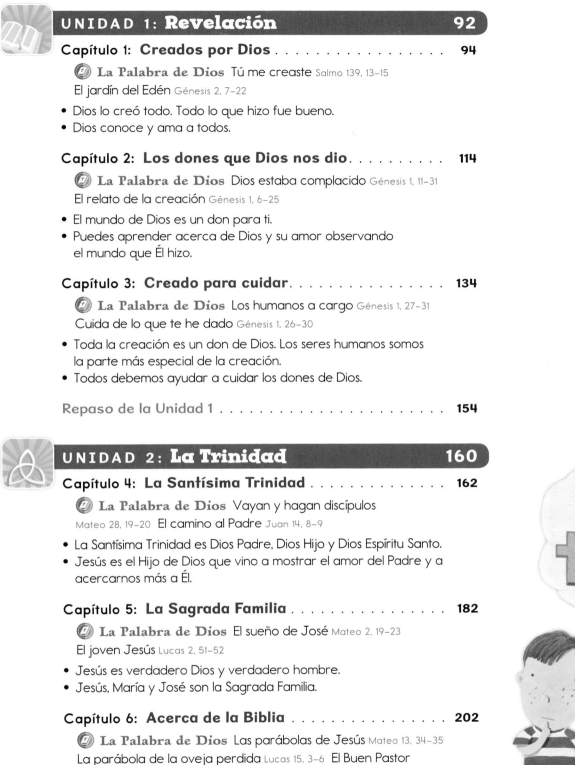

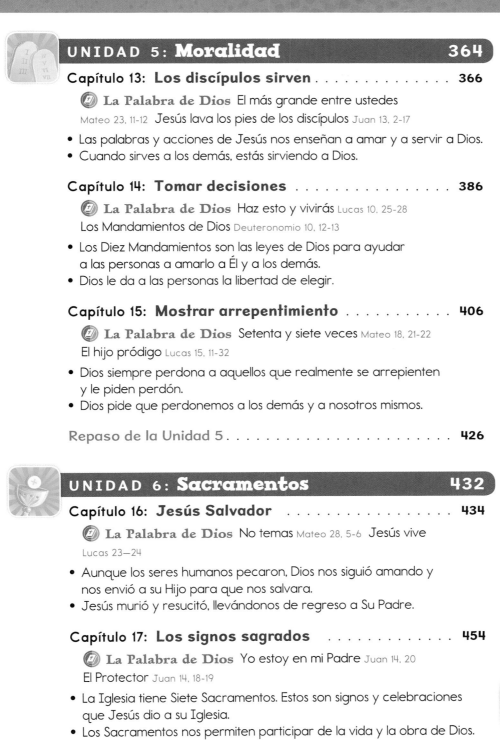

© Our Sunday Visitor

Contents at a Glance

Contents in Detail

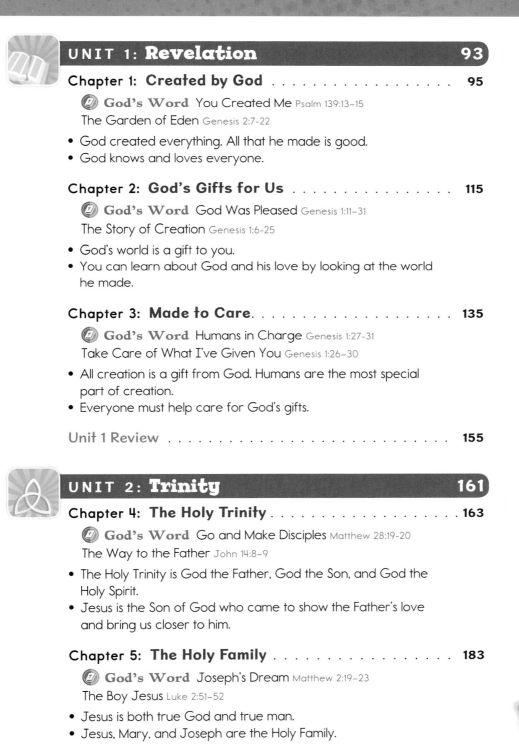

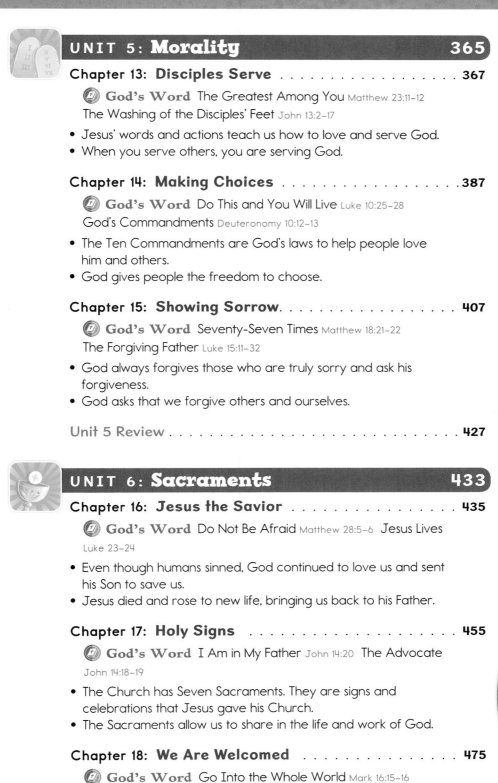

Un año nuevo

 Oremos

Líder: Te aclamamos con alegría, Dios.

"Sepan que el Señor es Dios,
él nos hizo y nosotros somos suyos,
su pueblo y el rebaño de
su pradera". Salmo 100, 3

Todos: Gracias, Dios, por guiarnos y amarnos.
Amén.

La Palabra de Dios

Entonces Tomás le dijo: "Señor, nosotros no sabemos adónde vas, ¿cómo vamos a conocer el camino?" Jesús contestó: "Yo soy el Camino, la Verdad y la Vida. Nadie va al Padre sino por mí. Si me conocen a mí, también conocerán al Padre. Pero ya lo conocen y lo han visto."
Juan 14, 5-7

? ¿Qué piensas?

- ¿Qué significa ser hijo de Dios?

- ¿Cómo nos invita Dios a conocerlo y amarlo?

A New Year

 Let Us Pray

Leader: We shout joyfully to you, God.

"Know that the LORD is God,
  he made us, we belong to him,
  we are his people, the flock he
  shepherds." Psalm 100:3

All: Thank you, God, for guiding and loving us.
Amen.

 God's Word

Thomas said to him, "Master, we do not know where you are going; how can we know the way?"

Jesus said to him, "I am the way and the truth and the life. No one comes to the Father except through me. If you know me, then you will also know my Father. From now on you do know him and have seen him." John 14:5–7

? What Do You Wonder?

- What does it mean to be a child of God?

- How does God invite us to know and love him?

3

Mirando hacia adelante

¿Cómo será este año?

Este año aprenderás muchas cosas nuevas sobre nuestra fe católica. Aprenderás acerca del amor de Dios por ti. Te acercarás más a Jesús como su amigo.

⊞ significa que es un relato o una lectura de la Biblia. A través de los relatos de la Biblia conocerás a Jesús.

♥ te indica que es el momento de orar. Te acercarás más a Jesús mientras oras y aprendes de sus enseñanzas.

▶ te dice que cantes cantos para alabar a Dios y celebrar nuestra fe.

Subraya una cosa que harás este año.

La estrella dorada de arriba señala el comienzo de un ejercicio para ayudarte a aprender lo que se enseña. Puedes subrayar, encerrar en un círculo, escribir, relacionar o dibujar.

Looking Ahead

What's the year going to be like?

This year you will learn many new things about our Catholic faith. You will learn about God's love for you. You will grow as Jesus' friend.

 means the story or reading is from the Bible. Through Bible stories you will meet Jesus.

lets you know it's time to pray. You will grow closer to Jesus as you pray and get to know his teachings.

tells you to sing songs to praise God and celebrate our faith.

Underline one thing you will do this year.

The gold star above begins an exercise to help you learn what's being taught. You may underline, circle, write, match, or draw.

Palabras atólicas

este recuadro verás
palabras resaltadas
su definición.

ijo de Dios un
ombre para Jesús
ue te dice que Dios es
u Padre. El Hijo de Dios
s la Segunda Persona
ivina de la Santísima
rinidad.

Maneras de conocer a Dios

Durante este año, descubrirás cómo estamos hechos por Dios. Él nos da los dones de su creación. Puedes conocer a Dios a través de su Hijo, Jesús, y de la Biblia.

Jesús es el **Hijo de Dios**, que te ama y te muestra cómo debes amar al Padre y a las personas.

También conocemos a Dios a través de nuestra familia y de la Iglesia. Jesús está siempre con su Iglesia, y el Espíritu Santo está siempre guiándonos y ayudándonos.

Comparte tu fe

¡Cuando veas estas divertidas letras verdes, sabrás que es el momento de hacer una actividad!

Piensa ¿Quién es el Hijo de Dios? Colorea su nombre.

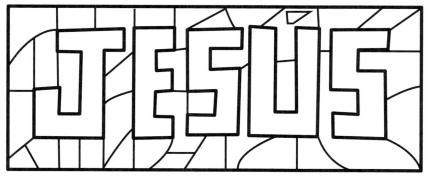

Comparte tu trabajo con un compañero.

Ways to Know God

During this year, you'll discover how we are made by God. He gives us the gifts of his creation. You can know God through his Son, Jesus, and the Bible.

Jesus is the **Son of God** who loves you and shows you how to love the Father and one another.

We also know God through our families and the Church. Jesus is with his Church always, and the Holy Spirit is always guiding and helping us.

Catholic Faith Words

In this box you will see the highlighted words and their definitions.

Son of God a name for Jesus that tells you God is his Father. The Son of God is the Second Divine Person of the Holy Trinity.

Share Your Faith

When you see these fun green words, you know it's time for an activity!

Think Who is the Son of God? Color in his name.

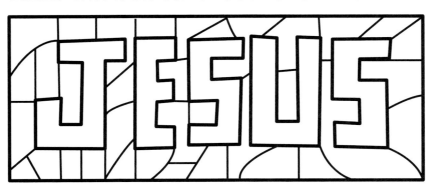

Share your work with a partner.

La Palabra de Dios

¿Qué podemos aprender de la Biblia?

La **Biblia** es la Palabra de Dios.

La Biblia tiene dos partes. La primera parte es el Antiguo Testamento. Habla de los tiempos antes de que naciera Jesús. La segunda parte es el Nuevo Testamento. Habla de Jesús y de sus seguidores.

En la Biblia hay muchas clases de relatos. Con estos relatos aprendemos acerca de Dios y de su amor. Oímos sobre cómo quiere Dios que vivamos.

Palabras católicas

Biblia la Palabra de Dios escrita en palabras humanas. La Biblia es el libro sagrado de la Iglesia.

Del Antiguo Testamento

La Creación de Dios

Del Nuevo Testamento

La Navidad

God's Word

What can we learn from the Bible?

The **Bible** is the Word of God.

The Bible has two parts. The first part is the Old Testament. It is about the times before Jesus was born. The second part is the New Testament. It tells about Jesus and his followers.

In the Bible there are many kinds of stories. From these stories we learn about God and his love. We hear about how God wants us to live.

> ### Catholic Faith Words
>
> **Bible** the Word of God written in human words. The Bible is the holy book of the Church.

From the Old Testament — God's Creation

From the New Testament — The Nativity

Los Evangelios

Algunos de los relatos más importantes de la Biblia son acerca de Jesús. Hallamos estos relatos en los Evangelios, los cuatro primeros libros del Nuevo Testamento.

Aprendemos sobre el nacimiento y la vida de Jesús. Oímos los relatos que Jesús usaba y que nos ayudan a comprender que Él es el Hijo de Dios, que nos guía a Dios Padre.

Practica tu fe

Dibuja un relato de la Biblia Dibuja tu relato preferido de la Biblia.

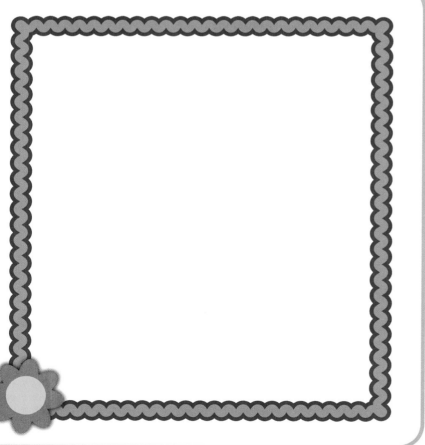

The Gospels

Some of the most important Bible stories are about Jesus. We find these stories in the Gospels, the first four books of the New Testament.

We learn about Jesus' birth and life. We hear stories Jesus used to help us understand he is the Son of God who leads us to God the Father.

Connect Your Faith

Draw a Bible Story
Draw your favorite story from the Bible.

Nuestra vida católica

¿Qué significa ser católico?

Cada capítulo del libro tiene la sección Nuestra vida católica, con actividades que nos ayudan a acercarnos más a Jesús y la Iglesia.

Crece como seguidor de Jesús

- aprende más sobre nuestra fe
- aprende acerca de los Sacramentos
- vive como Jesús nos lo pide
- habla con Dios y escúchalo en oración
- participa en la vida de la Iglesia
- ayuda a otros a conocer a Jesús

Gente de fe

Busca este recuadro, donde conocerás a Gente de fe, mujeres y hombres virtuosos que amaban mucho a Dios y que hicieron su obra en la Tierra.

Vive tu fe

Amigo de Jesús Tú eres un amigo de Jesús. Escribe tu nombre.

_____

_ _ _ _ _ _ _ _ _ _ _ _ _ _ _ _ _ _ _ _

_____

Our Catholic Life

What does it mean to be Catholic?

Each chapter in your book has an Our Catholic Life section with activities that help us grow closer to Jesus and the Church.

Grow as a Follower of Jesus

- know more about our faith
- learn about the Sacraments
- live as Jesus calls us to
- talk and listen to God in prayer
- take part in Church life
- help others know about Jesus

People of Faith

Look for this box, where you will meet People of Faith, holy women and men who loved God very much and did his work on Earth.

Live Your Faith

Friend of Jesus You are a friend of Jesus. Write your name.

_____

_____

Oremos

Oremos juntos

Cada capítulo tiene una oración. Puedes pedir ayuda a Dios, darle gracias, orar por otros y alabarlo con cantos.

Reúnanse y comiencen con la Señal de la Cruz.

Todos: En el nombre del Padre, y del Hijo, y del Espíritu Santo. Amén.

Líder: Oremos.

Inclinen la cabeza mientras el líder ora.

Todos: Amén.

Líder: Lectura del santo Evangelio según Juan.

Lean Juan 6, 12.

Palabra del Señor.

Todos: Gloria a ti, Señor Jesús.

Canten "Estamos Vivos en Cristo"

Estamos vivos en Cristo
Estamos vivos en Cristo
Él es quien nos libró
Estamos vivos en Cristo
Estamos vivos en Cristo
Él se entregó por mí
Y nuestra vida es Él
Y nuestra vida es Él

© 2015, John Burland. Todos los derechos reservados.

 **Let Us Pray**

Pray Together

Every chapter has a prayer. You may ask God for help, thank him, pray for others, and praise him with songs.

Gather and begin with the Sign of the Cross.

All: In the name of the Father, and of the Son, and of the Holy Spirit. Amen.

Leader: Let us pray.

Bow your heads as the leader prays.

All: Amen.

Leader: A reading from the holy Gospel according to John.

Read John 6:12.

The Gospel of the Lord.

All: Praise to you, Lord Jesus Christ.

 Sing "Alive in Christ"

We are Alive in Christ
We are Alive in Christ
He came to set us free
We are Alive in Christ
We are Alive in Christ
He gave his life for me
We are Alive in Christ
We are Alive in Christ

SUS HIJOS APRENDIERON >>>

Esta página es para ustedes, los padres, para animarlos a hablar sobre su fe y para ver las muchas maneras en que ustedes ya viven su fe a diario en la vida familiar.

La Palabra de Dios

 En esta sección hallarán una cita de la Sagrada Escritura y un resumen de lo que su hijo ha aprendido en el capítulo.

Lo que creemos

- La información en viñetas resalta los puntos principales de la doctrina en el capítulo.

Gente de fe

Aquí conocen a la persona santa presentada en Gente de fe.

LOS NIÑOS DE ESTA EDAD >>>

Esta sección les da una idea de cómo es probable que su hijo, en esta edad en particular, comprenda lo que se le enseña. Ofrece sugerencias de cómo ayudar a su hijo a comprender, vivir y amar mejor su fe.

Cómo comprenden las lecciones Su hijo está haciendo una transición importante, de su círculo familiar a un mundo más amplio. Hacer amigos es importante para ellos. Es común que sientan apegos intensos pero breves. Puede que tengan un nuevo mejor amigo cada pocos días. Aunque todavía son algo egocéntricos, les gusta ayudar a los demás y necesitan oportunidades para hacerlo.

Los niños de esta edad piensan y aprenden de manera concreta. Cuando hablen de Dios con su hijo, usen imágenes y experiencias concretas.

La repetición y el reconocimiento funcionan bien con el niño de esta edad. Digan juntos con frecuencia las mismas oraciones. Determinen qué rituales religiosos se usarán regularmente en su hogar.

Para la mayoría de los niños pequeños, orar es tan natural como hablar y escuchar a familiares o amigos. Animen a su hijo a orar en voz alta espontáneamente en las comidas o antes de ir a dormir.

CONSIDEREMOS ESTO >>>

Esta sección incluye una pregunta que los invita a reflexionar sobre su propia experiencia y a considerar cómo la Iglesia les habla en su propio viaje de fe.

HABLEMOS >>>

- Aquí hallarán algunas preguntas prácticas que motivan a conversar sobre el contenido de la lección, a compartir la fe y a hacer conexiones con su vida familiar.

- Pidan a su hijo que comparta algo que haya aprendido de su libro.

OREMOS >>>

 Esta sección invita a una oración familiar relacionada con el ejemplo de nuestra Gente de fe.

Santos y santas, rueguen por nosotros. Amén.

 Visiten **vivosencristo.osv.com** para encontrar un glosario multimedia de Palabras católicas, lecturas dominicales, y recursos de Santos y tiempos festivos.

FAMILY+FAITH
LIVING AND LEARNING TOGETHER

YOUR CHILD LEARNED >>>

This page is for you, the parent, to encourage you to talk about your faith and see the many ways you already live your faith in daily family life.

God's Word

 In this section, you will find a Scripture citation and a summary of what your child has learned in the chapter.

Catholics Believe

- Bulleted information highlights the main points of doctrine of the chapter.

People of Faith

Here you meet the holy person featured in People of Faith.

CHILDREN AT THIS AGE >>>

This feature gives you a sense of how your child, at this particular age, will likely understand what is being taught. It suggests ways you can help your child better understand, live, and love their faith.

How They Understand the Lessons Your child is making an important transition from your family circle into the wider world. Making friends is important for them. It is common for them to feel intense but brief attachments. They may have a new best friend every few days. While they are still somewhat gracefully self-centered, they like helping others and need opportunities to do so.

Children this age think and learn concretely. When talking about God with your child, use concrete images and experiences.

Repetition and recognition work well with children at this age. Say the same prayers together often. Determine what religious rituals will be consistently used in your home.

For most young children praying is as natural as talking and listening to a family member or friend. Encourage your child to spontaneously pray aloud at meals or when preparing to go to bed.

CONSIDER THIS >>>

This section includes a question that invites you to reflect on your own experience and consider how the Church speaks to you on your own faith journey.

LET'S TALK >>>

- Here you will find some practical questions that prompt discussion about the lesson's content, faith sharing, and making connections with your family life.

- Ask your child to name one thing they've learned about their book.

LET'S PRAY >>>

 This section encourages family prayer connected to the example of our People of Faith.

Holy men and women, pray for us. Amen.

 For a multimedia glossary of Catholic Faith Words, Sunday readings, seasonal and Saint resources, and chapter activities go to **aliveinchrist.osv.com**.

El cumpleaños de María

 Oremos

Líder: Querida Madre María,
¡Feliz cumpleaños! Gracias por ser la
Madre de Jesús. Ayúdanos a ser como Él.

"¡Bendita tú eres entre las mujeres...!"
Lucas 1, 42

Todos: Amén.

🕮 La Palabra de Dios

*"Proclama mi alma la grandeza del Señor,
y mi espíritu se alegra en Dios mi Salvador,
porque se fijó en su humilde esclava, y desde
ahora todas las generaciones me llamarán
feliz. El Poderoso ha hecho grandes cosas por
mí: ¡Santo es su Nombre!"* Lucas 1, 46-49

? **¿Qué piensas?**

- ¿Qué hacían María e Isabel cuando estaban juntas?
- ¿Era María feliz todo el tiempo?

Mary's Birthday

 Let Us Pray

Leader: Dear Mother Mary,
Happy Birthday! Thank you for being
Jesus' Mother. Help us to be like him.

"Most blessed are you among women."
Luke 1:42

All: Amen.

📖 God's Word

"My soul proclaims the greatness of the Lord; my spirit rejoices in God my savior. For he has looked upon his handmaid's lowliness; behold, from now on will all ages call me blessed. The Mighty One has done great things for me, and holy is his name." Luke 1:46-49

 What Do You Wonder?

- What did Mary and Elizabeth do while they were together?
- Was Mary happy all the time?

María Madre

¿Por qué la Iglesia honra a María?

Tiempo Ordinario

El Tiempo Ordinario celebra las palabras y las obras de Jesús.

Este tiempo se distingue con el color verde.

En este tiempo hay muchas fiestas de María.

Tú eres hijo de Dios. Como Dios es tu Padre, Jesús es tu Hermano.

La Madre de Jesús es María. María es también tu Madre. María dijo "sí" al plan de Dios para ella, y el Hijo de Dios se hizo hombre.

Celebramos el cumpleaños de María el 8 de septiembre. El color para las festividades de María es el blanco.

© Our Sunday Visitor

Mother Mary

Why does the Church honor Mary?

You are God's child. Because God is your Father, Jesus is your Brother.

The Mother of Jesus is Mary. Mary is your mother, too. Mary said "yes" to God's plan for her, and the Son of God became man.

We celebrate Mary's birthday on September 8. The color for the feasts of Mary is white.

Ordinary Time

- Ordinary Time celebrates the words and works of Jesus.

- This season is marked by the color green.

- There are many feasts of Mary in this season.

Tiempo Ordinario

El Tiempo Ordinario es el tiempo del año litúrgico que ocurre dos veces: después de Navidad y durante un período más largo después de Pascua. Durante este tiempo aprendemos más acerca de las enseñanzas de Jesús para crecer como sus discípulos. También honramos a María y a muchos de los Santos.

➤ **¿Por qué honramos a María?**

Subraya cuándo transcurre el Tiempo Ordinario durante el año litúrgico.

Actividad

Honra a María Tú honras a María cuando le dices "sí" a Dios. Colorea la ilustración de María y Jesús.

Ordinary Time

Ordinary Time is a season of the Church year that comes twice: once after Christmas and for a longer time after Easter. During this time we learn more about Jesus' teachings so we can grow as his disciples. We also honor Mary and many of the Saints.

 Underline when Ordinary Time comes during the Church year.

➔ **Why do we honor Mary?**

Activity

Honor Mary You honor Mary when you say "yes" to God. Color in the picture of Mary and Jesus.

Gente de fe

San Patricio

Santa Rosa de Lima

San Moisés Etíope

Capítulo	Persona	Festividad
1	Beato Fray Angélico	18 de febrero
2	San Nicolás	6 de diciembre
3	San Alberto Magno	15 de noviembre
4	San Patricio	17 de marzo
5	Zacarías, Isabel y Juan	5 de noviembre y 24 de junio
6	San Pablo de la Cruz	20 de octubre
7	Santa Luisa de Marillac	15 de marzo
8	Santo Tomás de Villanueva	22 de septiembre
9	San Efrén, el compositor de himnos	9 de junio
10	Beata María Teresa de Jesús Gerhardinger	9 de mayo
11	Santa Rosa de Lima	23 de agosto
12	Santo Domingo	8 de agosto
13	Venerable Padre Solanus Casey	
14	Santa Francisca Cabrini	13 de noviembre
15	San Dimas	25 de marzo
16	Santa Josefina Bakhita	8 de febrero
17	María	1 de enero
18	San Moisés Etíope	28 de agosto
19	Papa San Juan XXIII	11 de octubre
20	Santa Emilia de Vialar	17 de junio
21	San Pedro Calungsod	21 de abril

People of Faith

Saint Patrick

Saint Rose of Lima

Saint Moses the Black

Chapter	Person	Feast Day
1	Blessed Fra Angelico	February 18
2	Saint Nicholas	December 6
3	Saint Albert the Great	November 15
4	Saint Patrick	March 17
5	Zechariah, Elizabeth & John	November 5 and June 24
6	Saint Paul of the Cross	October 20
7	Saint Louise de Marillac	March 15
8	Saint Thomas of Villanova	September 22
9	Saint Ephrem the Hymnist	June 9
10	Blessed Mary Theresa of Jesus Gerhardinger	May 9
11	Saint Rose of Lima	August 23
12	Saint Dominic	August 8
13	Venerable Father Solanus Casey	
14	Saint Frances Cabrini	November 13
15	Saint Dismas	March 25
16	Saint Giuseppina Bakhita	February 8
17	Mary	January 1
18	Saint Moses the Black	August 28
19	Pope Saint John XXIII	October 11
20	Saint Emily de Vialar	June 17
21	Saint Pedro Calungsod	April 21

 **Oremos**

Ave María

Reúnanse y comiencen cantando el estribillo.

Todos: Canten "Madre de Amor"

Hagan juntos la Señal de la Cruz.

Líder: Bendito seas, Dios.

Todos: Bendito seas por siempre, Señor.

Inclinen la cabeza mientras el líder ora.

Todos: Amén.

Escucha la Palabra de Dios

Líder: Lectura del santo Evangelio según Mateo.

Lean Mateo 1, 18–23.

Palabra del Señor.

Todos: Gloria a ti, Señor Jesús.

Líder: Vayamos a compartir la paz y el amor de Dios.

Todos: Demos gracias a Dios.

 **Let Us Pray**

Ave Maria

Gather and begin by singing the refrain.

 All: Sing "Immaculate Mary"

Pray the Sign of the Cross together.

Leader: Blessed be God.

All: Blessed be God forever.

Bow your head as the leader prays.

All: Amen.

Listen to God's Word

Leader: A reading from the holy Gospel according to Matthew.

Read Matthew 1:18-23.

The Gospel of the Lord.

All: Praise to you, Lord Jesus Christ.

Leader: Let us go to share God's peace and love.

All: Thanks be to God.

FAMILIA + FE

VIVIR Y APRENDER JUNTOS

HABLAMOS DEL TIEMPO ORDINARIO >>>

Las fiestas de María y los Santos se celebran durante todo el Año Litúrgico. La celebración del nacimiento de María, el 8 de septiembre, ocurre en el Tiempo Ordinario. El Tiempo Ordinario es el más largo de los tiempos de la Iglesia. Al celebrar el cumpleaños de María, la Iglesia expresa su nacimiento como un momento especial en la historia de la salvación. Ella dio a luz a Jesús, el Salvador. Ella es la Madre de Dios. Al celebrar el nacimiento de María, nos regocijamos en que ella aceptó la invitación de Dios para ser la Madre de Jesús.

La Palabra de Dios

 Lean **Lucas 1, 46–56**, el Magníficat de María. Es uno de los salmos responsoriales que se cantan o recitan durante la Misa en honor a María.

AYUDEN A SUS HIJOS A COMPRENDER >>>

María

- La mayoría de los niños de esta edad sienten un gran afecto por María como Madre de Jesús.
- A este edad los niños ya deben conocer el Ave María pero necesitan ayuda con las palabras (vean la página 634).
- Su hijo es capaz de identificarse con el "sí" de María en respuesta a lo que Dios le pidió.

COSTUMBRES DE LA FAMILIA CATÓLICA >>>

El nacimiento de María   Una de las maneras de celebrar el nacimiento de María es honrando a las madres que conocen. También es una ocasión perfecta para hablar de la vida como un don. Pueden hablar de por qué es importante celebrar la vida en los cumpleaños y por qué como católicos nos preocupamos por todas las formas de vida, incluyendo a toda la creación.

Hablen de las muchas "madres" que los han ayudado en su vida. Incluyan a su propia madre y abuelas, así como tías, madres de amigos y demás.

Piensen en algo especial que cada uno de ustedes puede hacer para honrar a una de las madres que mencionaron. Entre las posibilidades está llevarle flores, escribirle una nota, hacerle un dibujo o rezar por ella.

ORACIÓN EN FAMILIA >>>

 Recen juntos esta oración de confianza en María durante el mes de septiembre.

María, Madre de Jesús y también Madre mía, ayúdame a decirle "sí" a Dios todos los días. Amén.

Visiten **vivosencristo.osv.com** para encontrar un glosario multimedia de Palabras católicas, lecturas dominicales, y recursos de Santos y tiempos festivos.

FAMILY+FAITH

LIVING AND LEARNING TOGETHER

TALKING ABOUT ORDINARY TIME >>>

Feasts of Mary and the Saints occur all during the Church year. The celebration of Mary's birthday on September 8th comes in Ordinary Time. Ordinary Time is the longest of all the Church seasons. In celebrating Mary's birthday, the Church gives expression to her birth as a special moment in salvation history. She would give birth to Jesus, the Savior. She is the Mother of God. By celebrating Mary's birthday, we rejoice that she was open to God's invitation to become the Mother of Jesus.

God's Word

 Read **Luke 1:46-56**, the Magnificat of Mary. It is one of the choices for the responsorial psalms sung or recited at a Mass honoring Mary.

HELPING YOUR CHILD UNDERSTAND >>>

Mary

- Most children at this level have great affection for Mary as Jesus' Mother.

- At this grade children should be familiar with the Hail Mary but need help with the words (see page 635).

- Your child will be able to identify with Mary's response of "yes" to what God asked of her.

CATHOLIC FAMILY CUSTOMS >>>

Mary's Birth One of the ways to celebrate the birth of Mary is to honor mothers you know. It is also a perfect time to talk about life as a gift. You can talk about why it is important to celebrate life at birthdays and why as Catholics we care for every form of life, including all of creation.

Talk about the many "mothers" who have helped you in your life. Include your own mother and grandmother as well as aunts, mothers of friends, and others.

Brainstorm what special thing each of you can do to honor one of the mothers you have talked about. Possibilities might be to bring her flowers, write a note, draw a picture for her, or pray for her.

FAMILY PRAYER >>>

 Pray this prayer of trust in Mary together during the month of September.

Mary, Mother of Jesus and my Mother, too, help me to say "yes" to God every day. Amen.

For a multimedia glossary of Catholic Faith Words, Sunday readings, seasonal and Saint resources, and chapter activities go to **aliveinchrist.osv.com**.

Día de Todos los Santos

 Oremos

Líder: Querido Dios, Padre nuestro, nosotros somos tus hijos. Te amamos. Queremos estar siempre cerca de ti.

"*Yo soy* la luz del mundo. El que me sigue no caminará en tinieblas, sino que tendrá luz y vida".   Juan 8, 12

Todos: Amén.

La Palabra de Dios

"Como el Padre me amó, así también los he amado yo: permanezcan en mi amor. Si cumplen mis mandamientos, permanecerán en mi amor [...] Les he dicho todas estas cosas para que mi alegría esté en ustedes y su alegría sea completa." Juan 15, 9-11

¿Qué piensas?

- ¿Cuánto tiempo es para siempre?

- ¿Cómo puedes estar cerca de Jesús?

All Saints Day

 Let Us Pray

Leader: Dear God, our Father, we are your children. We love you. We want to stay close to you always.

"I am the light of the world. Whoever follows me will not walk in darkness, but will have the light of life."   John 8:12

All: Amen.

📖 God's Word

"As the Father loves me, so I also love you. Remain in my love. If you keep my commandments, you will remain in my love.... I have told you this so that my joy may be in you and your joy may be complete."
John 15:9–11

 What Do You Wonder?

- How long is forever?
- How can you stay close to Jesus?

Vidas santas

¿Por qué la Iglesia honra a los Santos?

El Día de Todos los Santos se celebra el 1 de noviembre. Es un Día de Precepto, lo que significa que los católicos deben asistir a Misa. La fiesta honra a todos los que están en el Cielo.

Un día festivo para todos

Cuando las personas que aman mucho a Dios y llevan una vida virtuosa mueren, van al Cielo. Estos héroes de la Iglesia se llaman Santos. Son ejemplos de cómo se vive nuestra fe.

No conocemos el nombre de todos los que están en el Cielo. El Día de Todos los Santos, los católicos honramos también a los Santos que no podemos nombrar. Ese día, recordamos a todos los que están en el Cielo. También honramos a los Santos en días festivos durante el año.

> Encierra en un círculo la fecha en que honramos a todos los Santos del Cielo.

En marzo celebramos la Solemnidad de San José.

Holy Lives

Why does the Church honor Saints?

All Saints Day is celebrated on November 1. It is a Holy Day of Obligation, which means that Catholics must attend Mass. The feast honors everyone who is in Heaven.

Circle the date that we honor all of the Saints in Heaven.

A Feast for Everyone

When people who love God very much and lead a holy life die, they go to Heaven. These heroes of the Church are called Saints. They are examples of how to live our faith.

We don't know the name of everyone in Heaven. On All Saints Day, Catholics also honor the Saints we can't name. On that day, we remember everyone in Heaven. We also honor Saints on feast days during the year.

In March, we celebrate the Feas of Saint Joseph.

33

Oremos

Celebremos las vidas santas

Reúnanse y comiencen con la Señal de la Cruz.

Líder: Bendito seas, Dios.

Todos: Bendito seas por siempre, Señor.

Líder: Oremos.

Inclinen la cabeza mientras el líder ora.

Todos: Amén.

Escucha la Palabra de Dios

Líder: Lectura del santo Evangelio según Juan.

Lean Juan 6, 40.

Palabra del Señor.

Todos: Gloria a ti, Señor Jesús.

Líder: Como los Santos, podemos ir en paz para servir al Señor.

Todos: Demos gracias a Dios.

 Canten "Santos del Señor"

Let Us Pray

Celebrate Holy Lives

Gather and begin with the Sign of the Cross.

Leader: Blessed be God.

All: Blessed be God forever.

Leader: Let us pray.

Bow your heads as the leader prays.

All: Amen.

Listen to God's Word

Leader: A reading from the holy Gospel according to John.

Read John 6:40.

The Gospel of the Lord.

All: Praise to you, Lord Jesus Christ.

Leader: Like the Saints, let us go out to serve the Lord.

All: Thanks be to God.

 Sing "Sing a Song to the Saints"

FAMILIA + FE

VIVIR Y APRENDER JUNTOS

HABLAMOS DEL TIEMPO ORDINARIO >>>

Durante la Solemnidad de Todos los Santos, honramos a todos los Santos con nombre o anónimos. Honramos a las muchas personas que están en el Cielo, incluyendo a quienes la Iglesia no ha canonizado oficialmente, o nombrado públicamente Santos. Esta festividad nos recuerda que todos hemos sido llamados a ser Santos. Para los católicos, este es un Día de Precepto.

La Palabra de Dios

Lean **Juan 15, 9–17**, para saber cómo somos las ramas que estamos conectadas al Señor. Es de Él que recibimos el alimento para amar.

AYUDEN A SUS HIJOS A COMPRENDER >>>

Los Santos

- La mayoría de los niños de esta edad entienden que los Santos son amigos de Dios.
- A esta edad, muchos niños creen que las personas buenas que conocen y que han muerto están en el Cielo con Dios.
- En la mayoría de los casos, los niños se motivan por el hecho de que ellos también pueden ser Santos.

FIESTAS DEL TIEMPO >>>

Solemnidad de Todos los Santos
1 de noviembre

La Solemnidad de Todos los Santos es una gran ocasión para hablar de la herencia religiosa de su familia. Compartan con su hijo relatos relacionados con celebraciones religiosas. Hablen de las personas que más influyeron en su fe y quiénes les revelaron mejor a Dios, quiénes les hablaron acerca de Dios. Dios se nos revela de muchas maneras, incluyendo la creación, la Sagrada Escritura, la Tradición y las personas. Para que sus relatos sean más concretos, compartan con su hijo fotos de la familia. Si se sienten cómodos haciéndolo, es importante hablar con su hijo acerca de familiares que han fallecido y están en el Cielo. Compartan las cosas buenas que hicieron, inspirados por su fe.

ORACIÓN EN FAMILIA >>>

 Recen juntos esta oración en la cena del 1 de noviembre para celebrar la Solemnidad de Todos los Santos:

Querido Dios, tú eres la fuente de la santidad. Todos los que están en el Cielo te honran. Deja que unamos nuestras oraciones con las suyas. Y cuando hayamos terminado nuestro viaje en la Tierra, llévanos en su compañía. Te lo pedimos por Jesús, tu Hijo. Amén.

Visiten **vivosencristo.osv.com** para encontrar un glosario multimedia de Palabras católicas, lecturas dominicales, y recursos de Santos y tiempos festivos.

FAMILY+FAITH
LIVING AND LEARNING TOGETHER

TALKING ABOUT ORDINARY TIME >>>

On the Feast of All Saints we honor all the named and unnamed Saints. We honor the many people who are in Heaven, including those whom the Church has not officially canonized or named publicly as Saints. This feast reminds all of us that we are each called to be a Saint. For Catholics, this day is a Holy Day of Obligation.

God's Word

 Read **John 15:9–17**, to learn how we are the branches who are attached to the Lord. It is from him that we receive the nourishment to love.

HELPING YOUR CHILD UNDERSTAND >>>

Saints

- Most children this age understand that Saints are friends of God.
- At this age, many children believe that good people they know who have died are in Heaven with God.
- In most cases children are motivated by the fact that they, too, can be Saints.

FEASTS OF THE SEASON >>>

Feast of All Saints
November 1

The Feast of All Saints is a great time to talk about your family's religious heritage. Tell your child family stories relating to religious celebrations. Talk about the people who most influenced your faith and who most revealed God to you, who taught you about God. God reveals himself to us in many ways, including creation, Scripture, Tradition, and people. To make the stories more concrete, share family pictures with your child. If you can do so comfortably, it is important to talk with your child about family members who have passed away and are in Heaven. Share the good things that they did, inspired by their faith.

FAMILY PRAYER >>>

 Say this prayer together at dinner on November 1 to celebrate the Feast of All Saints.

Dear God, you are the source of holiness. Everyone who is in Heaven honors you. Let us join our prayers with their prayers. And when we have finished our journey on Earth, bring us into their company. We ask this through Jesus, your Son. Amen.

For a multimedia glossary of Catholic Faith Words, Sunday readings, seasonal and Saint resources, and chapter activities go to **aliveinchrist.osv.com**.

Esperar a Jesús

 Oremos

Líder: Señor Jesús, te estamos esperando. Muéstranos lo que debemos hacer para preparar nuestro corazón.

"A ti, Señor, elevo mi alma…"
Salmo 25, 1

Todos: Amén.

 ## La Palabra de Dios

Que se alegren el desierto y la tierra seca […] Que se llene de flores como junquillos […] Ellos a su vez verán el esplendor de Yavé, todo el brillo de nuestro Dios.   Isaías 35, 1-2

¿Qué piensas?

- ¿Por qué necesitamos prepararnos para los acontecimientos importantes?

- ¿Qué significa ver el esplendor de Dios?

Waiting for Jesus

♥ Let Us Pray

Leader: Lord Jesus, we are waiting for you. Show us what to do to get our hearts ready.

"To you, O LORD, I lift up my soul."
Psalm 25:1

All: Amen.

God's Word

The wilderness and the parched land will exult…. Like the crocus it shall bloom abundantly…. They will see the glory of the LORD, the splendor of our God.   Isaiah 35:1–2

? What Do You Wonder?

- Why do we need to get ready for important events?

- What does it mean to see God's glory?

Prepárate

¿Qué es el Adviento?

El Adviento es el primer tiempo del año litúrgico. El sacerdote se viste de morado en Adviento. El morado es el color de la realeza, pues esperamos al Rey que vendrá. También es el color del dolor y del arrepentimiento.

Las personas esperamos muchos años a que Dios enviara alguien a salvarnos. Finalmente, Jesús nació en Belén.

El Adviento es un tiempo para preparar nuestro corazón para Jesús, nuestro Rey, que regresará de nuevo en gloria.

Encierra en un círculo el color que el sacerdote usa durante el Adviento.

Adviento

El tiempo de cuatro semanas antes de Navidad.

Durante este tiempo, nos preparamos para celebrar la venida de Jesús.

Get Ready

What is Advent?

Advent is the first season of the Church year. The priest wears purple colors in Advent. Purple is the color of royalty as we await the coming King. It is also the color for sorrow and feeling sorry.

People waited many years for God to send someone to save us. Finally, Jesus was born in Bethlehem.

Advent is a time to get our hearts ready for Jesus, our King, to return again in glory.

Circle the color that the priest wears during Advent.

Advent

- The season during the four weeks before Christmas.

- During this time we prepare to celebrate the coming of Jesus.

 **Oremos**

Oración de alabanza

Reúnanse y comiencen con la Señal de la Cruz.

Líder: Ven, Señor Jesús.

Todos: Ven, Señor Jesús.

Líder: Oremos.

Inclinen la cabeza mientras el líder ora.

Todos: Amén.

Escucha la Palabra de Dios

Líder: Lectura del santo Evangelio según Mateo.

Lean Mateo 24, 42.

Palabra del Señor.

Todos: Gloria a ti, Señor Jesús.

 Canten "Levántate"

 **Let Us Pray**

Prayer of Praise

Gather and begin with the Sign of the Cross.

Leader: Come, Lord Jesus.

All: Come, Lord Jesus.

Leader: Let us pray.

Bow your heads as the leader prays.

All: Amen.

Listen to God's Word

Leader: A reading from the holy Gospel according to Matthew.

Read Matthew 24:42.

The Gospel of the Lord.

All: Praise to you, Lord Jesus Christ.

 Sing "Stay Awake"

FAMILIA + FE
VIVIR Y APRENDER JUNTOS

HABLAMOS DEL ADVIENTO >>>

El Adviento es el primer tiempo del Año Litúrgico. Son cuatro semanas de preparación y espera para la celebración de la Navidad. La Iglesia nos recuerda que debemos hacer una pausa durante estas semanas y recordar el anhelo de quienes esperaron que Dios cumpliera su promesa de enviar un Salvador.

La Palabra de Dios

 Lean **Isaías 35, 1–6**, para aprender cómo Isaías les dio esperanza a los israelitas con la promesa de Dios de llevarlos a su hogar y salvarlos.

AYUDEN A SUS HIJOS A COMPRENDER >>>
El Adviento

- A la mayoría de los niños de esta edad les resulta difícil esperar. Un calendario de Adviento es una manera de ayudarlos a conectarse con el espíritu de espera del Adviento.

- Generalmente, las analogías ayudan a los niños de esta edad a comprender de qué se trata este tiempo. Para ayudar a su hijo a entender el sentido del tiempo, usen ejemplos de esperar tomados de experiencias propias de su hijo, como esperar por un visitante especial.

- A veces, la estimulación de los preparativos de Navidad hace que los niños se agiten, se quejen o muestren algún otro comportamiento negativo. Los niños (y adultos) responderán bien a momentos tranquilos de reflexión y oración, usando los salmos de los Domingos de Adviento.

FIESTAS DEL TIEMPO >>>
Fiesta de San Nicolás
6 de diciembre

Abundan las leyendas acerca de un obispo nacido en el siglo III, que usó toda su herencia para ayudar a los necesitados, los enfermos y los afligidos sin esperar nada a cambio. Los regalos de navidad y las contribuciones a la caridad propias del tiempo reflejan la preocupación desinteresada de San Nicolás por los demás. Los inmigrantes europeos trajeron estas costumbres navideñas a Estados Unidos.

ORACIÓN EN FAMILIA >>>

 Recen esta oración para bendecir su corona de Adviento.

Líder: Oremos. Oh Dios, derrama tus bendiciones sobre esta corona, y concédenos que quienes la usamos preparemos nuestro corazón para la llegada de Cristo y recibamos de ti muchas bendiciones. (Rocíen agua bendita en forma de cruz sobre la corona. Pídanle a su hijo que haga la Señal de la Cruz junto con ustedes). Por Cristo nuestro Señor. Todos: Amén.

Visiten **vivosencristo.osv.com** para encontrar un glosario multimedia de Palabras católicas, lecturas dominicales, y recursos de Santos y tiempos festivos.

FAMILY+FAITH
LIVING AND LEARNING TOGETHER

TALKING ABOUT ADVENT >>>

Advent is the first season of the Church year. It is four weeks of preparing and waiting for the celebration of Christmas. The Church reminds us to take a step back during these weeks and recall the longings of those who waited for God to fulfill his promise of a Savior.

God's Word

 Read **Isaiah 35:1–6**, to learn how Isaiah gave the Israelites hope of God's promise to bring them home and to save them.

HELPING YOUR CHILD UNDERSTAND >>>

Advent

- Most children this age find waiting difficult. An Advent calendar is one way to help children get into the spirit of Advent waiting.

- Typically analogies help children this age understand what the season is about. To help your child get a sense of the season, use examples of waiting from their own experience, such as waiting for a special visitor.

- Sometimes the stimulation of preparing for Christmas can lead young children to excitability, whining, or other negative behaviors. Children (and adults) will respond well to quiet times of reflection and prayer using the psalms from the Sundays of Advent.

FEASTS OF THE SEASON >>>

Feast of Saint Nicholas
December 6

Legends abound about a bishop born in the third century who used his whole inheritance to assist the needy, the sick, and the suffering without wanting anything in return. Christmas gifts and seasonal contributions to charity reflect Saint Nicholas' unselfish concern for others. European immigrants brought these Christmas customs to America.

FAMILY PRAYER >>>

 Say this prayer to bless your Advent wreath.

Leader: Let us pray. O God, pour forth your blessing upon this wreath, and grant that we who use it may prepare our hearts for the coming of Christ and receive from you many blessings. (Sprinkle the wreath with holy water in the form of a cross. Have your child make the Sign of the Cross along with you.) Through Christ our Lord.
All: Amen.

For a multimedia glossary of Catholic Faith Words, Sunday readings, seasonal and Saint resources, and chapter activities go to **aliveinchrist.osv.com**.

La luz de Cristo

 Oremos

Líder: Querido Jesús,
gracias por venir al mundo.
Gracias por ser nuestra luz.

"El pueblo que caminaba en la noche
divisó una luz grande".   Isaías 9, 1a

Todos: Amén.

La Palabra de Dios

Se les apareció un ángel del Señor, y la gloria del Señor los rodeó de claridad. Y […] el ángel les dijo: "No tengan miedo, pues yo vengo a comunicarles una buena noticia, que será motivo de mucha alegría para todo el pueblo: hoy, en la ciudad de David, ha nacido para ustedes un Salvador, que es el Mesías y el Señor." Lucas 2, 9-11

¿Qué piensas?

- ¿Qué pensaron los pastores cuando vieron el ángel?
- ¿Por qué estaba feliz el ángel?

The Light of Christ

 Let Us Pray

Leader: Dear Jesus,
Thank you for coming into the world.
Thank you for being our light.

"The people who walked in darkness
have seen a great light." Isaiah 9:1a

All: Amen.

God's Word

The angel of the Lord appeared to them
and the glory of the Lord shone around them,
and … the angel said to them, "Do not be afraid;
for behold, I proclaim to you good news of
great joy that will be for all the people. For today
in the city of David a savior has been born
for you who is Messiah and Lord." Luke 2:9–11

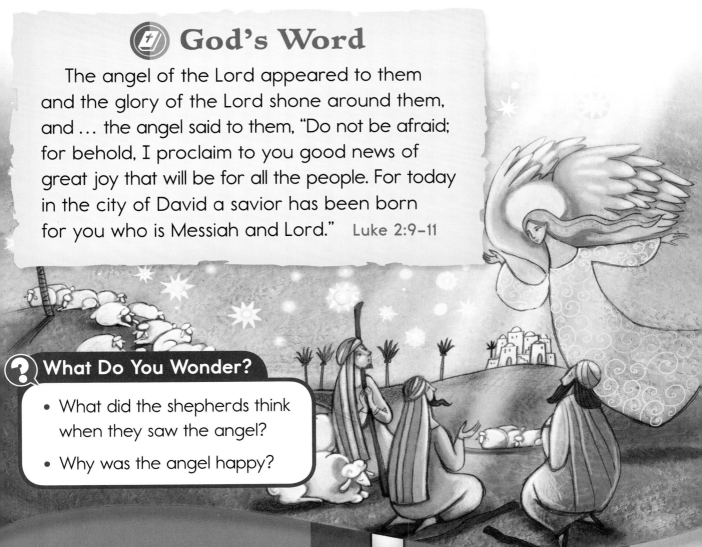

What Do You Wonder?

- What did the shepherds think
  when they saw the angel?

- Why was the angel happy?

Tiempo de alegría

¿Cómo celebra la Iglesia el tiempo de Navidad?

El tiempo de Navidad es más que un día. Es un tiempo que dura varias semanas. Es un tiempo de alegría. La iglesia se decora con colores brillantes. El sacerdote usa vestiduras blancas o doradas. Podemos ver el pesebre de Navidad en la iglesia durante toda la temporada. En este tiempo, oyes relatos sobre todas las cosas que le sucedieron a Jesús cuando era niño.

Subraya de qué oyes hablar durante el tiempo de Navidad.

La estrella de Belén

La estrella de Belén señaló el camino hacia el Niño Jesús.

Cuando veas la estrella en el árbol, piensas en los tres reyes sabios.

También tú serás sabio si buscas a Jesús.

¿Eres una estrella?

Una manera de ser una estrella es iluminar el camino hacia Jesús para los demás.

A Season of Joy

How does the Church celebrate the Christmas season?

The Christmas season is more than one day. It is a season that lasts for a few weeks. It is a season of joy. The church is brightly decorated. The priest wears white or gold vestments. We see the Christmas Nativity scene in church for the whole season. During the season you hear about all the things that happened to Jesus as a young child.

Underline what you hear about during the Christmas season.

The Star of Bethlehem

The star of Bethlehem pointed the way to the Baby Jesus.

When you look at the star on your tree, think of the three wise men.

You will be wise, too, if you look for Jesus.

Are you a star?

One way you can be a star is to light the way to Jesus for others.

Oremos

Celebremos la Navidad

Reúnanse y comiencen con la Señal de la Cruz.

Líder: Bendito sea el nombre del Señor.

Todos: Ahora y siempre.

Líder: Oremos.

Inclinen la cabeza mientras el líder ora.

Todos: Amén.

Escucha la Palabra de Dios

Líder: Lectura del santo Evangelio según Mateo.

Lean Mateo 2, 9-11.

Palabra del Señor.

Todos: Gloria a ti, Señor Jesús.

Líder: Alegrémonos con el nacimiento de Jesús.

Todos: Demos gracias a Dios.

 Canten "Cantemos, Cantemos"

Let Us Pray

Celebrate Christmas

Gather and begin with the Sign of the Cross.

Leader: Blessed be the name of the Lord.

All: Now and forever.

Leader: Let us pray.

Bow your heads as the leader prays.

All: Amen.

Listen to God's Word

Leader: A reading from the holy Gospel according to Matthew.

Read Matthew 2:9–11.

The Gospel of the Lord.

All: Praise to you, Lord Jesus Christ.

Leader: Let us rejoice in the birth of Jesus.

All: Thanks be to God.

 Sing "Glory to God"

FAMILIA + FE

VIVIR Y APRENDER JUNTOS

HABLAMOS DE LA NAVIDAD >>>

La Iglesia festeja el tiempo de Navidad comenzando con la celebración del nacimiento de Cristo, con una vigilia durante la Víspera de Navidad, y terminando con la celebración del Bautismo del Señor en enero. Es un tiempo alegre e incluye varias festividades que conmemoran los primeros años de la vida de Jesús y las muchas maneras como Dios se revela a Sí mismo ante los humanos. Blanco, el color litúrgico de la Navidad, es un símbolo de nueva vida. En las liturgias de la Iglesia, el Pueblo de Dios celebra con admiración la Encarnación: Dios hecho carne habitando entre nosotros. También celebramos que Dios Padre envió a Jesús para salvarnos.

La Palabra de Dios

 Lean **Lucas 2, 1–14**. El Evangelio según Lucas se centra continuamente en cómo Jesús busca a los marginados por la sociedad, por lo que no es sorprendente que sean unos pastores pobres quienes primero reciben la Buena Nueva del nacimiento de Jesús.

AYUDEN A SUS HIJOS A COMPRENDER >>>

La Navidad

- A esta edad, la mayoría de los niños identifica la Navidad como el "nacimiento" de Jesús. Es útil hacerlos conscientes de que estamos también celebrando que Dios vino a vivir entre nosotros y que permanece con nosotros.

- Recibir regalos es importante a cualquier edad. Dar gracias por los regalos no es siempre lo primero que piensan los niños en Navidad. Use esta oportunidad para ayudarlos a hallar maneras de expresar su gratitud por los obsequios materiales y no materiales. También podrían reflexionar en cuántos niños no reciben regalos de Navidad y en qué pueden hacer por esos niños.

COSTUMBRES DE LA FAMILIA CATÓLICA >>>

El Nacimiento

Cada vez que le dan las gracias a un familiar durante este tiempo, o le confirman uno de sus regalos inmateriales, fortalecen la conciencia de la presencia de Dios en su familia. Reúnanse alrededor del Nacimiento, o pesebre, en su casa. Pidan a los miembros de su familia que extiendan sus manos sobre el Nacimiento en un gesto de bendición. Digan: "Que nuestro pesebre navideño sea un recordatorio de que nuestro corazón es el hogar de Jesús".

ORACIÓN EN FAMILIA >>>

Dios amoroso, gracias por todas las maneras en que compartes tu amor con nosotros durante este tiempo de Navidad. Muéstranos cómo vivir tan generosamente como Tú. Bendícenos y enséñanos a compartir con los necesitados. Amén.

Visiten **vivosencristo.osv.com** para encontrar un glosario multimedia de Palabras católicas, lecturas dominicales, y recursos de Santos y tiempos festivos.

FAMILY+FAITH
LIVING AND LEARNING TOGETHER

TALKING ABOUT CHRISTMAS >>>

The Church celebrates the Christmas season beginning with the celebration of Christ's birth with a vigil on Christmas Eve, and ending with the celebration of the Baptism of the Lord in January. It is a festive season and includes several feasts commemorating the very early life of Jesus and the many ways God reveals himself to humans. White, the liturgical color for Christmas, is a symbol of new life. In the liturgies of the Church, the People of God celebrate with wonder, the Incarnation—God becomes flesh and dwells among us. We also celebrate that God the Father sent Jesus to save us.

God's Word

 Read **Luke 2:1–14**. In the Gospel according to Luke there is a continual focus on Jesus reaching out to those who are on the margins of society, so it is not surprising that poor shepherds are the first to hear the Good News of Jesus' birth.

HELPING YOUR CHILD UNDERSTAND >>>
Christmas

- At this age most children identify with Christmas as the "birthday" of Jesus. It is helpful to deepen their awareness that we are also celebrating the fact that God came among us and still remains with us.

- Gift-getting is important at any age. Giving thanks for gifts is not always the first thing children think about at Christmas. Use this opportunity to help children find ways to express their gratitude for material and non-material gifts. They might also consider how many children do not receive Christmas gifts, and what they can do for those children.

CATHOLIC FAMILY CUSTOMS >>>
The Nativity Scene

Each time you thank a family member during this season or affirm one of their non-material gifts, you strengthen the awareness of God's presence in your family. Gather around the family Nativity scene. Ask the members of your family to extend their hands over the Nativity scene in a gesture of blessing. Say: "May our Christmas manger be a reminder that our hearts are a home for Jesus."

FAMILY PRAYER >>>

Loving God, thank you for all the ways you share your love with us during this Christmas season. Show us how to live as generously as you do. Bless us and teach us to share with those in need. Amen.

For a multimedia glossary of Catholic Faith Words, Sunday readings, seasonal and Saint resources, and chapter activities go to **aliveinchrist.osv.com**.

Tiempo de cambio

 Oremos

Líder: Señor Dios, envía a tu Espíritu Santo
para que nos guíe hacia acciones buenas
y amorosas.

"Haz, Señor, que conozca tus caminos,
muéstrame tus senderos". Salmo 25, 4

Todos: Amén.

La Palabra de Dios

Entonces Dios dijo todas estas palabras: "Yo soy Yavé, tu Dios, el que te sacó de Egipto, país de la esclavitud. No tendrás otros dioses fuera de mí [...] No tomes en vano el nombre de Yavé, tu Dios [...] Acuérdate del día del Sábado, para santificarlo." Éxodo 20, 1-3. 7-8

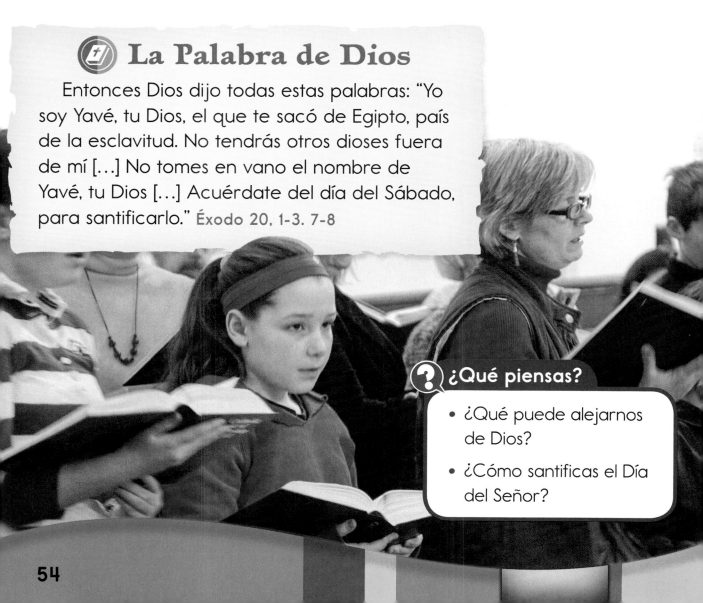

? ¿Qué piensas?

- ¿Qué puede alejarnos de Dios?
- ¿Cómo santificas el Día del Señor?

Time for Change

 Let Us Pray

Leader: Lord, God, send your Holy Spirit to guide us to right and loving actions.

"Make known to me your ways, LORD; teach me your paths." Psalm 25:4

All: Amen.

God's Word

Then God spoke all these words: "I am the LORD your God, who brought you out of the land of Egypt, out of the house of slavery. You shall not have other gods beside me.... You shall not invoke the name of the LORD, your God, in vain.... Remember the sabbath day—keep it holy." Exodus 20:1–3; 7–8

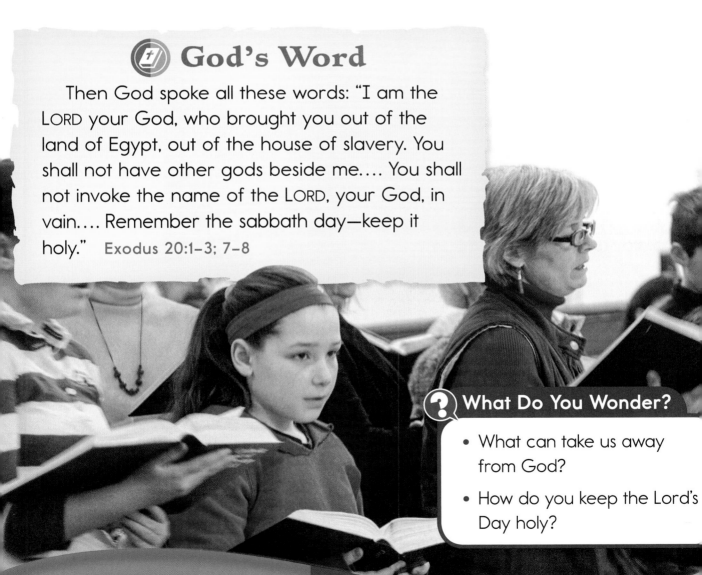

? What Do You Wonder?

- What can take us away from God?
- How do you keep the Lord's Day holy?

Cuaresma

¿Qué celebramos durante la Cuaresma?

La Cuaresma es un tiempo especial. Dura cuarenta días. ¡La Iglesia se prepara para la Pascua!

La Cuaresma comienza el Miércoles de Ceniza. Las cenizas en la frente te recuerdan que Jesús vino a salvarnos.

El sacerdote se viste de morado como una señal de dolor por las cosas que nos alejan de Dios.

Cuaresma
El tiempo de cuarenta días durante los cuales la Iglesia se prepara para la Pascua.

Lent

What do we celebrate during Lent?

Lent is a special time. It lasts forty days. The Church is getting ready for Easter!

Lent starts on Ash Wednesday. The ashes on your forehead remind you that Jesus came to save us.

The priest wears purple as a sign of our sorrow for the things that take us away from God.

Lent
The season of forty days during which the Church gets ready for Easter.

Mostrar amor

La Cuaresma es un tiempo en el que prestas atención especial en poner a Dios en primer lugar. Pones a Dios en primer lugar cuando muestras amor a Dios y a los demás.

Puedes mostrar amor a Dios escuchando la Palabra de Dios.

Puedes mostrar amor a Dios orando en un momento especial todos los días.

Puedes mostrar amor a los demás ayudando en tu casa.

Puedes mostrar amor a otros diciéndoles palabras amables.

➜ **¿Qué más puedes hacer para mostrar amor durante la Cuaresma?**

Dibuja una manera de poner a Dios en primer lugar durante la Cuaresma.

Showing Love

Lent is a time when you pay special attention to putting God first. You put God first when you show love to God and others.

You can show love for God by listening to God's Word.

You can show love for God by praying at a special time every day.

You can show love for others by helping out at home.

You can show love for others by saying kind words to them.

➤ **What else can you do to show love during Lent?**

Draw one way you put God first during Lent.

Poner a Dios en primer lugar

Jesús siempre ponía a su Padre en primer lugar. Ponemos a Dios en primer lugar en nuestra vida cuando mostramos amor en nuestras palabras y acciones.

Actividad

¿Cómo puedes poner a Dios en primer lugar?
Encierra en un círculo las cosas que puedes hacer para poner a Dios en primer lugar.

Put God First

Jesus always put his Father first. We put God first in our lives when we show love in our words and actions.

Activity

How can you put God first?
Draw a circle around the things you can do to put God first.

Oremos

Celebrar la Cuaresma

Reúnanse y comiencen con la Señal de la Cruz.

Líder: Bendito seas, Dios.

Todos: Bendito seas por siempre, Señor.

Líder: Oremos.

Inclinen la cabeza mientras el líder ora.

Todos: Amén.

Escucha la Palabra de Dios

Líder: Crea en mí, oh Dios, un corazón puro,
un corazón que te ame solo a ti.
Basado en Salmo 51, 12

Todos: Crea en mí, oh Dios, un corazón puro.
Dame un corazón que te ame solo a ti.

 Canten "Límpiame, Señor"

Límpiame, Señor,
de todo lo que no es de ti;
lléname con tu amor.
Límpiame de toda culpa;
lávame de mis pecados.
Señor, purifica mi alma;
abre mi corazón.

 **Let Us Pray**

Celebrate Lent

Gather and begin with the Sign of the Cross.

Leader: Blessed be God.

All: Blessed be God forever.

Leader: Let us pray.

Bow your head as the leader prays.

All: Amen.

Listen to God's Word

Leader: A new heart, create for me, O God.
Give me a heart that loves only you.
Based on Psalm 51:12

All: A new heart, create for me, O God.
Give me a heart that loves only you.

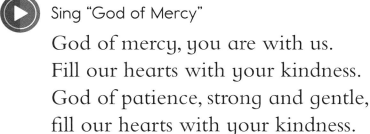 Sing "God of Mercy"

God of mercy, you are with us.
Fill our hearts with your kindness.
God of patience, strong and gentle,
fill our hearts with your kindness.
Lord, have mercy. Lord, have mercy.
Lord, have mercy upon us.

FAMILIA + FE

VIVIR Y APRENDER JUNTOS

HABLAMOS DE LA CUARESMA >>>

La Cuaresma es un recorrido de cuarenta días que comienza el Miércoles de Ceniza. Recibir las cenizas en la frente marca la promesa de arrepentirnos o cambiar para acercarnos más a Dios y a la Iglesia. Esto incluye las prácticas cuaresmales de ayuno, oración y penitencia. Durante la Cuaresma la Iglesia usa el color morado para los adornos y vestiduras de la Iglesia como símbolo de arrepentimiento.

La Palabra de Dios

 Lean **Éxodo 20, 1–3. 7–8**, para oír el mandamiento de Dios de no poner nada por delante de Él.

AYUDEN A SUS HIJOS A COMPRENDER >>>

La Cuaresma

- A esta edad, por lo general los niños pueden ser guiados fácilmente a comprender la Cuaresma como un tiempo para acercarse más a Dios.

- La mayoría de los niños de esta edad hallarán que la música asociada con la Cuaresma los envuelve en el espíritu de la temporada.

- Por lo general, a esta edad los niños están listos para aprender que el perdón y el arrepentimiento son más que palabras y que necesitan ser seguidos por acciones.

FIESTAS DEL TIEMPO >>>

Día de San Patricio
17 de marzo

Usen un trébol y hablen con su hijo de cómo San Patricio lo usó para enseñar al pueblo de Irlanda acerca de la Santísima Trinidad. Las tres hojas del trébol nos recuerdan a las Tres Personas Divinas en un solo Dios.

ORACIÓN EN FAMILIA >>>

 Recen juntos esta oración antes de las comidas durante la Cuaresma.

Querido Dios, te agradecemos por todos tus dones, por este alimento que nos disponemos a comer y por todos nuestros familiares. Sabemos que no siempre te hemos amado ni nos hemos amado los unos a los otros como Tú quieres. Ayúdanos a cambiar y a acercarnos más a ti. Amén.

 Visiten **vivosencristo.osv.com** para encontrar un glosario multimedia de Palabras católicas, lecturas dominicales, y recursos de Santos y tiempos festivos.

FAMILY+FAITH
LIVING AND LEARNING TOGETHER

TALKING ABOUT LENT >>>

Lent is a forty day journey that begins on Ash Wednesday. The receiving of ashes on one's forehead marks one's promise to repent or change to grow closer to God and the Church. It includes the Lenten practices of fasting, prayer, and penance. During Lent the Church uses the color purple for Church vestments as a sign of repentance.

God's Word

 Read **Exodus 20:1–3; 7–8**, to hear God's command to put nothing else before him.

HELPING YOUR CHILD UNDERSTAND >>>
Lent

- At this age children can usually be drawn very easily into an understanding of Lent as a time to grow closer to God.
- Most children at this age will find that the music associated with Lent will draw them into the spirit of the season.
- Ordinarily at this age children are ready to learn that forgiveness and being sorry are more than just the words but need actions to follow.

FEASTS OF THE SEASON >>>
Saint Patrick's Day
March 17

Use a shamrock plant and talk with your child about how Saint Patrick used it to teach the Irish people about the Trinity. The three leaves of the shamrock plant remind us of the three Divine Persons in one God.

FAMILY PRAYER >>>

 Say this prayer together as a mealtime prayer during Lent.

Dear God, we thank you for all your gifts, for this food we are about to eat and for all of our family members. We know we have not always loved you or one another as you want us to. Help us to change and grow closer to you. Amen.

 For a multimedia glossary of Catholic Faith Words, Sunday readings, seasonal and Saint resources, and chapter activities go to **aliveinchrist.osv.com**.

Semana Santa

 Oremos

Líder: Querido Jesús, ayúdanos a crecer en confianza. Te lo pedimos en tu nombre.

"¡Bendito sea
el que viene en el nombre del Señor!"
Salmo 118, 26

Todos: Amén.

 ## La Palabra de Dios

"Muchas personas extendían sus capas a lo largo del camino, mientras otras lo cubrían con ramas cortadas en el campo. Y todos gritaban: '¡Hosanna! *¡Bendito el que viene en nombre del Señor!* ¡Hosanna en las alturas!'"

Basado en Marcos 11, 8-10

¿Qué piensas?

- ¿Adónde iba Jesús cuando la gente le gritaba Hosanna?
- ¿Cómo puedes confiar más en Dios?

Holy Week

 Let Us Pray

Leader: Dear Jesus, help us to grow in trust.
We pray this in your name.

"Blessed is he
who comes in the name of the LORD."
Psalm 118:26

All: Amen.

📖 God's Word

"Many people spread leafy branches that they had cut from the fields. They cried out Hosanna! Blessed is he who comes in the name of the Lord! Hosanna in the highest!" Based on Mark 11:8–10

❓ What Do You Wonder?

- Where was Jesus going when the people shouted Hosanna for him?
- How can you trust God more?

Tiempo de recordar

¿Qué don especial nos dio Jesús?

Jesús nos dio un don especial. Él dio su vida por nuestros pecados. Murió, pero resucitó a una vida nueva. El Domingo de Ramos señala el comienzo de la semana más sagrada del año. Oímos las palabras que decían a Jesús:

"Hosanna..."   Mateo 21, 9

Durante esta Semana Santa recordamos la muerte y la resurrección de Jesús de una manera especial, sobre todo en los tres días más sagrados:

- Jueves Santo

- Viernes Santo

- Sábado Santo

El Domingo de Ramos, recordamos cómo la muchedumbre recibió a Jesús en Jerusalén.

Actividad

Dibuja una rama de palma Dibújate recibiendo a Jesús y saludando con una rama de palma.

Time for Remembering

What special gift did Jesus give us?

Jesus gave us a special gift. He gave his life for our sins. He died, but he was raised to new life. Palm Sunday marks the beginning of the holiest week of the year. We hear the words of the people to Jesus,

"Hosanna." Matthew 21:9

During this Holy Week we remember Jesus' dying and rising in a special way, especially on these three holiest days:

- Holy Thursday

- Good Friday

- Holy Saturday

On Palm Sunday, we remember how crowds welcomed Jesus into Jerusalem.

Draw a Palm Branch Draw yourself welcoming Jesus and waving a palm branch.

 **Oremos**

Hosanna

Reúnanse y comiencen con la Señal de la Cruz.

Líder: Hosanna al Rey de Israel.

Todos: Hosanna. Hosanna.

Líder: Oremos.

Inclinen la cabeza mientras el líder ora.

Todos: Amén.

Escucha la Palabra de Dios

Líder: Lectura del santo Evangelio según Juan.

Lean Juan 12, 12–13.

Palabra del Señor.

Todos: Gloria a ti, Señor Jesús.

Líder: Renovemos nuestras promesas bautismales.

Todos: Responden "Sí, creo" a las preguntas del líder.

Líder: Podemos ir en paz para alabar al Señor.

Todos: Demos gracias a Dios. ¡Hosanna!

 Canten "Hosanna"

 **Let Us Pray**

Hosanna

Gather and begin with the Sign of the Cross.

Leader: Hosanna, the King of Israel.

All: Hosanna. Hosanna.

Leader: Let us pray.

Bow your heads as the leader prays.

All: Amen.

Listen to God's Word

Leader: A reading from the holy Gospel according to John.

Read John 12:12-13.

The Gospel of the Lord.

All: Praise to you, Lord Jesus Christ.

Leader: Let us renew our baptismal promises.

All: Respond "I do" to the leader's questions.

Leader: Let us go out to praise the Lord.

All: Thanks be to God. Hosanna!

 Sing "Hosanna"

FAMILIA + FE

VIVIR Y APRENDER JUNTOS

HABLAMOS DE LA CUARESMA >>>

La Semana Santa es la semana más importante del Año Litúrgico. Empieza con el Domingo de Ramos y continúa hasta la Oración de Vísperas del Domingo de Pascua. El Triduo, o "tres días", señala el momento más sagrado de la Semana Santa. Empieza al atardecer del Jueves Santo y termina al atardecer del Domingo de Pascua. Durante estos tres días, toda la Iglesia ayuna y ora con expectativa y esperanza. El Jueves Santo, la asamblea se reúne para el lavatorio de pies y la Cena del Señor. Esta es una Misa especial porque conmemora la institución de la Eucaristía. Al final de la Misa, el altar y sus alrededores son despojados de adornos, en preparación para la observación solemne del Viernes Santo.

La Palabra de Dios

 Lean **Juan 12, 12–16**, el relato de la entrada triunfal de Jesús a Jerusalén el Domingo de Ramos.

AYUDEN A SUS HIJOS A COMPRENDER >>>

Semana Santa

- A esta edad, a la mayoría de los niños les cautivará la experiencia de la Semana Santa como un viaje sagrado, donde disponen de tiempo para conmemorar los días con momentos de oración o lecturas de una Biblia para Niños.

- Generalmente, los niños pequeños son curiosos y tendrán toda clase de preguntas acerca de la Muerte de Jesús en la Cruz. No hagan énfasis en el sufrimiento de Jesús con los niños de esta edad. Hablen con ellos acerca de la Muerte de Jesús como un signo del maravilloso amor de Dios.

FIESTAS DEL TIEMPO >>>

Jueves Santo

Muchas familias comparten una comida especial el Jueves Santo antes de asistir a la Misa vespertina. Es apropiado compartir panecillos con cruces u otro pan especial durante la noche en que Jesús nos dio el Pan de Vida. Consideren mencionar el significado del día en su oración antes de la comida.

ORACIÓN EN FAMILIA >>>

 El Viernes Santo, la Iglesia venera la cruz. Hagan que la Cruz sea el punto central de su oración esta semana y recen juntos lo siguiente:

Por tu Cruz y Resurrección nos has salvado, Señor. Ten misericordia de nosotros. Amén.

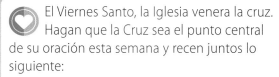 Visiten **vivosencristo.osv.com** para encontrar un glosario multimedia de Palabras católicas, lecturas dominicales, y recursos de Santos y tiempos festivos.

FAMILY+FAITH
LIVING AND LEARNING TOGETHER

TALKING ABOUT LENT >>>

Holy Week is the holiest week of the Church Year. It begins on Palm Sunday and continues until Evening Prayer on Easter Sunday. The Triduum or "three days" mark the most sacred time of Holy Week. It begins at sundown on Holy Thursday and ends at sundown on Easter Sunday. During these three days, the whole Church fasts and prays with anticipation and hope. On Holy Thursday, the assembly gathers for the washing of the feet and the Lord's Supper. This is a special Mass because it commemorates the institution of the Eucharist. At the end of the Mass, the altar and its surrounding area are stripped of ornamentation, in preparation for the solemn observances on Good Friday.

God's Word

 Read **John 12:12–16**, the story of Jesus' triumphal entrance into Jerusalem on Palm Sunday.

HELPING YOUR CHILD UNDERSTAND >>>
Holy Week

- At this age most children will get caught up in the experience of Holy Week as a sacred journey when you take the time to mark the days with moments of prayer or reading from a Children's Bible.

- Usually young children are curious and will have the most questions about Jesus' Death on the Cross. Do not emphasize the suffering of Jesus for children at this age. Talk with them about Jesus' Death as a sign of God's amazing love.

FEASTS OF THE SEASON >>>
Holy Thursday

Many families share a special meal on Holy Thursday before attending the evening Mass. It is appropriate to share hot cross buns or other special bread on the night when Jesus gave us the Bread of Life. Consider mentioning the meaning of the day in your blessing before the meal.

FAMILY PRAYER >>>

 On Good Friday, the Church venerates the cross. Make the Cross the focal point of your prayer this week and say the following together:

Lord by your Cross and Resurrection you have freed us. Have mercy on us. Amen.

For a multimedia glossary of Catholic Faith Words, Sunday readings, seasonal and Saint resources, and chapter activities go to **aliveinchrist.osv.com**.

Él ha resucitado

 Oremos

Líder: Señor, Dios, bendícenos con alegría pascual.

"¡Este es el día que ha hecho el Señor, gocemos y alegrémonos en él!"
Salmo 118, 24

Todos: Amén.

La Palabra de Dios

El Ángel dijo a las mujeres: "Ustedes no tienen por qué temer. Yo sé que buscan a Jesús […] No está aquí, pues ha resucitado […], vuelvan en seguida y digan a sus discípulos…" Basado en Mateo 28, 5-7

¿Qué piensas?

- ¿Por qué tenían miedo las mujeres?

- ¿A quién se lo dirían ustedes primero?

He Is Risen

 Let Us Pray

Leader: Lord, God, bless us with Easter joy.

"This is the day that the LORD has made;
let us rejoice in it and be glad."
Psalm 118:24

All: Amen.

God's Word

The angel said to the women, "Do not be afraid! I know that you are seeking Jesus. He is not here, for he has been raised ... go quickly and tell his disciples ..."
Based on Matthew 28:5–7

? What Do You Wonder?

- Why would the women be afraid?
- Who would you tell first?

Pascua
Los cincuenta días en que la Iglesia celebra la Resurrección de Jesús de entre los muertos.

La alegría de la Pascua

¿Por qué la Pascua es un tiempo de alegría y felicidad?

Jesús murió, pero tres días después resucitó de entre los muertos a una vida nueva. Jesús estaba vivo. ¡Qué gran poder demostró Dios! ¡Jesús ha resucitado! ¡Ahora vive en nosotros!

Celebra la Pascua
Colorea el huevo de Pascua.

Easter Joy

Why is Easter a time of joy and happiness?

Jesus was dead, but three days later he rose from the dead to new life. Jesus was alive. What great power God showed! Jesus is risen! Now he lives in us!

Easter

The fifty days that the Church celebrates Jesus' Resurrection from the dead.

Activity

Celebrate Easter
Color in the Easter egg.

Oremos

Celebremos la Pascua

Reúnanse y comiencen con la Señal de la Cruz.

Líder: Jesús ha resucitado, aleluya.

Todos: Jesús ha resucitado, aleluya.

Líder: Oremos.

Inclinen la cabeza mientras el líder ora.

Todos: Amén.

Escucha la Palabra de Dios

Líder: Lectura del santo Evangelio según Juan.

Lean Juan 20, 19-22.

Palabra del Señor.

Todos: Gloria a ti, Señor Jesús.

Líder: Pueden ir en paz a celebrar la vida nueva, aleluya.

Todos: Demos gracias a Dios, aleluya.

 Canten "Aleluya, el Señor resucitó"

¡Aleluya! ¡Aleluya!
¡Cantemos alegres hoy!

Letra y música © 1977, Carlos Rosas. Obra publicada por OCP.
Derechos reservados. Con las debidas licencias.

Let Us Pray

Celebrate Easter

Gather and begin with the Sign of the Cross.

Leader: Jesus is risen, alleluia.

All: Jesus is risen, alleluia.

Leader: Let us pray.

Bow your heads as the leader prays.

All: Amen.

Listen to God's Word

Leader: A reading from the holy Gospel according to John.

Read John 20:19–22.

The Gospel of the Lord.

All: Praise to you, Lord Jesus Christ.

Leader: Go out to celebrate new life, alleluia.

All: Thanks be to God, alleluia.

 Sing "Alleluia"

Allelu, allelu, alleluia!

HABLAMOS DE LA PASCUA >>>

En la mañana de Pascua, la Iglesia se regocija. Celebramos que somos el Pueblo de Dios que ha recibido el don de la salvación. La celebración del tiempo de Pascua abarca los cincuenta días siguientes al Triduo. Las liturgias de la Pascua de estas ocho semanas reflejan el gozo de la salvación en canciones y en acciones. No es solo que el *Aleluya* regresa al repertorio, sino que expresa de todo corazón el gozo del Cuerpo de Cristo. La Iglesia renueva sus compromisos bautismales en el rito de la aspersión del agua. Los Evangelios descubren el significado del suceso de la Pascua y ayudan a la asamblea a celebrar el poder salvador de Dios.

La Palabra de Dios

 Lean **Mateo 28, 1–10**, el cual describe el viaje de las mujeres a la tumba vacía en la mañana de Pascua y su conversación con el ángel sobre la Resurrección de Jesús.

AYUDEN A SUS HIJOS A COMPRENDER >>>

La Pascua

- Los niños más pequeños suelen iniciarse fácilmente en el gozo del tiempo de Pascua.

- A esta edad, la mayoría de los niños suelen iniciarse en el misterio de la Pascua a través de los relatos del Evangelio sobre los sucesos posteriores a la Resurrección.

- Generalmente, los niños de esta edad no comprenden que el cuerpo de Jesús luce diferente después de la Resurrección.

FIESTAS DEL TIEMPO >>>

La Ascensión del Señor

La Ascensión del Señor marca la Ascensión al Cielo del Cristo Resucitado y se celebra cuarenta días después de Pascua. Es un Día de Precepto. A veces, las diócesis mueven la celebración de la solemnidad al domingo siguiente a la Ascensión del Señor, en el Séptimo Domingo de Pascua.

ORACIÓN EN FAMILIA >>>

 Recen esta oración antes de la comida del domingo durante el tiempo de Pascua.

Líder: Con gozo cantamos tus alabanzas, Señor Jesucristo, quien el día de tu Resurrección fuiste reconocido por tus discípulos al partir el pan. Permanece con nosotros mientras con agradecimiento compartimos estos dones y recíbenos en la mesa del banquete celestial a quienes te hemos recibido en tus hermanos y hermanas, porque Tú vives y reinas por los siglos de los siglos.
Todos: Amén.

Visiten **vivosencristo.osv.com** para encontrar un glosario multimedia de Palabras católicas, lecturas dominicales, y recursos de Santos y tiempos festivos.

TALKING ABOUT EASTER >>>

On Easter morning, the Church rejoices. We celebrate as People of God who have received the gift of salvation. The celebration of the Easter season includes the fifty days following the Triduum. The Easter liturgies of these eight weeks reflect the joy of salvation in song and in action. The Alleluia not only returns to the repertoire, but also expresses wholeheartedly the joy of the Body of Christ. The Church renews their baptismal commitments in the sprinkling rite. The Gospels unpack the meaning of the Easter event and help the assembly to celebrate God's saving power.

God's Word

 Read **Matthew 28:1–10**, which describes the women's trip to the empty tomb on Easter morning and their conversation with the angel about Jesus' Resurrection.

HELPING YOUR CHILD UNDERSTAND >>>

Easter

- Young children usually enter easily into the joy of the Easter season.
- At this age most children will usually enter into the mystery of Easter through the Gospel stories of the events after the Resurrection.
- Generally, children this age do not understand that Jesus' body would look different after the Resurrection.

FEASTS OF THE SEASON >>>

Ascension Thursday

Ascension Thursday marks the Ascension of the Risen Christ to Heaven and is celebrated forty days after Easter. It is a Holy Day of Obligation. Sometimes dioceses move the celebration of the feast to the Sunday following Ascension Thursday, the Seventh Sunday of Easter.

FAMILY PRAYER >>>

Say this prayer before your Sunday meal during the Easter season.

Leader: We joyfully sing your praises, Lord Jesus Christ, who on the day of your Resurrection was recognized by your disciples in the breaking of the bread. Remain here with us as we gratefully partake of these gifts, and at the banquet table in Heaven welcome us, who have welcomed you in your brothers and sisters, for you live and reign forever and ever. All: Amen.

 For a multimedia glossary of Catholic Faith Words, Sunday readings, seasonal and Saint resources, and chapter activities go to **aliveinchrist.osv.com**.

Pentecostés

 Oremos

Líder: Ven, Espíritu Santo.
Llénanos con tu poder y tu amor.
Ayúdanos a seguir a Jesús.

"¡Alma mía, bendice al Señor!" Salmo 104, 35b

Todos: Amén.

La Palabra de Dios

¿No saben que su cuerpo es templo del Espíritu Santo que han recibido de Dios y que está en ustedes? Ya no se pertenecen a sí mismos. Ustedes han sido comprados a un precio muy alto; procuren, pues, que sus cuerpos sirvan a la gloria de Dios.

1 Corintios 6, 19-20

¿Qué piensas?

- ¿Cómo das gloria a Dios con tu cuerpo?
- ¿Qué es un Templo?

Pentecost

 Let Us Pray

Leader: Come Holy Spirit.
Fill us with your power and love.
Help us follow Jesus.

"Bless the LORD, my soul! Hallelujah!"
Psalm 104:35b

All: Amen.

 God's Word

Do you know that your body is a temple of the holy Spirit within you, whom you have from God, and that you are not your own? For you have been purchased at a price. Therefore glorify God in your body. 1 Corinthians 6:19–20

? What Do You Wonder?

- How do you give God glory with your body?
- What is a Temple?

El Espíritu Santo

¿Cómo ayudó a los Apóstoles el Espíritu Santo?

Una celebración muestra espíritu. No puedes ver el espíritu, pero sabes cuándo alguien lo tiene. No puedes ver al Espíritu Santo. El Espíritu Santo está siempre contigo.

Después de que Jesús resucitó de entre los muertos, envió al Espíritu Santo. El Espíritu Santo llegó a los Apóstoles en forma de viento y fuego y los ayudó a recordar lo que Jesús les había dicho. Este día se llama Pentecostés.

Subraya cómo el Espíritu Santo ayudó a los Apóstoles.

The Holy Spirit

How did the Holy Spirit help the Apostles?

A cheer shows spirit. You cannot see spirit, but you know when people have it. You cannot see the Holy Spirit. The Holy Spirit is always with you.

After Jesus was raised from the dead, he sent the Holy Spirit. The Holy Spirit came to the Apostles in the form of wind and fire and helped them to remember what Jesus told them. This day is called Pentecost.

Underline how the Holy Spirit helped the Apostles.

Oremos

Celebremos al Espíritu

Reúnanse y comiencen con la Señal de la Cruz.

Líder: Ven, Espíritu Santo.

Todos: Llena nuestro corazón con tu amor.

Líder: Oremos.

Inclinen la cabeza mientras el líder ora.

Todos: Amén.

Escucha la Palabra de Dios

Líder: Lectura de Hechos de los Apóstoles.

Lean Hechos 2, 1-4.

Palabra de Dios.

Todos: Te alabamos, Señor.

(Serán bendecidos con agua bendita mientras se retiran).

Líder: Podemos ir en paz para vivir en el Espíritu de Dios y compartir alegría, paz y amor.

Todos: Demos gracias a Dios.

 Canten "Gloria Trinitario"

Let Us Pray

Celebrate the Spirit

Gather and begin with the Sign of the Cross.

Leader: Come, Holy Spirit.

All: Fill our hearts with your love.

Leader: Let us pray.

Bow your heads as the leader prays.

All: Amen.

Listen to God's Word

Leader: A reading from the Acts of the Apostles.

Read Acts 2:1–4.

The word of the Lord.

All: Thanks be to God.

(You will be blessed with holy water as you go forth.)

Leader: Let us go forth to live in God's Spirit and share joy, peace, and love.

All: Thanks be to God.

 Sing "The Holy Spirit"

FAMILIA + FE

VIVIR Y APRENDER JUNTOS

HABLAMOS DE PENTECOSTÉS >>>

En Pentecostés, la Iglesia celebra la llegada del Espíritu Santo. Pentecostés ocurre cincuenta días después de la Pascua. Suele ser también conocido como el nacimiento de la Iglesia. En Pentecostés, el color del santuario y de las vestiduras sacerdotales es el rojo, que simboliza el fuego de Pentecostés y el fortalecimiento del Espíritu Santo. En las lecturas de la Sagrada Escritura, la música litúrgica y los gestos de la asamblea, la Iglesia celebra las acciones fortalecedoras de Dios a través de los Dones del Espíritu Santo.

La Palabra de Dios

 Lean **1 Corintios 6, 19–20**, que describe cómo el Espíritu Santo habita en nosotros y la responsabilidad que tenemos de respetar nuestro cuerpo.

AYUDEN A SUS HIJOS A COMPRENDER >>>

Pentecostés

- A esta edad, generalmente los niños consideran al Espíritu Santo como un guía y un amigo.
- La mayoría de los niños de esta edad saben lo que es tener espíritu y les resulta fácil relacionar ese conocimiento con el Espíritu Santo.
- A esta edad, los niños suelen tener una imaginación muy vívida y se relacionarán fácilmente con las imágenes y los sonidos de los relatos del Pentecostés.

FIESTAS DEL TIEMPO >>>

Memoria de San Felipe Neri
26 de mayo

San Felipe Neri es un ejemplo de una persona santa con sentido del humor. Una vez, durante la oración, sintió que una burbuja de luz entró por su boca y cayó en su corazón. Desde entonces, tuvo una energía inagotable para servir a Dios y comenzó a hablar de Dios con todo tipo de personas.

ORACIÓN EN FAMILIA >>>

 Recen juntos esta oración durante la siguiente semana.

Ven, Espíritu Santo, llénanos con el fuego de tu amor para que nunca nos cansemos de usar tus dones para servir a los demás y acercarnos a ti. Amén.

Visiten **vivosencristo.osv.com** para encontrar un glosario multimedia de Palabras católicas, lecturas dominicales, y recursos de Santos y tiempos festivos.

FAMILY+FAITH
LIVING AND LEARNING TOGETHER

TALKING ABOUT PENTECOST >>>

The Church celebrates the coming of the Holy Spirit on Pentecost. Pentecost occurs fifty days after Easter. It is often referred to as the birthday of the Church. On Pentecost, the sanctuary colors and priest's vestments are red, symbolizing the fire of Pentecost and the empowerment of the Holy Spirit. In the Scripture readings, the liturgical music, and the gestures of the assembly, the Church celebrates God's empowering activity through the Gifts of the Holy Spirit.

God's Word

 Read **1 Corinthians 6:19–20**, which describes the dwelling of the Holy Spirit within us and our responsibility to respect our bodies.

HELPING YOUR CHILD UNDERSTAND >>>
Pentecost

- At this age, children will generally relate to the Holy Spirit as a guide and friend.

- Most children this age know what it is like to have spirit, and that knowledge is easily related to the Holy Spirit.

- At this age children usually have very vivid imaginations and will easily relate to the sights and sounds of the Pentecost story.

FEASTS OF THE SEASON >>>
Feast of Saint Philip Neri
May 26

Saint Philip Neri is an example of a holy person with a sense of humor. One time during prayer he felt a globe of light enter his mouth and sink into his heart. From that time on he had unending energy to serve God and he started speaking to people of all walks of life about God.

FAMILY PRAYER >>>

 Say this prayer together daily in the upcoming week.

Come Holy Spirit, fill us with the fire of your love that we may never tire of using your gifts to serve others and draw closer to you. Amen.

 For a multimedia glossary of Catholic Faith Words, Sunday readings, seasonal and Saint resources, and chapter activities go to **aliveinchrist.osv.com**.

Vista general **de las unidades**

Units at a Glance

Revelación

Nuestra Tradición Católica

- Dios Padre es el Creador. (CIC, 317)

- Dios nos habla de sí mismo en el mundo maravilloso que creó. (CIC, 319)

- Somos los hijos de Dios, hechos a su imagen y semejanza. (CIC, 239, 353)

- Dios nos dio la vida. Quiere ser nuestro amigo. Quiere que seamos amigos de los demás. (CIC, 356)

- Dios nos pide que compartamos su amor con todas las personas y que cuidemos de su creación. (CIC, 357–358)

¿Qué sabemos acerca de Dios?

Revelation

Our Catholic Tradition

- God the Father is the Creator. (CCC, 317)

- God tells us about himself in the wonderful world he made. (CCC, 319)

- We are God's children, made in his image and likeness. (CCC, 239, 353)

- God gave us life. He wants to be our friend. He wants us to be friends with others. (CCC, 356)

- God asks us to share his love with all people and to take care of his creation. (CCC, 357–358)

What do we know about God?

Creados por Dios

 Oremos

Líder: Gracias, Dios, por hacer especial a
cada uno de nosotros.

Tú me has examinado y me conoces.
Sabes todo lo que hago.
Me ves y conoces todas mis acciones.
Basado en el Salmo 139, 1-3

Todos: Dios, ayúdanos a conocerte y amarte.
Amén.

 La Palabra de Dios

Dios, Tú creaste cada parte de mí: me
formaste… te alabo… todo lo que haces es
maravilloso… me viste antes de que
naciera.   Basado en el Salmo 139, 13-15

¿Qué piensas?

- ¿Por qué Dios creó todas las cosas?

- ¿Cómo hizo Dios a todos tan diferentes?

Created by God

 Let Us Pray

Leader: Thank you, God, for making each one of us special.

You have examined me and you know me. You know everything I do.
You see me and you know all my actions.
Based on Psalm 139:1–3

All: God, help us know and love you. Amen.

God's Word

God, you created every part of me: you put me together … I praise you … everything you do is wonderful … you saw me before I was born. Based on Psalm 139:13–15

What Do You Wonder?

- Why did God create everything?
- How did God make everyone so different?

La creación de Dios

¿Quién es el Creador de todas las cosas?

Tú eres hijo de Dios. Dios te conoce y te ama. La **Biblia** es la Palabra de Dios y tiene muchos relatos del amor de Dios.

Escucha este relato de la Biblia. Trata sobre Dios y cómo creó a Adán y Eva.

Dibújate dentro de la ilustración de las cosas que Dios hizo.

 La Palabra de Dios

El jardín del Edén

Hace muchísimo tiempo, Dios creó al primer hombre. Dios le dio un soplo de vida al hombre, y el hombre empezó a vivir. Dios amaba al hombre y quería que fuera feliz. Dios creó a la mujer para que fuera la compañera del hombre. El nombre del hombre era Adán. El nombre de la mujer era Eva.

Basado en Génesis 2, 7–22

God's Creation

Who is the Creator of all things?

You are God's child. God knows you and loves you. The **Bible** is God's Word and has many stories about God's love.

Listen to this Bible story. It is about God and how he made Adam and Eve.

Draw yourself into the picture of the things that God made.

 God's Word

The Garden of Eden

A very long time ago, God created the first man. God breathed into the man, and the man began to live. God loved the man and wanted him to be happy. God created a woman to be the man's partner. The man's name was Adam. The woman's name was Eve.

Based on Genesis 2:7–22

Dios da la vida

Dios creó todo. Toda su **creación** es buena. Dios es nuestro Padre y el Creador. Él te dio la vida.

Comparte tu fe

Piensa Traza la palabra que dice cómo se llama todo lo que Dios hizo.

_____

creación

Comparte tu respuesta con un compañero.

God Gives Life

God made everything. All his **creation** is good. God is our Father and the Creator. He gave you life.

Share Your Faith

Think Trace the word that tells what everything that God made is called.

creation

Share your answer with a partner.

Dios te ama

¿Quién quiere ser tu amigo?

Los que te aman son los que más te conocen. Dios te conoce mejor que cualquier otra persona. Él quiere que tú también lo conozcas.

Dios te ama mucho. Él es tu amigo. Dios quiere también que seas amigo de los demás.

➡ **¿Qué cosa sabes acerca de Dios?**

En la ilustración, encierra en un círculo dos de tus cosas preferidas que Dios hizo.

God Loves You

Who wants to be your friend?

Those who love you know you best. God knows you better than anyone knows you. He wants you to know him, too.

God loves you very much. He is your friend. God wants you to be friends with others, too.

➤ **What is one thing you know about God?**

In the picture, circle two of your favorite things that God made.

El mundo de Dios

Dios creó un mundo maravilloso.
Está lleno de muchas cosas buenas.

Hay montañas y ríos, y en los
arroyos hay peces,

Aves que vuelan alto y cosas
buenas para que sueñes.

Hay flores y bosques y
cachorros también,

Pero lo mejor de todo es que Dios
creó a las personas también.

Practica tu fe

Traza la palabra

_____

¡Dios te ama!

God's World

God created a wonderful world. It is filled with lots of good things.

There are mountains and rivers, and fish in the stream,

Birds soaring high and good things to dream.

There are flowers and forests and puppy dogs, too,

But the best thing of all is that God made people, too.

Connect Your Faith

Trace the Word

God loves you!

Nuestra vida católica

¿Cómo usamos algunas de las cosas que Dios creó?

Dios hizo muchas cosas maravillosas. Los dones de Dios están a tu alrededor. Te ayudan de muchas maneras.

Traza una línea de las ilustraciones a las palabras que representan.

Los dones que Dios nos da

Dios hizo el sol y la para nosotros. • • pájaros

Dios nos dio las flores y los . • • luna

Dios hizo árboles que dan   . • • amigos

Dios te dio para jugar. • • familia

Dios hizo la  para que te ame. • • frutas

Our Catholic Life

How do we use some of the things God created?

God made so many wonderful things. God's gifts are all around you. They help you in many ways.

Draw a line from the pictures to the matching words.

Gifts God Gives Us

God made the sun and the for us.   •   • birds

God gave us flowers and .   •   • moon

God made trees that grow .   •   • friends

God gave you to play with.   •   • families

God made  to love you.   •   • fruit

Gente de fe

Beato Fray Angélico, 1387–1455

El Beato Fray Angélico fue un artista que hizo pinturas de Jesús, María, los Santos y los ángeles. Una de sus pinturas más famosas muestra al Ángel Gabriel visitando a María. El Papa le pidió a Fray Angélico que decorara una pequeña capilla especial del Vaticano. Aún hoy, muchas personas van a ver sus pinturas.

18 de febrero

Comenta: ¿Dónde ves pinturas de Jesús?

 Aprende más sobre el Beato Fray Angélico en **vivosencristo.osv.com**

Vive tu fe

Cuenta ¿De qué dones de la creación están disfrutando las personas en la ilustración?

Colorea Termina de colorear la ilustración.

People of Faith

Blessed Fra Angelico, 1387–1455

Blessed Fra Angelico was an artist who painted pictures of Jesus, Mary, the Saints, and the angels. One of his most famous paintings shows the Angel Gabriel visiting Mary. Fra Angelico was asked by the Pope to decorate a special little chapel in the Vatican. Even today, many people come to see his paintings.

February 18

Discuss: Where do you see pictures of Jesus?

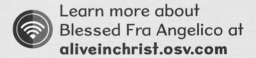

Learn more about Blessed Fra Angelico at **aliveinchrist.osv.com**

Live Your Faith

Tell What gifts of creation are the people in the picture enjoying?

Color Finish coloring the picture.

 **Oremos**

Oración de alabanza

Reúnanse y comiencen con la Señal de la Cruz.

Líder: Por la luna y el sol que están en el cielo,

Todos: ¡Alabemos a Dios!

Líder: Por las flores que crecen, por los pájaros que vuelan,

Todos: ¡Alabemos a Dios!

Líder: Por los árboles y por las frutas deliciosas para compartir,

Todos: ¡Alabemos a Dios!

Líder: Por los niños y las familias que se demuestran amor y cuidado,

Todos: ¡Alabemos a Dios!

Líder: Por todas las cosas importantes que el amor de Dios creó,

Todos: ¡Alabemos a Dios!

Líder: Por toda la creación, y eso me incluye,

Todos: ¡Alabemos a Dios!

 Canten "Alabaré"

 **Let Us Pray**

Prayer of Praise

Gather and begin with the Sign of the Cross.

Leader: For the sun and the moon way up in the sky,

All: Praise God!

Leader: For flowers that grow, for birds flying by,

All: Praise God!

Leader: For trees and for fruit that is yummy to share,

All: Praise God!

Leader: For children and families who show love and care,

All: Praise God!

Leader: For all the great things God's love made to be,

All: Praise God!

Leader: For all of creation and that includes me,

All: Praise God!

 Sing "God Is a Part of My Life"

SUS HIJOS APRENDIERON >>>

Este capítulo enseña sobre el don de Dios de la creación y su amor por nosotros. Él nos hizo para conocerlo y amarlo.

La Palabra de Dios

 Lean **Salmo 139, 13–15** para saber por qué cada persona es especial para Dios.

Lo que creemos

- Dios creó todas las cosas. Todo lo que Él hizo es bueno.
- Dios conoce y ama a todas las personas.

Para aprender más, vayan al *Catecismo de la Iglesia Católica* #295, 299 en **usccb.org**.

Gente de fe

Esta semana su hijo conoció al Beato Fray Angélico. Fue un pintor innovador que usó sus dones y talentos para honrar a Dios.

LOS NIÑOS DE ESTA EDAD >>>

Cómo comprenden que fuimos creados por Dios Muchos niños de esta edad todavía no se preguntan cómo vinieron al mundo. Saben que fueron bebés por fotos y relatos, pero les resulta difícil imaginarse un tiempo cuando no existían. Por eso, cuando se les enseña que Dios los hizo, es posible que acepten esta idea sin pensarlo mucho. A medida que crecen y aprenden más acerca de cómo surge la vida nueva, ellos integrarán esta información con la comprensión de que las personas, como sus padres, cooperan con Dios para traer vida nueva al mundo.

CONSIDEREMOS ESTO >>>

¿Pueden conocer completamente a alguien?

Sin importar por cuánto tiempo conozcamos a una persona, sería tonto decir que la conocemos por completo. Dios crea a cada uno de nosotros con la capacidad de conocerlo a Él. Cuando abrimos nuestro corazón, lo conocemos de muchas maneras. "En el encuentro de Dios con Moisés, Dios se revela a si mismo como 'Yo-soy'. Estas palabras revelan… Dios como fuente de todo lo que existe, pero quien Él es será revelado aún más a medida que continúa su amorosa obra por su pueblo" (*CCEUA, p. 15*).

HABLEMOS >>>

- Pidan a su hijo que mencione quién hizo todas las cosas de la creación.
- Compartan con su hijo su parte preferida de la creación de Dios.

OREMOS >>>

 Querido Dios, tú nos muestras tu amor cuando haces cosas hermosas. Ayúdanos a amarte siempre, como te amó el Beato Fray Angélico. Amén.

 Visiten **vivosencristo.osv.com** para encontrar un glosario multimedia de Palabras católicas, lecturas dominicales, y recursos de Santos y tiempos festivos.

FAMILY+FAITH
LIVING AND LEARNING TOGETHER

YOUR CHILD LEARNED >>>

This chapter teaches about God's gift of creation and his love for us. He made us to know and love him.

God's Word

 Read **Psalm 139:13–15** to find out how each one of us is special to God.

Catholics Believe

- God created everything. All that he made is good.
- God knows and loves everyone.

To learn more, go to the *Catechism of the Catholic Church* #295, 299 at **usccb.org**.

People of Faith

This week, your child met Blessed Fra Angelico. He was an innovative painter who used his gifts and talents to honor God.

CHILDREN AT THIS AGE >>>

How They Understand Our Creation by God Many children at this age have not yet asked themselves how they came to be. They know from photos and stories that they used to be babies, but it is difficult for them to picture a time when they did not exist. For this reason, when they are taught that God made them, they might accept this idea without much thought. As they grow and learn more about how new life comes about, they will integrate this information through an understanding that people, like their parents, cooperate with God to bring new life into the world.

CONSIDER THIS >>>

Can you ever completely know someone?

No matter how long we know someone it would be foolish to say we know that person completely. God creates each of us with the capacity to know him. When we open our hearts we come to know him in many ways. "In the encounter of God with Moses, God reveals himself as 'I AM WHO AM.' These words reveal ...God ... as the source of all that is, but who he is will be revealed still further as he continues his loving work for his people" (*USCCA, p. 13*).

LET'S TALK >>>

- Ask your child to name who made everything in creation.
- Share with your child your favorite part of God's creation.

LET'S PRAY >>>

 Dear God, you show us your love when you make beautiful things. Help us to always love you, as Blessed Fra Angelico did. Amen.

 For a multimedia glossary of Catholic Faith Words, Sunday readings, seasonal and Saint resources, and chapter activities go to **aliveinchrist.osv.com**.

Capítulo 1 Repaso

A **Trabaja con palabras** Traza las letras para hablar acerca de los dones de Dios.

1. Dios hizo a _Adán_

y Eva.

2. Dios creó _todo_.

3. ¡Dios _me_ ama!

B **Confirma lo que aprendiste** Encierra en un círculo la palabra que completa la oración.

4. Dios es nuestro _____.

Creador   entrenador

En el renglón, traza quién te hizo. Dibuja tu rostro en el círculo.

5. _Dios_   6.

Chapter 1 Review

 A **Work with Words** Trace the letters to tell about God's gifts.

1. God made  Adam

and Eve.

2. God created  everything.

3. God loves me!

B **Check Understanding** Circle the word that finishes the sentence.

4. God is our ____.

Creator   trainer

On the line, trace who made you. Draw your face in the circle.

5.  God   **6.**

Los dones que Dios nos dio

 Oremos

Líder: Dios, te damos gracias por todos los
dones maravillosos que nos das.

"¡Oh Señor, nuestro Dios,
qué grande es tu nombre en toda
la tierra!" Salmo 8, 2

Todos: Ayúdanos a ver todos tus dones. Amén.

 ## La Palabra de Dios

Dios creó todas las plantas y las flores, todos
los animales que caminan sobre la tierra, vuelan
en el cielo y nadan en las aguas. Él dijo: "Creé
toda clase de alimentos para que comas".
Y Dios estuvo muy complacido
con lo que vio.

Basado en Génesis 1, 11-31

? **¿Qué piensas?**

- ¿Qué pensaba Dios de
todas las cosas que creó?
- ¿Por qué Dios creó a los
insectos?

God's Gifts for Us

 Let Us Pray

Leader: God, we thank you for all the wonderful gifts you give to us.

"O Lord our Lord,
　　how awesome is your name through
　　　all the earth!" Psalm 8:2

All: Help us to see all your gifts. Amen.

God's Word

God created all the plants and flowers, all the animals that walk on the earth, fly in the sky, and swim in the waters. He said, "I created all kinds of food for you to eat." And God was pleased with what he saw.

Based on Genesis 1:11–31

❓ What Do You Wonder?

- How did God think of all the things he made?
- Why did God make bugs?

Dones de Dios

¿Qué dones nos ha dado Dios?

Jesús el nombre del Hijo de Dios que se hizo hombre

alabanza honrar a Dios y agradecerle porque Él es Dios

Dios te da un don muy grande.

Abre bien los brazos. ¡El don de Dios es todavía más grande!

El don de Dios es demasiado grande como para envolverlo. Es tan grande que no se puede atar ninguna cinta a su alrededor.

Dios te da el mundo. ¡Él llenó el mundo con muchos dones! Y su don más grande es su Hijo, **Jesús**.

Alabamos, o damos **alabanza** a Dios por estos dones.

Encierra en un círculo algunos de tus dones preferidos del mundo de Dios.

Gifts from God

What gifts has God given to us?

God gives you a very, very big gift.

Stretch your arms wide. God's gift is bigger than that!

God's gift is too big to wrap. It is so big that no ribbon can be tied around it.

God gives you the world. He filled the world with many gifts! And his greatest gift is his Son, **Jesus**.

We **praise** God for these gifts.

Catholic Faith Words

Jesus the name of the Son of God who became man

praise giving God honor and thanks because he is God

Circle some of your favorite gifts in God's world.

Dios hizo el mundo

Dios hizo muchas cosas buenas. Antes de hacer a Adán y a Eva, hizo el mundo. Hizo el mundo para mostrar su amor.

La Palabra de Dios

El relato de la creación

Hace mucho tiempo, Dios hizo el cielo, la tierra y los mares. Pero la tierra estaba vacía. No había árboles para trepar. Ninguna flor se mecía con la brisa. Ningún pájaro volaba en el aire.

Entonces Dios, el Señor, creó un mundo hermoso. Dijo Dios: "Produzca la tierra animales vivientes de diferentes especies, animales del campo, reptiles y animales salvajes". Luego, los pájaros volaron en el cielo. Muchos animales vivían en la tierra. Y peces y ballenas nadaban en los mares. Dios vio que esto era bueno. Basado en Génesis 1, 6-25

Comparte tu fe

Piensa ¿Qué dones de Dios te gustaría traer a tu próxima clase?

Comparte Habla sobre estos dones en grupo.

God Made the World

God made many good things. Before God made Adam and Eve, he made the world. He made the world to show his love.

God's Word

The Story of Creation

Long ago, God made the sky, the earth and the seas. But the earth was empty. There were no trees to climb. No flowers swayed in the breeze. No birds to fly in the air.

So the Lord God created a beautiful world. God said: "Let the earth bring forth every kind of living creature: tame animals, crawling things, and every kind of wild animal." Then, birds flew in the sky. Many animals lived on the earth. And fish and whales swam in the seas. God saw that it was good.   Based on Genesis 1:6–25

Share Your Faith

Think What are some of God's gifts that you would like to bring to your next class?

Share Talk about these gifts in a group.

Hechos para ayudarnos

¿Cómo nos ayudan los dones de Dios?

Dios hizo a las personas para amar. Podemos aprender sobre el amor de Dios mediante las cosas que hizo. Él nos da lo que necesitamos para vivir y ser felices.

Usamos sus dones para hacer otras cosas que necesitamos. La madera para casas viene de los árboles. El alimento se hace de animales o plantas.

 Traza la palabra que dice cómo el don de Dios de las personas ayuda al mundo.

Los dones de Dios ayudan al mundo

Don de Dios	Cómo ayuda
	ilumina de noche
	hacemos papel con él
	hace brillante el día
	amamos

Made to Help Us

How do God's gifts help us?

God made people to love. We can learn about God's love by the things he made. He gives us what we need to live and be happy.

We use God's gifts to make other things we need. Wood for houses comes from trees. Food is made from animals or plants.

Trace the words that tell how God's gift of people helps the world.

God's Gifts Help the World

God's Gift	How It Helps
	gives light at night
	we make paper from it
	makes the day bright

Dar gracias a Dios

Todo lo que te rodea es un don de Dios. Podemos mostrar a Dios gratitud por todo lo que nos ha dado. A esto lo llamamos **acción de gracias**.

- Podemos orar para demostrar agradecimiento a Dios.

- Podemos recordar que todo lo que tenemos viene de Dios.

- Cuidamos y compartimos estos dones.

- Podemos decir "gracias" a nuestra familia y nuestros amigos por lo que hacen.

Palabras católicas

acción de gracias
agradecer a Dios por todo lo que nos ha dado

Practica tu fe

Dar gracias Colorea las x de azul y las o de verde para decirle a Dios algo especial.

Thank God

Everything around you is a gift from God. We can show God we are grateful for all he's given us. We call this **thanksgiving**.

- We can pray to show God thanks.

- We can remember that all we have comes from God.

- We take care of and share these gifts.

- We can tell our family and friends "thank you" for the things they do.

Catholic Faith Words

thanksgiving giving thanks to God for all he has given us

Connect Your Faith

Give Thanks Color the x's blue and the o's green to tell God something special.

Nuestra vida católica

¿Cómo usan las personas las cosas que Dios hizo?

Dios dio a las personas muchos dones para que los usaran. Las personas los usan para hacer otras cosas que necesitan.

Puedes usar los dones de Dios para preparar el alimento que comes.

Los panqueques se hacen con harina.

La leche viene de una vaca.

Los huevos vienen de una gallina.

¡Con todo eso se preparan riquísimos panqueques!

Our Catholic Life

How do people use the things God made?

God gave people many gifts to use. People use God's gifts to make other things they need.

You can use God's gifts to make the food you eat.

Pancake mix is made from flour.

Milk comes from a cow.

Eggs come from a chicken.

All together they make yummy pancakes!

Gente de fe

San Nicolás, 270–310

San Nicolás era un obispo. Una noche, fue a la casa de una familia pobre y arrojó una bolsa con monedas de oro por una ventana abierta. La familia quiso agradecerle, pero él les dijo que mejor le agradecieran a Dios. A Nicolás le gustaba dejar regalos. Las personas aún dan regalos en su día festivo. San Nicolás es el Santo patrón de los niños.

6 de diciembre

Comenta: ¿Qué regalo puede darles a tu familia y a tus amigos hoy?

Aprende más sobre San Nicolás en **vivosencristo.osv.com**

Vive tu fe

Gracias, Dios Colorea los lugares donde puedes darle gracias a Dios esta semana por darnos tantos dones.

People of Faith

Saint Nicholas, 270–310

Saint Nicholas was a bishop. One night he went to the house of a poor family and threw a bag of gold coins in an open window. The family wanted to thank Nicholas, but he told them to thank God instead. Nicholas liked giving gifts. People still give gifts on his feast day. Saint Nicholas is the patron Saint of children.

December 6

Discuss: What gift can you give to your family and friends today?

Learn more about Saint Nicholas at **aliveinchrist.osv.com**

Live Your Faith

Thank You, God Color the places where you can say thank you to God this week for giving us so many gifts.

 **Oremos**

Oración de acción de gracias

Reúnanse y comiencen con la Señal de la Cruz.

Líder: Demos gracias a Dios por todos sus dones.

Todos: Por tu don de la Tierra,
gracias, Dios.

Por tu don de las plantas y los árboles,
gracias, Dios.

Por tu don de los animales, gracias, Dios.

Por tu don del alimento, gracias, Dios.

Por tu don de las personas, gracias, Dios.

Por tu don de mí, gracias, Dios.

Por tu gran mundo de dones,
gracias, Dios.

 Canten "Canto de Toda Criatura"

Cantan todos tus santos
con amor y bondad
cantan todos alegres,
te vienen a adorar.

Letra basada en Daniel 3, 57-64; © 1999, Arsenio Cordova.
Obra publicada por OCP. Derechos reservados.
Con las debidas licencias.

 **Let Us Pray**

Prayer of Thanksgiving

Gather and begin with the Sign of the Cross.

Leader: Let us give thanks to God for all his gifts.

All: For your gift of the Earth,
Thank you, God.

For your gift of plants and trees,
Thank you, God.

For your gift of animals, Thank you, God.

For your gift of food, Thank you, God.

For your gift of people, Thank you, God.

For your gift of me, Thank you, God.

For your whole-wide-world of gifts,
Thank you, God.

 Sing "And It Was Good"

And it was good, good, very, very good,
and it was good, good, very, very good,
and it was good, good, very, very good,
it was very, very, very good.
Text and music: Jack Miffleton. © 1990, OCP. All rights reserved.

FAMILIA + FE

VIVIR Y APRENDER JUNTOS

SUS HIJOS APRENDIERON >>>

Este capítulo explora cómo Dios nos da lo que necesitamos para vivir y ser felices. Podemos darle gracias a Dios por sus dones de muchas maneras.

La Palabra de Dios

 Lean **Génesis 1, 11–31** para aprender sobre los muchos dones que Dios creó para nuestro gozo.

Lo que creemos

- El mundo de Dios es un don para ti.
- Pueden aprender más acerca de Dios y su amor viendo el mundo que Él hizo.

Para aprender más, vayan al *Catecismo de la Iglesia Católica* #315, 319 en **usccb.org**.

Gente de fe

Esta semana, su hijo conoció a San Nicolás. San Nicolás pasó su vida ayudando a los necesitados y es el modelo del Santa Claus moderno.

LOS NIÑOS DE ESTA EDAD >>>

Cómo comprenden la creación de Dios Los niños de esta edad tienen un pensamiento muy concreto; ellos conocen y comprenden las cosas que perciben con sus sentidos. Por eso, muchos niños entienden a Dios en el contexto de lo que Él ha hecho. Saber que Dios hizo los árboles, flores, animales, océanos, personas y todo lo que hay en el mundo les enseña que Dios es muy grande y poderoso. La identidad de Dios es todavía un misterio para ellos, pero la creación se convierte en la "evidencia" de que Dios es real.

CONSIDEREMOS ESTO >>>

¿Alguna vez han sentido que debían darle gracias a alguien?

Hay momentos en que la vida diaria se sale de lo "ordinario" y nos maravilla. En esos momentos, tenemos un sentido de lo trascendente. "Agustín nos dice que Dios habló con una voz vigorosa. 'Me llamaste, me gritaste y rompiste mi sordera. Soplaste tu fragancia sobre me [...] te ha saboreado, y ahora tengo hambre y sed de más' (*Las Confesiones*, lib. 10, cap. 27 [v.d.t.])" *(CCEUA, p. 369)*.

HABLEMOS >>>

- Pidan a su hijo que mencione una manera en que usamos cosas que Dios hizo.
- Hablen sobre alguna ocasión en la que hayan estado muy agradecidos por la acción de Dios en su vida. ¿Comó muestran su agradecimiento las personas de su familia?

OREMOS >>>

 San Nicolás, ayúdanos a dar generosamente a los pobres como tú lo hiciste. Amén.

 Visiten **vivosencristo.osv.com** para encontrar un glosario multimedia de Palabras católicas, lecturas dominicales, y recursos de Santos y tiempos festivos.

FAMILY+FAITH
LIVING AND LEARNING TOGETHER

YOUR CHILD LEARNED >>>

This chapter explores how God gives us what we need to live and be happy. We can thank God for his gifts in many ways.

God's Word

 Read **Genesis 1:11–31** to find out about the many gifts God created for us to enjoy

Catholics Believe

- God's world is a gift to you.
- You can learn about God and his love by looking at the world he made.

To learn more, go to the *Catechism of the Catholic Church* #315, 319 at **usccb.org**.

People of Faith

This week, your child met Saint Nicholas. Saint Nicholas spent his life helping the needy and is the model for our Santa Claus.

CHILDREN AT THIS AGE >>>

How They Understand God's Creation Children at this age are very concrete thinkers—they know and understand the things they perceive with their senses. For this reason, many children understand God in the context of what he has made. Knowing that God made the trees, flowers, animals, oceans, people, and everything in the world teaches them that God is very big and powerful. God's identity is still a mystery for them, but creation becomes for them the "evidence" that God is real.

CONSIDER THIS >>>

Have you ever had the feeling that someone should be thanked?

There are moments of awe in everyone's life that break through the "ordinary." At these moments we have a sense of the transcendent. "Augustine tells us that God spoke with a vigorous voice. 'You called, you shouted, and you broke through my deafness. You breathed your fragrance on me…. I have tasted you, now I hunger and thirst for more' (*The Confessions*, bk. 10, no. 27)" (*USCCA, p. 346*).

LET'S TALK >>>

- Ask your child to name one way we use some of the things God made.
- Talk about a time you were really thankful for God's action in your life. What are some ways people in your family show they are thankful?

LET'S PRAY >>>

 Saint Nicholas, help us give generously to the poor like you did. Amen.

 For a multimedia glossary of Catholic Faith Words, Sunday readings, seasonal and Saint resources, and chapter activities go to **aliveinchrist.osv.com**.

Capítulo 2 Repaso

A **Trabaja con palabras** Rellena el círculo que está junto a la respuesta correcta.

1. Demostrar a Dios que estás agradecido por lo que Él nos ha dado se llama ____.

○ acción de gracias ○ felicidad

2. Dios creó el mundo para ____.

○ hacer algún trabajo ○ demostrar su amor

3. El nombre del Hijo de Dios que se hizo hombre es ____.

○ Jesús ○ Juan

4. Darle honor y gracias a Dios porque Él es bueno se llama ____.

○ oración ○ alabanza

B **Confirma lo que aprendiste** Dibuja algo que Dios haya creado.

5.

Chapter 2 Review

A **Work with Words** Fill in the circle beside the correct answer.

1. Showing God you are grateful for what he has given us is called ____.

   ○ thanksgiving   ○ happiness

2. God created the world to ____.

   ○ do some work   ○ show his love

3. The name of the Son of God who became man is ____.

   ○ Jesus   ○ John

4. Giving God honor and thanks because he is good is called ____.

   ○ prayer   ○ praise

B **Check Understanding** Draw one thing that God created.

5.

Creado para cuidar

 Oremos

Líder: Dios, gracias por enseñarnos a cuidar de la creación.

"¡Alabe al Señor todo ser que respira!" Salmo 150, 6

Todos: Ayúdanos a cuidar de las cosas que has hecho. Amén.

 ## La Palabra de Dios

Dios creó a los seres humanos y dijo: "Los pongo a cargo para que cuiden de todo lo que yo creé". Dios miró todo lo que había hecho, y vio que era muy bueno.

Basado en Génesis 1, 27-31

? ¿Qué piensas?

- ¿Cómo puedes cuidar de la creación de Dios?
- ¿Por qué quiere Dios que las personas cuiden de lo que Él hizo?

Made to Care

 Let Us Pray

Leader: God, thank you for teaching us how to care for all of creation.

"Let everything that has breath give praise to the LORD!" Psalm 150:6

All: Help us care for the things you have made. Amen.

 God's Word

God created human beings and said: "I am putting you in charge to care for all that I created." God looked at everything that he had made, and he found it very good.

Based on Genesis 1:27–31

?) What Do You Wonder?

- How can you take care of God's creation?
- Why does God want people to care for what he made?

A imagen de Dios

¿Cómo eres parte de la creación de Dios?

Dios hizo las personas a su imagen, para ser como Él. Averigua cómo somos la parte especial de la creación.

¿Cómo eres especial?

Josh y su mamá estaban preparando galletas. Josh tomó un poco de masa. "Primero quiero hacer la cabeza, luego los brazos y el cuerpo... las piernas al final. ¡Mira! ¡Hice una persona! ¡Es como yo!"

La mamá se rió. "Se parece a ti, pero no es como tú. ¿En qué se diferencian?"

In God's Image

How are you a part of God's creation?

God made people in his image, to be like him. Find out how we are special parts of creation.

How Are You Special?

Josh and his mother were making cookies. Josh held up a piece of dough. "First I want to make a head, then the arms and body…the legs are last. Look! I made a person! He is just like me!"

Josh's mother laughed. "He does look like you, Josh. But he is not just like you. How are you different?"

Catholic Faith Words

image of God the likeness of God that is in all human beings because we are created by him

Josh pensó durante un minuto. "Yo soy real. Puedo pensar, jugar, aprender en la escuela y orar. Puedo abrazarte.¡Y tú no puedes comerme!"

"Correcto, Josh", dijo la mamá.

Dones en la Creación

Josh hizo una galleta que se le parecía. Pero no era realmente como él. Las personas están hechas a **imagen de Dios** para ser como Él. Eso nos hace la parte más especial de la creación. Cada uno es único, pero todos compartimos la imagen de Dios. Por eso, respetamos a las personas de toda edad.

Subraya dos dones que están dentro de cada persona.

La creación está llena de los dones de Dios. Algunos dones son parte del mundo. Otros están dentro de cada persona. Poder pensar y elegir son dos de esos dones.

Comparte tu fe

Piensa Dibuja algo sobre ti que demuestre que eres un signo del amor de Dios.

Comparte Habla acerca de lo que te gusta de este don.

Josh thought for a minute. "I am real. I can think, play, learn at school, and pray. I can hug you. And you can't eat me!"

"That's right, Josh," his mother said.

Gifts in Creation

Josh made a cookie that looked like him. But it was not really like him. People are made in the **image of God** to be like him. That makes people the most special part of creation. We are each unique but all share God's image. This is why we respect all people of every age.

Underline two gifts that are inside of each person.

Creation is full of gifts from God. Some gifts are part of the world. Other gifts are inside of each person. Being able to think and make choices are two of those gifts.

Share Your Faith

Think Draw one thing about yourself that shows you are a sign of God's love.

Share Talk about what you like about this gift.

El mandato de Dios

¿Qué te pide Dios que hagas?

De todas las criaturas de Dios, solo los humanos pueden realizar cosas como tomar decisiones y demostrar amor. Dios Padre nos creo para conocer su amor y participar de su obra. Escucha lo que Él pidió a Adán y Eva que hicieran.

Encierra en un círculo lo que Dios pidió a Adán y Eva que hicieran.

Todo en la Tierra es parte de la creación de Dios.

 ## La Palabra de Dios

Cuida lo que te he dado

Dios hizo a Adán y a Eva para que fueran como Él. Les dijo: "Tengan hijos para llenar la tierra. Usen la tierra para lo que necesiten. Aquí hay plantas con semillas, y animales y aves. Cuiden todo lo que les he dado".

Basado en Génesis 1, 26-30

God's Command

What does God ask you to do?

Of all God's creatures, only humans can do things like make choices and show love. God the Father created us to know his love and share in his work. Listen to what he asked Adam and Eve to do.

 God's Word

Take Care of What I've Given You

God made Adam and Eve to be like him. He said to them, "Have children to fill the earth. Use the earth for what you need. Here are plants with seeds, and animals, and birds. Take care of all that I have given you."

Based on Genesis 1:26–30

 Circle what God asked Adam and Eve to do.

Everything on Earth is part of God's creation.

Demostrar amor

Dios dijo a Adán y Eva que cuidaran de su creación. Dios te pide que seas un buen cuidador, alguien que trate su creación con cuidado y respeto. Cuando cuidas de los seres vivos, demuestras tu amor por Dios. Cuidar es una manera de dar gracias a Dios por todo lo que te ha dado.

Practica tu fe

Completa Traza las palabras para completar la oración que dice lo que Dios pidió a Adán y Eva que hicieran.

Cuiden de ___todo___ lo que ___les___ he dado.

Comparte tu respuesta con un compañero.

Show Love

God told Adam and Eve to care for his creation. God asks you to be a good caretaker, someone who treats his creation with care and respect. When you care for living things, you show your love for God. Caring is a way to thank God for all that he has given you.

Connect Your Faith

Fill it In Trace the words to complete the sentence that tells what God asked Adam and Eve to do.

Take care of all that I have given you.

Share your answer with a partner.

Nuestra vida católica

¿Cómo ayudas a cuidar de ti?

¡Tú eres uno de los dones más grandes de Dios! Él hizo tu cuerpo y tu mente. Dios te ama y te cuida mucho. Él quiere que ayudes a cuidar de ti.

Marca las cosas que más te gusta hacer.

Cuídate

Cuida de tu cuerpo	Cuida de tu mente
Come alimentos sanos.	Escucha historias.
Mantén limpios tu cabello, tus dientes y tu cuerpo.	Esfuérzate en la escuela.
Juega y haz ejercicio.	Haz algo.
Duerme lo suficiente durante la noche.	Aprende a hacer algo nuevo.

Our Catholic Life

How do you help take care of yourself?

You are one of God's greatest gifts! He made your body and your mind. God loves and cares for you very much. He wants you to help take care of yourself.

Check off the things you like to do best.

Take Care of Yourself

Care for Your Body	Care for Your Mind
Eat good foods.	Listen to stories.
Keep your hair, teeth, and body clean.	Do your best in school.
Play and get exercise.	Make something.
Get enough sleep at night.	Learn to do a new thing.

Gente de fe

San Alberto Magno, 1206–1280

San Alberto fue un sacerdote alemán. Era muy inteligente. Le gustaba aprender sobre el mundo de Dios. Observaba las telarañas. Estudiaba las estrellas y cómo se movían. Pasaba horas mirando plantas y observando animales. ¡Incluso escribió un libro sobre cómo cuidar halcones! Por todo lo que sabía, se le dio el título de "Magno". San Alberto amó a toda la creación porque estaba hecha por Dios.

15 de noviembre

Comenta: Nombra algo que te gusta mirar cuando estás al aire libre en el mundo de Dios.

Aprende más sobre San Alberto en **vivosencristo.osv.com**

Vive tu fe

Cuenta cómo usas los siguientes objetos para cuidarte.

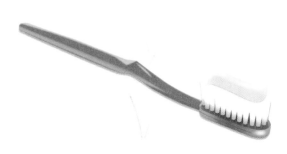

Nombra una manera en la que cuidarás de ti esta semana.

People of Faith

Saint Albert the Great, 1206–1280

Saint Albert was a German priest. He was very smart. He liked to learn about God's world. He looked carefully at spider webs. He studied the stars and the way they move. He spent hours looking at plants and watching animals. He even wrote a book on how to take care of falcons! Because of all the things he knew, he was given the title "the Great." Saint Albert loved all creation because it was made by God.

November 15

Discuss: Name one thing you like to look at when you are outside in God's world.

Learn more about Saint Albert at **aliveinchrist.osv.com**

Live Your Faith

Tell how you use the objects below to take care of yourself?.

Name one way you will take care of yourself this week.

 Oremos

Oración de alabanza y agradecimiento

Reúnanse y comiencen con la Señal de la Cruz.

Líder: ¡Dios creó un mundo maravilloso!
Demos gracias a Dios por su mundo
maravilloso.

Todos: Gracias, gracias, gracias, Dios.

Líder: Por las mascotas y los árboles, las zanahorias
y los guisantes, Y las aves que vuelan y
cantan.

Todos: Gracias, gracias, gracias, Dios.

Líder: ¡Cantamos nuestro agradecimiento y
alabanza para ti,
Todos los días y las noches!

Todos: Canten "Gracias, Señor"

Gracias, Señor.
Gracias por tu amor
inseparable.
Gracias, Señor.
Porque tu amor siempre
perdura.

 Let Us Pray

Prayer of Praise and Thanks

Gather and begin with the Sign of the Cross.

Leader: God made a wonderful world!
Give thanks to God for his wonderful world.

All: Thank you, thank you, thank you, God.

Leader: For pets and trees and carrots and peas,
And birds that fly and sing.

All: Thank you, thank you, thank you, God.

Leader: We sing our thanks and praise to you,
Every day and night!

All: Sing "All Things Bright and Beautiful"

All things bright and beautiful,
all creatures great and small,
all things wise and wonderful:
the Lord God made them all.

Text based on Ecclesiastes 3:11;
Cecil Frances Alexander. Music by ROYAL OAK.

SUS HIJOS APRENDIERON >>>

Este capítulo explora qué significa estar hecho a la imagen de Dios y cómo las personas tenemos un papel especial en el cuidado de la creación.

La Palabra de Dios

 Lean **Génesis 1, 27–31** para aprender cómo Dios nos pide que cuidemos de todos y todo lo que fue creado.

Lo que creemos

- Toda la creación es un don de Dios. Los humanos somos la parte más especial de la creación.

- Todos debemos ayudar a cuidar de los dones de Dios.

Para aprender más, vayan al *Catecismo de la Iglesia Católica* #374–379 en **usccb.org**.

Gente de fe

Esta semana, su hijo conoció a San Alberto Magno. Alberto fue uno de los primeros científicos en el mundo.

LOS NIÑOS DE ESTA EDAD >>>

Cómo comprenden ser administradores de la creación de Dios Al comienzo del año escolar, muchos niños de esta edad todavía están en lo que los teóricos del desarrollo describen como etapa "egocéntrica" del desarrollo. Sienten que el mundo gira a su alrededor y se les hace difícil ver las cosas desde la perspectiva de los demás. En consecuencia, no tienen dificultad para captar la idea de que Dios hizo el mundo para ellos y que son en parte responsables de cuidar lo que Dios les ha dado. Sin embargo, es posible que su hijo necesite ayuda para descubrir maneras prácticas de ser un buen administrador de la creación de Dios.

CONSIDEREMOS ESTO >>>

¿Cómo distinguen los niños entre lo que quieren y lo que necesitan?

Este es un desafío importante cuando hay factores externos que los convencen de que necesitan más de lo que realmente les hace falta. Cuando Jesús proclama las ocho Bienaventuranzas, Él afirma que "... la pobreza de espíritu nos permitirá heredar el Reino de Dios. En otras palabras, el primer paso en el camino hacia el gozo comienza con un distanciamiento sano de los bienes materiales" (*CCEUA, p. 479*). Si queremos que nuestros hijos conozcan esa dicha, debemos enseñarles a desprenderse de los bienes materiales a través de nuestro propio ejemplo.

HABLEMOS >>>

- Pidan a su hijo que mencione una cosa que las personas sí pueden hacer pero que el resto de la creación de Dios no puede.

- Digan a su hijo qué lo hace ser especial para ustedes.

OREMOS >>>

 San Alberto, ayúdanos a cuidar de todos los seres vivos en el mundo, incluyendo las plantas, los animales y las personas. Amén.

 Visiten **vivosencristo.osv.com** para encontrar un glosario multimedia de Palabras católicas, lecturas dominicales, y recursos de Santos y tiempos festivos.

FAMILY+FAITH

LIVING AND LEARNING TOGETHER

YOUR CHILD LEARNED >>>

This chapter explains what it means to be made in God's image and how people have a special role in taking care of creation.

God's Word

 Read **Genesis 1:27–31** to learn about how God asks us to take care of everyone and everything that was created.

Catholics Believe

- All creation is a gift from God. Humans are the most special part of creation.
- Everyone must help care for God's gifts.

To learn more, go to the *Catechism of the Catholic Church* #374– 379 at **usccb.org**.

People of Faith

This week, your child met Saint Albert the Great. Albert was one of the world's first scientists.

CHILDREN AT THIS AGE >>>

How They Understand Being Stewards of God's Creation
At the beginning of the school year, many children are still very much in what developmental theorists describe as the "egocentric" stage of development. They see the world as revolving around them and have difficulty seeing things from the perspective of others. Consequently, they have no difficulty grasping the idea that God made the world for them and that they have some responsibility in caring for what God has given them. Your child may need help, though, to discover practical ways in which he or she can be a good steward of God's creation.

CONSIDER THIS >>>

How do children distinguish between what they want and what they need?

This is a serious challenge when outside factors convince them that they need more than they really do. When Jesus proclaimed the eight Beatitudes he stated that "poverty of spirit would enable us to inherit the Kingdom of God. In other words, the first step on the road to joy begins with a healthy detachment from material goods" (*USCCA, p. 449*). If we want our children to know that joy, we must teach detachment to material goods through our own example.

LET'S TALK >>>

- Ask your child to name one thing people can do that the rest of God's creation cannot.
- Tell your child what makes him or her special to you.

LET'S PRAY >>>

 Saint Albert, help us take care of all living things in the world, including the plants, the animals, and the people. Amen.

 For a multimedia glossary of Catholic Faith Words, Sunday readings, seasonal and Saint resources, and chapter activities go to **aliveinchrist.osv.com**.

A **Trabaja con palabras** Mira cada dibujo. Traza una línea que una las palabras con el dibujo que las explica.

Columna A   Columna B

1. Imagen de Dios

2. Cuidador

3. Adán y Eva

B **Confirma lo que aprendiste** Traza las palabras para nombrar una manera en que puedes cuidar de tu cuerpo y una manera en que puedes cuidar de tu mente.

4. jugar al aire libre

5. leer un libro

Chapter 3 Review

A **Work with Words** Look at each picture. Draw a line from the word or words to the picture that explains it.

Column A   Column B

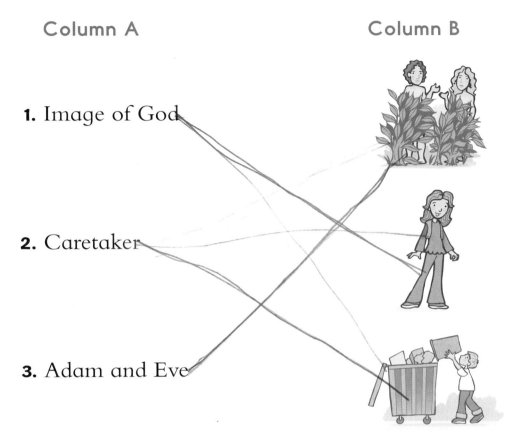

1. Image of God

2. Caretaker

3. Adam and Eve

B **Check Understanding** Trace the words to name one way you can take care of your body and one way you can take care of your mind.

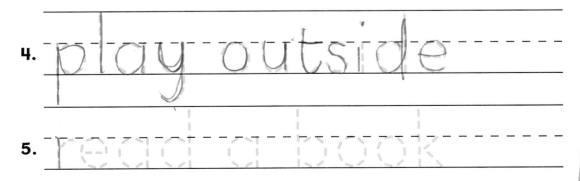

4. play outside

5. read a book

A **Trabaja con palabras** Rellena el círculo que está junto a la respuesta correcta.

1. _____ hizo el mundo.

   ○ Dios   ○ Tú

2. Toda la _____ es un don de Dios.

   ○ bulla   ○ creación

3. La _____ es la Palabra de Dios escrita en palabras humanas.

   ○ Biblia   ○ revista

4. Dios pide a las _____ que cuiden de su creación.

   ○ mascotas   ○ personas

5. Todas las personas están hechas a imagen de _____.

   ○ Dios   ○ Adán

A **Work with Words** Fill in the circle beside the correct answer.

1. ____ made the world.

   ● God   ○ You

2. All ____ is a gift from God.

   ○ noise   ● creation

3. The ____ is the Word of God written in human words.

   ● Bible   ○ magazine

4. God asks ____ to care for his creation.

   ○ pets   ● people

5. All people are made in the image of ____.

   ● God   ○ Adam

B **Confirma lo que aprendiste** Traza una línea que una cada dibujo con la frase que mejor lo describe.

Columna A   Columna B

6.

tiene relatos acerca del amor de Dios

7.

lo que Dios creó

8.

dones de la creación que usamos

9.

cuidado de la creación de Dios

B **Check Understanding** Draw a line from each picture to the phrase that best describes it.

Column A

Column B

6.

has stories about God's love

7.

what God created

8.

gifts of creation we use

9.

care for God's creation

C **Relaciona** Dibújate cuidando o usando algo que Dios creó.

10.

C **Make Connections** Draw a picture of yourself taking care of or using one thing God made.

10.

La Trinidad

Nuestra Tradición Católica

- La Santísima Trinidad es un solo Dios en tres Personas Divinas: Dios Padre, el Hijo y el Espíritu Santo. (CIC, 234)

- Dios Padre es la Primera Persona Divina de la Santísima Trinidad. Nos ama y cuida de nosotros. (CIC, 239)

- Jesús es la Segunda Persona Divina de la Santísima Trinidad. Es el Hijo de Dios. (CIC, 262)

- El Espíritu Santo es la Tercera Persona Divina de la Santísima Trinidad. Nos ayuda a conocer a Jesús y a amar a Dios Padre. (CIC, 263)

¿Qué nos enseña la Biblia acerca de Jesús?

Trinity

Our Catholic Tradition

- The Holy Trinity is one God in three Divine Persons—God the Father, the Son, and the Holy Spirit. (CCC, 234)

- God the Father is the First Divine Person of the Holy Trinity. He loves and takes care of us. (CCC, 239)

- Jesus is the Second Divine Person of the Holy Trinity. He is the Son of God. (CCC, 262)

- The Holy Spirit is the Third Divine Person of the Holy Trinity. He helps us know Jesus and love God the Father. (CCC, 263)

What does the Bible teach us about Jesus?

La Santísima Trinidad

 **Oremos**

Líder: Tu nombre es santo, oh Señor nuestro Dios.

"Devuelvan al Señor la gloria de su Nombre, adoren al Señor en solemne liturgia". Salmo 29, 2

Todos: Que recordemos siempre que tu nombre es santo. Y por eso oramos: En el nombre del Padre y del Hijo y del Espíritu Santo. Amén.

La Palabra de Dios

Jesús dijo a los discípulos: "Vayan, pues, y hagan que todos los pueblos sean mis discípulos. Bautícenlos en el Nombre del Padre y del Hijo y del Espíritu Santo, y enséñenles todo lo que yo les he encomendado a ustedes". Mateo 28, 19-20

? ¿Qué piensas?

- ¿Por qué te pusieron tu nombre?
- ¿Qué significa tu nombre?

The Holy Trinity

 Let Us Pray

Leader: Your name is holy, O Lord our God.

"Give to the LORD the glory due his name.
Bow down before the LORD's holy splendor!" **Psalm 29:2**

All: May we always remember that your name is holy. And so we pray: In the name of the Father, and of the Son, and of the Holy Spirit. Amen.

 God's Word

Jesus said to the disciples: "... Go, therefore, and make disciples of all nations, baptizing them in the name of the Father, and of the Son, and of the holy Spirit, teaching them to observe all that I have commanded you."
Matthew 28:19–20

What Do You Wonder?

- Why were you given your name?
- What does your name mean?

Ayudar a los demás

¿Cómo podemos ser amables con los demás?

Dios quiere que seas amable con los demás. El león y el ratón tenían un problema. Lee para saber cómo lo resolvieron.

El león y el ratón

Un poderoso león dormía bajo los árboles. El ratón pensó que el león era una roca. Se trepó a su lomo. El león se despertó de inmediato.

El león atrapó la cola del pobre ratón.

"¿Cómo te atreves a despertarme?" rugió. "¡Voy a comerte!"

"Oh, por favor" dijo el ratón. "Suéltame. Algún día te recompensaré".

Lee toda la historia.

1. Subraya dos cosas que el león le hizo al ratón.

2. Encierra en un círculo cómo ayudó el ratón al león.

Helping Others

How can we be nice to others?

God always wants you to be nice to other people. Lion and Mouse have a problem. Read to find out how they solve the problem.

The Lion and the Mouse

A mighty lion was fast asleep in the woods. Mouse thought Lion was a rock. She ran up his back. Lion woke at once.

He grabbed poor Mouse's tail.

"How dare you wake me up?" he roared. "I am going to eat you!"

"Oh, please," Mouse said. "Let me go. Someday I will repay you."

Read the whole story.

1. Underline two things Lion did to Mouse.

2. Circle how Mouse helped Lion.

"¡No seas tonto!" rugió el león. "¿Cómo me pagarás? "Solo eres un ratoncito". Luego se rió. "Está bien, vete" le dijo.

El león soltó al ratón, y este se alejó corriendo.

Pasaron muchos días. El ratón pasaba por el mismo lugar cuando oyó un gran rugido y halló al león atrapado en una red.

Corrió veloz hacia la red. ¡El ratón cortó la soga con los dientes y liberó al león!

"Gracias" rugió el león.

Los hermanos, las hermanas y los amigos pueden ayudarse unos a otros para hacer grandes cosas.

"De nada" dijo el ratón. "¡Espero que ahora veas que los amigos pequeños pueden ser de gran ayuda!"

Comparte tu fe

Piensa ¿Qué aprendió el león acerca de ser amigos?

_____

Los amigos pequeños pueden _ser de_

_____

gran ayuda.

Comparte ¿Quién ha sido un buen amigo para ti y por qué?

"Don't be silly!" Lion roared. "How will you repay me? You are just a little mouse." Then he laughed. "All right, go on," he said.

He put Mouse down and she ran away quickly.

Many days had passed. Mouse ran by that same place. Mouse heard an awful roar. She soon found Lion caught in a net.

Quickly Mouse ran to the net. She chewed through the rope and set Lion free!

"Thank you," roared Lion.

"You are welcome," said Mouse. "Now I hope that you can see what a big help small friends can be!"

Brothers, sisters, and friends can help each other do big things.

Share Your Faith

Think What did Lion learn about being a friend?

Small friends can  be a big

help.

Share Who has been a good friend to you and why?

Dios es amor

¿Cómo demuestra amor la Santísima Trinidad?

Dios cuida de ti como lo hace un buen amigo. Te ama como un padre o un abuelo amoroso. Te ama aún más de lo que puedas imaginar.

Puedes llamarlo **Dios Padre**. Ves su amor en la creación. Aprendes acerca de su amor a través de Jesús, el **Hijo de Dios**.

Dios Padre envió a su Hijo a la Tierra para demostrar su amor a las personas.

Palabras católicas

Dios Padre la Primera Persona Divina de la Santísima Trinidad.

Hijo de Dios un nombre para Jesús que te dice que Dios es su Padre. El Hijo de Dios es la Segunda Persona Divina de la Santísima Trinidad.

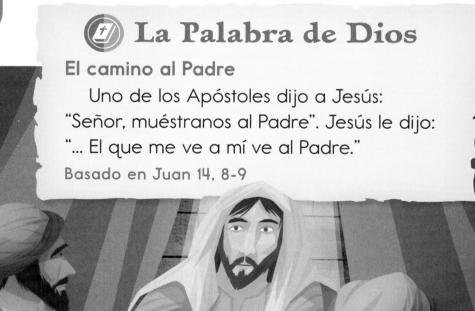

La Palabra de Dios

El camino al Padre

Uno de los Apóstoles dijo a Jesús: "Señor, muéstranos al Padre". Jesús le dijo: "... El que me ve a mí ve al Padre."

Basado en Juan 14, 8-9

God Is Love

How does the Holy Trinity show love?

God cares for you like a good friend does. He loves you like a loving parent or grandparent does. He loves you even more than you can imagine.

You call him **God the Father**. You see his love in creation. You learn about his love from Jesus, the **Son of God**.

God the Father sent his Son to Earth to show people his love.

God's Word

The Way to the Father

One of the Apostles said to Jesus, "Master, show us the Father." Jesus said to him, "... Whoever has seen me has seen the Father." Based on John 14:8–9

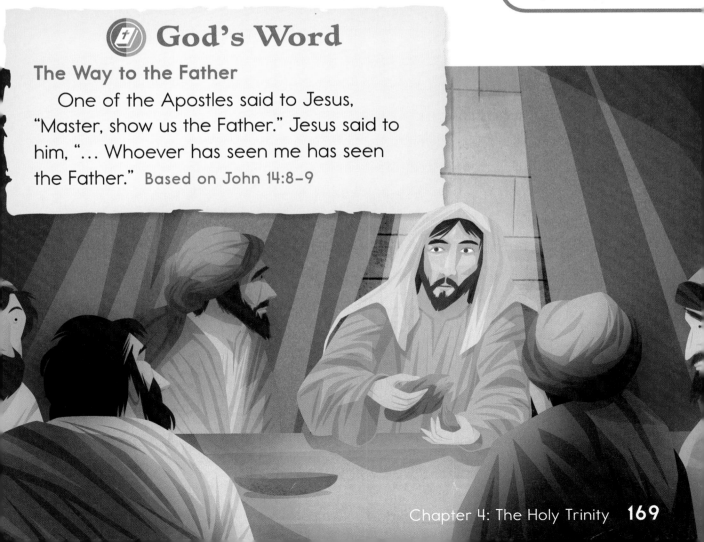

Palabras católicas

Santísima Trinidad
un solo Dios en tres Personas Divinas: Dios Padre, Dios Hijo y Dios Espíritu Santo

La Santísima Trinidad

Dios Padre, Dios Hijo y Dios Espíritu Santo son la **Santísima Trinidad**. La Santísima Trinidad es un solo Dios en tres Personas Divinas.

- A veces, decimos Dios o Señor cuando oramos a Dios Padre, de quien vienen todas las cosas.

- Jesús mostró el amor de Dios al enseñar, sanar y amar a los demás.

- Dios Espíritu Santo te ayuda a conocer y amar a Jesús y a su Padre.

Practica tu fe

Traza la palabra para hallar el nombre de un Dios en tres Personas Divinas. Luego colorea los signos de la Trinidad.

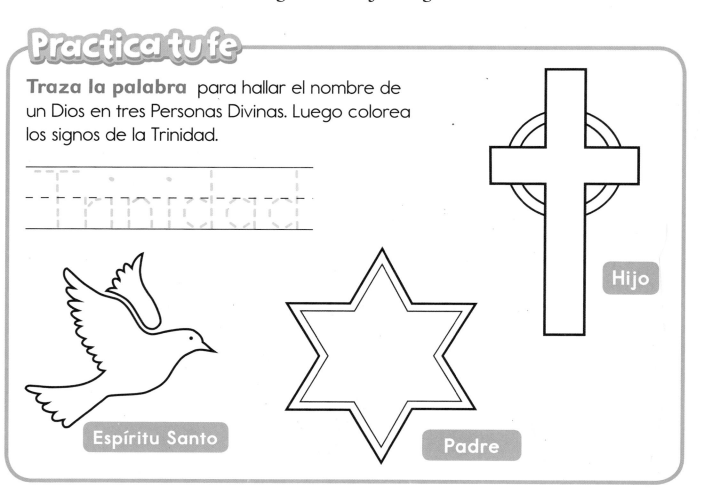

Trinidad

Espíritu Santo

Padre

Hijo

The Holy Trinity

God the Father, God the Son, and God the Holy Spirit are the **Holy Trinity**. The Holy Trinity is the one God in three Divine Persons.

- Sometimes we say God or Lord when we pray to God the Father, from whom all things come.

- Jesus showed God's love by teaching, healing, and loving others.

- God the Holy Spirit helps you know and love Jesus and his Father.

Catholic Faith Words

Holy Trinity the one God in three Divine Persons—God the Father, God the Son, and God the Holy Spirit

Connect Your Faith

Trace the Word to find the name for the one God in three Divine Persons. Then color in the signs of the Trinity.

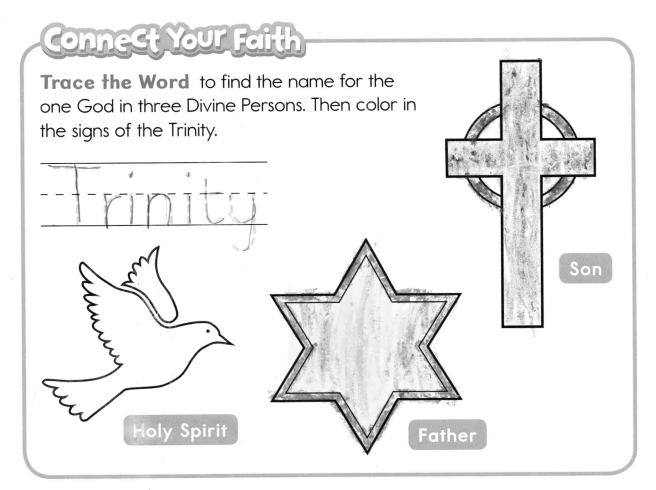

Trinity

Holy Spirit

Father

Son

Nuestra vida católica

¿Qué sabemos acerca de Dios?

Jesús enseñó a las personas cosas importantes sobre Dios. Lo más importante que enseñó a otros es que Dios nos ama.

Padre, Hijo y Espíritu Santo

- Dios hizo todas las cosas y cuida de la creación como nuestro Padre amoroso.

- Dios Padre envió a su propio Hijo, Jesús, a salvar a todas las personas porque nos ama.

- Dios envió al Espíritu Santo para que estuviera con nosotros siempre porque nos ama.

Dios Padre, Dios Hijo y Dios Espíritu Santo son la Santísima Trinidad.

Aquí hay una forma de recordar lo que sabes sobre la Santísima Trinidad.

Encierra en un círculo las palabras Padre, Hijo y Espíritu Santo.

Padre + Hijo
+ Espíritu Santo

= 1 Dios

= Amor

Our Catholic Life

What do we know about God?

Jesus taught people some important things about God. The most important thing he taught others is that God loves everyone.

Circle the words Father, Son, and Holy Spirit.

Father, Son, and Holy Spirit

- God made all things, and cares for creation as our loving Father.
- God the Father sent his own Son, Jesus, to save all people, because he loves us.
- God sent his Holy Spirit to be with us always, because he loves us.

God the Father, God the Son, and God the Holy Spirit are the Holy Trinity.

Here is a way to remember what you know about the Trinity.

Father + Son + Holy Spirit

= 1 God

= Love

Gente de fe

San Patricio, 387–493

San Patricio fue raptado por piratas cuando era niño. Lo llevaron a Irlanda como esclavo. Después de seis años, se escapó y regresó con su familia. Años más tarde, regresó a Irlanda como sacerdote. Les mostraba a las personas un trébol para explicar la Santísima Trinidad: un Dios en tres Personas Divinas.

17 de marzo

Comenta: ¿Cómo la Señal de la Cruz es también la señal de la Santísima Trinidad?

Aprende más sobre San Patricio en **vivosencristo.osv.com**

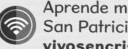

Vive tu fe

Traza una línea de cada definición a la Persona de la Santísima Trinidad que le corresponda.

Columna A

1. Me llamo Jesús. Enseñé a las personas sobre Dios, mi Padre.

2. Estoy contigo siempre para ayudarte a compartir el amor de Dios.

3. Hice el mundo, y amo y cuido a las personas.

Columna B

Soy Dios Padre

Soy Dios Hijo

Soy Dios Espíritu Santo

People of Faith

Saint Patrick, 387–493

Saint Patrick was kidnapped by pirates when he was just a boy. They took him to Ireland to be a slave. After six years, Patrick escaped and went back to his family. Years later, he returned to Ireland as a priest. He showed people a shamrock to explain the Holy Trinity: one God in three Divine Persons.

March 17

Discuss: How is the Sign of the Cross also the sign of the Holy Trinity?

 Learn more about Saint Patrick at **aliveinchrist.osv.com**

Live Your Faith

Draw a line from each definition to the Person of the Holy Trinity that corresponds.

Column A

1. My name is Jesus. I taught people about God, my Father.

2. I am with you always to help you share God's love.

3. I made the whole world, and I love and care for all people.

Column B

I am God the Father

I am God the Son

I am God the Holy Spirit

Oremos

Oración de alabanza

Reúnanse y comiencen con la Señal de la Cruz.

Todos: Canten "Creo/I Believe"

En el nombre del Padre
y del Hijo
y del Espíritu Santo,
Amén.

Líder: Gloria al Padre,

Todos: Gloria al Padre,

Líder: y al Hijo,

Todos: y al Hijo,

Líder: y al Espíritu Santo:

Todos: y al Espíritu Santo:

Líder: como era en el principio, ahora y siempre.

Todos: como era en el principio
ahora y siempre,
por los siglos
de los siglos.
Amén.

Let Us Pray

Prayer of Praise

Gather and begin with the Sign of the Cross.

All: Sing "The Sign of the Cross"

In the name of the Father,
and of the Son,
and of the Holy Spirit,
Amen.

Leader: Glory be to the Father,

All: Glory be to the Father,

Leader: and to the Son,

All: and to the Son,

Leader: and to the Holy Spirit:

All: and to the Holy Spirit:

Leader: as it was in the beginning, is now,
and will be forever.

All: as it was in the beginning
is now,
and ever shall be
world without end.
Amen.

FAMILIA + FE
VIVIR Y APRENDER JUNTOS

SUS HIJOS APRENDIERON >>>

Este capítulo presenta a la Santísima Trinidad, un solo Dios en Tres Personas Divinas, y explica cada Persona Divina de Dios, qué hacen y cómo se relacionan entre sí.

La Palabra de Dios

 Lean **Mateo 28, 19–20** en familia. Comenten cómo cada uno ayuda a los demás a aprender acerca de Dios.

Lo que creemos

- La Santísima Trinidad es Dios Padre, Dios Hijo y Dios Espíritu Santo.

- Jesús es el Hijo de Dios que vino a mundo para mostrarnos el amor del Padre y acercarnos a Él.

Para aprender más, vayan al *Catecismo de la Iglesia Católica* #253-254 en **usccb.org**.

Gente de fe

Esta semana, su hijo conoció a San Patricio. Él usó una planta común, el trébol, para explicar el profundo misterio de la Santísima Trinidad.

LOS NIÑOS DE ESTA EDAD >>>

Cómo comprenden a Dios como una Trinidad

La Santísima Trinidad es el misterio más básico de nuestra fe, pero sigue siendo un misterio, aun para los adultos. Muchos niños católicos de esta edad han oído y dicho las palabras de la Señal de la Cruz innumerables veces. Están acostumbrados a escuchar acerca de Dios Padre, Dios Hijo y Dios Espíritu Santo. Sin embargo, para su hijo puede ser particularmente difícil comprender cómo Dios puede ser uno y tres a la vez. Este es un misterio que continuará revelándose a medida que su hijo crezca en la fe y en su relación con Dios.

CONSIDEREMOS ESTO >>>

¿Qué descubrieron acerca del amor cuando le pusieron a su hijo en los brazos por primera vez?

¿Sintieron un amor indescriptible? Esa experiencia de amor comienza en el corazón de Dios, porque Dios es amor. "Cuando una familia se convierte en una escuela de virtud y en una comunidad de amor, la familia es un imagen de la comunión de amor del Padre, Hijo y Espíritu Santo. Es entonces un icono de la Santísima Trinidad" (*CCEUA*, p. 399).

HABLEMOS >>>

- Pidan a su hijo que nombre las Tres Personas Divinas de la Santísima Trinidad.

- Muestren a su hijo cómo honramos a la Santísima Trinidad cuando hacemos la Señal de la Cruz al principio y al final de las oraciones.

OREMOS >>>

 San Patricio, ayúdanos a enseñar a los demás acerca de Dios Padre, Dios Hijo y Dios Espíritu Santo en la Santísima Trinidad. Amén.

 Visiten **vivosencristo.osv.com** para encontrar un glosario multimedia de Palabras católicas, lecturas dominicales, y recursos de Santos y tiempos festivos.

FAMILY+FAITH
LIVING AND LEARNING TOGETHER

YOUR CHILD LEARNED >>>

This chapter introduces the Holy Trinity, the one God in three Divine Persons, and explains each Divine Person of God, what they do, and how they relate to one another.

God's Word

 Read **Matthew 28:19–20** as a family. Talk about how each of you helps others learn about God.

Catholics Believe

- The Holy Trinity is God the Father, God the Son, and God the Holy Spirit.
- Jesus is the Son of God who came to show the Father's love and bring us closer to him.

To learn more, go to the *Catechism of the Catholic Church* #253–254 at **usccb.org**.

People of Faith

This week, your child met Saint Patrick. He used a common plant, the shamrock, to explain the profound mystery of the Holy Trinity.

CHILDREN AT THIS AGE >>>

How They Understand God as Trinity

The Holy Trinity is the most basic mystery of our faith, but it is still a mystery, even for us as adults. Many Catholic children at this age have heard and said the words of the Sign of the Cross countless times. They are accustomed to hearing about God the Father, God the Son, and God the Holy Spirit. Still, your child may have particular difficulty understanding how God can be one and yet also three. This is a mystery that will continue to unfold as he or she grows in faith and in relationship with God.

CONSIDER THIS >>>

What did you discover about love when your child was first placed in your arms?

Did you feel indescribable love? That experience of love begins in the heart of God, for God is love. "When a family becomes a school of virtue and a community of love, it is an image of the loving communion of the Father, Son, and Holy Spirit. It is then an icon of the Trinity" (*USCCA, p. 377*).

LET'S TALK >>>

- Ask your child to name the three Divine Persons of the Holy Trinity.
- Show your child how we honor the Holy Trinity when we make the Sign of the Cross at the beginning and end of prayers.

LET'S PRAY >>>

 Saint Patrick, help us teach others about God the Father, God the Son, and God the Holy Spirit in the Holy Trinity. Amen.

 For a multimedia glossary of Catholic Faith Words, Sunday readings, seasonal and Saint resources, and chapter activities go to **aliveinchrist.osv.com**.

Capítulo 4 Repaso

A **Trabaja con palabras** Encierra en un círculo las respuestas correctas.

1. Jesús es el ____ de Dios.

    Hijo   Padre

2. ¿Quiénes son las tres Personas Divinas de la Santísima Trinidad?

    Los Reyes Magos   Padre, Hijo y Espíritu Santo

3. Dios es nuestro ____, que nos ama y cuida de nosotros.

    Primo   Padre

B **Confirma lo que aprendiste** Traza las letras para completar la oración.

4. Hay tres Personas Divinas en la

Santísima

Trinidad.

5. Dios Espíritu Santo

te ayuda a conocer y amar a Jesús y al Padre.

Chapter 4 Review

A **Work with Words** Circle the correct answers.

1. Jesus is the ____ of God.

(Son)   Father

2. Who are the three Divine Persons of the Holy Trinity?

The Three Kings   (Father, Son, and Holy Spirit)

3. God is our ____ who loves and cares for us.

cousin   (Father)

B **Check Understanding** Trace the letters to complete the sentence.

4. There are three Divine Persons in the

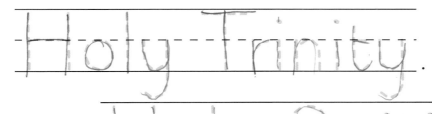

Holy Trinity.

5. God the Holy Spirit

helps you know and love Jesus and the Father.

La Sagrada Familia

 **Oremos**

Líder: Gracias, Dios, por nuestra familia.

¡Qué bueno y qué tierno es
ver a esos hermanos vivir juntos!
Salmo 133, 1

Todos: Ayúdanos a ver tu amor y tu
bondad en nuestra familia. Amén.

La Palabra de Dios

En un sueño, se le dijo a José que llevara a María y a Jesús a Galilea. Fueron a vivir allí en el pueblo de Nazaret. De este modo, se hizo verdad la promesa de Dios... Lo llamarán *"Nazoreo"*.

Basado en Mateo 2, 19-23

? ¿Qué piensas?

- ¿Cómo era vivir en Nazaret?

- ¿Tenía que obedecer Jesús a sus padres?

The Holy Family

 Let Us Pray

Leader: Thank you, God, for our families.

How good and how pleasant it is,
when brothers dwell together as one!

Psalm 133:1

All: Help us to see your love and kindness in
our families. Amen.

 **God's Word**

Joseph was told in a dream to take Mary
and Jesus to Galilee. They went to live there in
the town of Nazareth. So God's promise came
true ... "He shall be called a Nazorean."

Based on Matthew 2:19–23

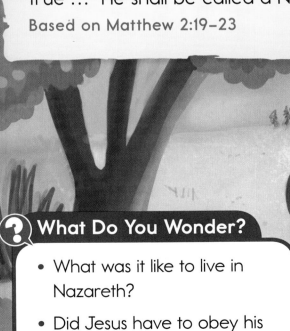

? What Do You Wonder?

- What was it like to live in Nazareth?
- Did Jesus have to obey his parents?

Amor de familia

¿Cómo puede la familia mostrar amor?

Dios Padre ama a todas las familias. Conoce a las que viven en la calle Verde.

La familia de Tyler

El papá de Tyler se mudó, y él está triste. Tener un tío con quien hablar lo contenta.

La familia de Lainey

"Leamos este correo electrónico de abuelita" le dijo papá a Lainey.

"Dice que vendrá a visitarnos pronto".

Family Love

How can families show love?

God the Father loves all families. Meet the families who live on Green Street.

Tyler's Family

Tyler's Dad moved away, and Tyler is sad. Having an uncle to talk to makes Tyler feel glad.

Lainey's Family

"Let's read this email from your Gram," says Dad to Lainey.

"She says she is coming to visit soon."

La familia de David

David, mamá y papá van de picnic al parque.

"Trae la pelota de tenis, Rocky", dice David.

Rocky corre tras la pelota con un ladrido feliz.

Comparte tu fe

Piensa Dibuja una manera en la que tu familia demuestra amor.

Comparte Di una manera en la que tu familia comparte el amor de Dios.

David's Family

There's David and Mama and Papa, too, on a picnic in the park.

"Fetch the tennis ball, Rocky," David says.

Rocky chases after the ball with a happy bark.

Share Your Faith

Think Draw one way your family shows love.

Share Tell one way your family shares God's love.

La familia de Jesús

¿Cómo era la familia de Jesús?

Hace mucho tiempo, Jesús nació en una familia. Jesús vivía con **María**, su Madre, y José, su padre adoptivo. Vivían en un pueblo llamado Nazaret. Jesús, María y José son llamados la **Sagrada Familia**.

Jesús es el Hijo de Dios. Jesús es también humano. Es como tú en casi todas las maneras. Jesús te muestra cómo vivir. Te enseña acerca del amor de Dios.

Palabras católicas

María la Madre de Jesús, la Madre de Dios. También es llamada "Nuestra Señora" por ser nuestra Madre y la Madre de la Iglesia.

Sagrada Familia el nombre con el que se conoce a la familia humana de Jesús, María y José

Jesus' Family

What was Jesus' family like?

Long ago, Jesus was born into a family. Jesus lived with **Mary**, his Mother, and his foster father, Joseph. They lived in a town called Nazareth. Jesus, Mary, and Joseph are called the **Holy Family**.

Jesus is the Son of God. Jesus is also human. He is like you in almost every way. Jesus shows you how to live. He teaches you about God's love.

Catholic Faith Words

Mary the Mother of Jesus, the Mother of God. She is also called "Our Lady" because she is our Mother and the Mother of the Church.

Holy Family the name for the human family of Jesus, Mary, and Joseph

Un día en Nazaret

Todas las familias pueden compartir el amor de Dios. Cuando Jesús tenía tu edad, demostró el amor de Dios en su familia.

 La Palabra de Dios

El joven Jesús

Jesús obedecía a su familia. Crecía en sabiduría, en estatura y en gracia. Jesús crecía fuerte. Dios estaba complacido con él, así como las personas.

Basado en Lucas 2, 51-52

Subraya las cosas que hacía la Sagrada Familia que tú haces con tu familia.

Esto es lo que pudo haber ocurrido cuando Jesús era joven.

- Siguiendo la costumbre judía, la familia empieza el día con una oración.

- María hornea pan para el desayuno.

- José hace una silla para sus vecinos.

- Pasan tiempo en familia.

 **Practica tu fe**

Representa la vida familiar ¿Cuáles son algunas cosas que es posible que haya hecho junta la Sagrada Familia? Representa algo que las familias pueden hacer para demostrar el amor de Dios.

A Day in Nazareth

All families can share God's love. When Jesus was your age, he showed God's love in his family.

 God's Word

The Boy Jesus

Jesus obeyed his family. He became wise and good. Jesus grew strong. God was pleased with him and so were the people.

Based on Luke 2:51–52

This is what could have happened when Jesus was young.

Underline some things the Holy Family did that you do with your family.

• Following Jewish custom, the family begins the day with a prayer.

• Mary bakes bread for breakfast.

• Joseph makes a chair for his neighbors.

• They spend time together as a family.

Connect Your Faith

Act Out Family Life What are some things the Holy Family might have done together? Act out something families can do to show God's love.

Nuestra vida católica

¿Cómo era la vida para Jesús cuando estaba creciendo?

Jesús creció en una familia humana. Él y su familia, probablemente, hicieron juntos muchas de las mismas cosas que hacen tú y tu familia.

Relaciona los dibujos de la Sagrada Familia con las acciones correctas.

Hacer las tareas domésticas

Viajar

Celebrar las fiestas

Our Catholic Life

What was it like for Jesus when he was growing up?

Jesus grew up in a human family. He and his family probably did many of the same things together that you and your family do.

Match the pictures of the Holy Family with the correct actions.

Doing Chores

Traveling

Celebrating Holidays

Gente de fe

Zacarías, Isabel y Juan, siglo I

Isabel era la prima de María. Estaba casada con Zacarías. No tenían hijos. Un día, un ángel se le apareció a Zacarías cuando estaba orando. El ángel le dijo que él e Isabel tendrían un hijo llamado Juan. Isabel y Zacarías estaban muy felices. Cuando Juan creció, estaba lleno del Espíritu Santo.

5 de noviembre

Comenta: ¿De qué manera estás lleno del Espíritu Santo?

 Aprende más sobre Zacarías, Isabel y Juan en **vivosencristo.osv.com**

Vive tu fe

Dibuja a tu familia
Haz un dibujo de tu familia haciendo algo que los miembros de la Sagrada Familia podrían haber hecho juntos.

MI FAMILIA

People of Faith

Zechariah, Elizabeth, and John, first century

Elizabeth was Mary's cousin. She was married to Zechariah. They did not have children. One day an angel appeared to Zechariah when he was praying. The angel told him that he and Elizabeth would have a son named John. Elizabeth and Zechariah were very happy. When John grew up, he was filled with the Holy Spirit.

November 5

Discuss: How are you filled with the Holy Spirit?

 Learn more about Zechariah, Elizabeth, and John at **aliveinchrist.osv.com**

Live Your Faith

Draw Your Family
Draw a picture of your family doing something that the Holy Family might have done together.

MY FAMILY

 Oremos

Orar con la Palabra de Dios

Reúnanse y comiencen con la Señal de la Cruz.

Líder: Hoy aprendimos acerca de la Sagrada Familia. María, José y Jesús nos ayudan a actuar con amor en nuestra familia.

Todos: Gracias, María, por ser la Madre de Jesús. Gracias, José, por cuidar de Jesús.

Líder: Escuchemos la Palabra de Dios. Lectura del Evangelio según Lucas.

Lean Lucas 2, 27-33.

Todos: Gloria a ti, Señor Jesús.

Líder: Gracias, Jesús, por amar a tu familia y gracias por nuestra familia. Ayúdanos a vivir con gran amor.

Todos: Amén.

 Canten "Glorioso San José"

 **Let Us Pray**

Pray with God's Word

Gather and begin with the Sign of the Cross.

Leader: Today we learned about the Holy Family. Mary, Joseph, and Jesus help us to act with love in our families.

All: Thank you, Mary, for being the Mother of Jesus. Thank you, Joseph, for taking care of Jesus.

Leader: Let us listen to the Word of God. A reading from the holy Gospel according to Luke.

Read Luke 2:27–33.

All: Praise to you, Lord Jesus Christ.

Leader: Thank you, Jesus, for loving your family and thank you for our families. Help us to live with great love.

All: Amen.

 Sing "Joseph Was a Good Man"

FAMILIA + FE

VIVIR Y APRENDER JUNTOS

SUS HIJOS APRENDIERON >>>

Este capítulo se enfoca en el amor de Dios por todas las familias y en las cosas que la Sagrada Familia hizo o pudo haber hecho.

La Palabra de Dios

 Lean **Marcos 10, 13–16** para ver cómo Jesús quiere que cuidemos a los niños y a las familias.

Lo que creemos

- Jesús es verdadero Dios y verdadero hombre a la vez.
- Jesús, María y José son la Sagrada Familia.

Para aprender más, vayan al *Catecismo de la Iglesia Católica* #531–534 en **usccb.org**.

Gente de fe

Esta semana, su hijo conoció a Zacarías, Isabel y Juan. Estos parientes de Jesús confiaron en Dios para guiar su vida.

LOS NIÑOS DE ESTA EDAD >>>

Cómo comprenden a la Sagrada Familia Cuando los niños de este nivel oyen que alguna vez Jesús tuvo su edad, es natural que lo imaginen en una familia muy parecida a la suya. Así como ellos necesitan de alguien que los cuide mientras crecen, así ocurrió con Jesús. Y es importante para ellos darse cuenta de que incluso Jesús tuvo que escuchar a su mamá y su papá y seguir sus reglas. Hagan estas conexiones importantes para mostrarle a su hijo que Jesús era como ellos en todo, excepto en que Él no pecaba.

CONSIDEREMOS ESTO >>>

¿Quién fue la persona que influyó más en su vida?

Es importante reconocer el poder de los modelos en nuestra vida. Ellos nos ayudan a imaginar qué es posible. La Sagrada Familia es el mejor modelo para nosotros y nuestra familia. "El hogar cristiano es el lugar en que los hijos reciben el primer anuncio de la fe. Por eso la casa familiar es llamada justamente 'Iglesia doméstica, comunidad de gracia y de oración, escuela de virtudes humanas y de caridad cristiana" (*CIC, 1666*).

HABLEMOS >>>

- Pidan a su hijo que nombre a los miembros de la Sagrada Familia.
- Compartan un relato de cómo ustedes han honrado a María y José.

OREMOS >>>

 Queridos Zacarías, Isabel y Juan, rueguen por nosotros para que Dios bendiga nuestra familia con felicidad. Amén.

 Visiten **vivosencristo.osv.com** para encontrar un glosario multimedia de Palabras católicas, lecturas dominicales, y recursos de Santos y tiempos festivos.

FAMILY+FAITH
LIVING AND LEARNING TOGETHER

YOUR CHILD LEARNED >>>

This chapter focuses on God's love for all families and the things the Holy Family did or could have done together.

God's Word

 Read **Mark 10:13–16** to see how Jesus wants us to care for children and families.

Catholics Believe

- Jesus is both true God and true man.
- Jesus, Mary, and Joseph are the Holy Family.

To learn more, go to the *Catechism of the Catholic Church* #531–534 at **usccb.org**.

People of Faith

This week, your child met Zechariah, Elizabeth, and John. These relatives of Jesus trusted God to direct their lives.

CHILDREN AT THIS AGE >>>

How They Understand the Holy Family When children at this level hear that Jesus was once a child their age, it's natural for them to picture him in a family very much like their own. Just like they need someone to take care of them as they grow, so did Jesus. And it's important for them to realize that even Jesus had to listen to his mom and dad and follow their rules. Make these important connections to show your child that Jesus was like them in all things except he did not sin.

CONSIDER THIS >>>

Who was the person who had the most influence in your life?

It is important to recognize the power of models in our lives. They help us to imagine what is possible. The Holy Family is the best model for us and our family life. "The Christian home is the place where children receive the first proclamation of the faith. For this reason the family home is rightly called 'the domestic church,' a community of grace and prayer, a school of human virtues and of Christian charity" (CCC, 1666).

LET'S TALK >>>

- Have your child name the members of the Holy Family.
- Share a story about how you've honored Mary and/or Joseph.

LET'S PRAY >>>

 Dear Zechariah, Elizabeth, and John, pray for us that God will bless our family with happiness. Amen.

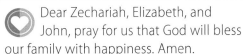 For a multimedia glossary of Catholic Faith Words, Sunday readings, seasonal and Saint resources, and chapter activities go to **aliveinchrist.osv.com**.

Capítulo 5 Repaso

A **Trabaja con palabras** Traza las palabras para completar las oraciones.

1. _María_ es la Madre de Jesús.

2. Jesús es el Hijo de Dios y también es _humano_.

3. Marca con una X las cosas que Jesús podría haber hecho con su familia.

   ☐ orar   ☐ hablar   ☐ visitar

   ☐ comer   ☐ jugar   ☐ ayudar

4. Jesús, María y José son llamados la _Sagrada Familia_.

B **Confirma lo que aprendiste** Encierra en un círculo las maneras en que puedes ayudar a tu familia.

5.

Chapter 5 Review

 A **Work with Words** Trace the words to complete the sentences.

1. _Mary_ is the Mother of Jesus.

2. Jesus is the Son of God and he is also

   human.

3. Mark an X next to the things Jesus might have done with his family.

   ☐ pray   ☐ talk   ☐ visit

   ☐ eat   ☐ play   ☐ help

4. Jesus, Mary, and Joseph are called the

   Holy Family.

 B **Check Understanding** Circle ways you can help your family.

   5.

Acerca de la Biblia

 Oremos

Líder: Jesús llamaba a Dios Padre su pastor.
Él nos cuida a todos.

"El Señor es mi pastor: nada me falta".
Salmo 23, 1

Todos: Ayúdanos a confiar en ti, oh Dios. Amén.

La Palabra de Dios

Jesús usaba relatos cuando hablaba con las personas. Se hizo verdad la promesa de Dios hecha hace tanto tiempo: *Hablaré en parábolas, daré a conocer cosas que estaban ocultas desde la creación del mundo.*

Basado en Mateo 13, 34-35

❓ ¿Qué piensas?

- ¿Cuáles son algunos de los relatos que Jesús contó?

- ¿Dónde hallas los relatos que Jesús nos cuenta?

About the Bible

 Let Us Pray

Leader: Jesus called God the Father his shepherd.
He watches over all of us.

"The LORD is my shepherd;
there is nothing I lack."   Psalm 23:1

All: Help us to trust in you, O God. Amen.

God's Word

Jesus used stories when he spoke to the people. God's promise from long ago came true … "I will open my mouth in parables, I will announce what has lain hidden from the foundation of the world."

Based on Matthew 13:34–35

? What Do You Wonder?

- What are some of the stories that Jesus told?
- Where do you find the stories that Jesus tells us?

Aprendemos de los relatos

¿En qué se parece Dios a un pastor?

Jesús era un gran narrador. Sus relatos hablan acerca del amor de Dios. Jesús contó este relato sobre un pastor.

1. Subraya algo malo que pasó en el relato.

2. Encierra en un círculo lo que hizo el pastor.

🔵 La Palabra de Dios

La parábola de la oveja perdida

Había un pastor que cuidaba de 100 ovejas. Una oveja se escapó. El pastor estaba muy preocupado. El pastor dejó a todas las demás ovejas. Tenía que hallar a la oveja que se había escapado.

El pastor encontró a la oveja perdida. Estaba muy feliz. Les contó a todos sus amigos y vecinos que había encontrado a su oveja.

Basado en Lucas 15, 3-6

We Learn from Stories

How is God like a shepherd?

Jesus was a wonderful storyteller. His stories tell about God's love. Jesus told this story about a shepherd.

📖 God's Word

The Parable of the Lost Sheep

There was a shepherd. He cared for 100 sheep. One sheep ran away. The shepherd was very worried. The shepherd left all his other sheep. He had to find the sheep that ran away.

The shepherd found the lost sheep. He was very happy. He told all his friends and neighbors that he had found his sheep.

Based on Luke 15:3–6

1. Underline what went wrong in the story.

2. Circle what the shepherd did.

Nuestro pastor

En este relato, el pastor se parece a Dios. Las ovejas se parecen a las personas. Dios no quiere que tú lo dejes. Te cuidará todo el tiempo, como un pastor.

Cuando tomas malas decisiones, eres como la oveja perdida. Aunque no elijas lo correcto, Dios siempre quiere que vuelvas a Él. Quiere que lo ames y ames a los demás. Quiere que sepas que Él siempre estará contigo sin importar lo que pase.

Comparte tu fe

Piensa Traza líneas para unir las preguntas con las respuestas correctas.

¿A quién se parece el pastor? ● ● Oveja perdida

¿Quiénes se parecen a la oveja? ● ● Dios

¿A quién te pareces cuando tomas malas decisiones? ● ● Personas

Comparte Habla sobre qué Dios quiere para nosotros.

Our Shepherd

In this story, the shepherd is like God. The sheep are like people. God does not want you to leave him. He will watch over you all the time, just like a shepherd.

When you make bad choices, you are like the lost sheep. Even when you don't choose what is right, God always wants you to come back to him. He wants you to love him and others. He wants you to know that he will always be there for you no matter what.

Share Your Faith

Think Draw lines to match the questions to the correct answers.

Who is the shepherd like? •   • Lost Sheep

Who are the sheep like? •   • God

What are you like when you make bad choices? •   • People

Share Discuss what God wants for us.

Relatos acerca de Dios

¿Qué puedes hallar en la Biblia?

Una parábola es un relato corto que enseña algo importante. El relato que acabas de leer acerca de la oveja perdida es una parábola. Jesús contaba parábolas para enseñar a las personas sobre Dios.

Jesús es como un pastor. Él ama al pueblo de Dios. Siempre lo cuida. Lee esta parábola que Jesús contó.

Subraya las maneras en las que Jesús se parece a un pastor.

 La Palabra de Dios

El Buen Pastor

"Yo soy el Buen Pastor y conozco a los míos como los míos me conocen a mí, lo mismo que el Padre me conoce a mí y yo conozco al Padre. Y yo doy mi vida por las ovejas".

Juan 10, 14-15

Stories about God

What can you find in the Bible?

A parable is a short story that teaches something important. The story you just read about the lost sheep is a parable. Jesus told parables to teach people about God.

Jesus is like a shepherd. He loves all God's people. He always cares for them. Read this parable that Jesus told.

 Underline the ways that Jesus is like a shepherd.

 God's Word

The Good Shepherd

"I am the good shepherd, and I know mine and mine know me, just as the Father knows me and I know the Father; and I will lay down my life for the sheep." John 10:14–15

Palabras católicas

El libro sagrado

La parábola del Buen Pastor está en la Biblia. La Biblia es la Palabra de Dios escrita en palabras humanas. La Biblia es el libro sagrado de la Iglesia.

Hay dos partes en la Biblia. La primera es el **Antiguo Testamento**. Trata sobre los tiempos antes de que naciera Jesús.

La segunda es el **Nuevo Testamento**. Habla sobre Jesús y sus seguidores. Los relatos y las parábolas que Jesús contó son parte del Nuevo Testamento.

Palabras católicas

Antiguo Testamento la primera parte de la Biblia acerca de Dios y su Pueblo antes de que naciera Jesús

Nuevo Testamento la segunda parte de la Biblia acerca de la vida y las enseñanzas de Jesús, de sus seguidores y de la Iglesia primitiva

Practica tu fe

Escribe acerca de la Biblia Usa una Biblia para hallar las respuestas a estas preguntas.

1. Halla el primer libro del Antiguo Testamento. Traza su nombre en el renglón.

2. Halla el primer libro del Nuevo Testamento. Traza su nombre en el renglón.

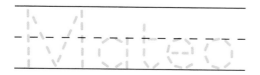

The Holy Book

The parable of the Good Shepherd is in the Bible. The Bible is the Word of God written in human words. The Bible is the Church's holy book.

There are two parts to the Bible. The first part is the **Old Testament**. It is about times before Jesus was born.

The second part is the **New Testament**. It tells about Jesus and his followers. The stories and parables that Jesus told are part of the New Testament.

Catholic Faith Words

Old Testament the first part of the Bible about God and his People before Jesus was born

New Testament the second part of the Bible about the life and teachings of Jesus, his followers, and the early Church

Connect Your Faith

Write about the Bible Use a Bible to find the answers to these questions.

1. Find the first book in the Old Testament. Trace the name of the book on the line below.

Genesis

2. Find the first book of the New Testament. Trace the name of the book on the line below.

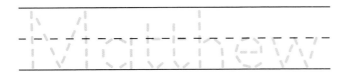

Matthew

Nuestra vida católica

¿Qué puedes hallar en la Biblia?

La Biblia está llena de relatos sobre el amor de Dios. Las palabras de la Biblia nos dicen cómo mostrar amor por Él y los demás.

Oyes relatos de la Biblia en la iglesia, la escuela y el hogar. Puedes haber visto relatos de la Biblia en libros o videos.

Las dos partes de la Biblia

Antiguo Testamento

Aquí hallarás relatos sobre Dios y su pueblo antes de que naciera Jesús. Estos relatos hablan de hombres y mujeres virtuosos como Noé, Moisés, Rut, Jonás y Daniel.

Nuevo Testamento

Aquí encontrarás las parábolas, o relatos, que Jesús contó. El Nuevo Testamento también habla sobre la venida del Espíritu Santo y la obra de los primeros seguidores de Jesús.

Our Catholic Life

What can you find in the Bible?

The Bible is full of stories about God's love. The words of the Bible tell us how to show love for him and others.

You hear stories from the Bible at church, in school, and at home. You may have seen stories from the Bible made into books or videos.

The Two Parts of the Bible

The Old Testament

Here you will find stories about God and his People before Jesus was born. These stories are about holy men and women like Noah, Moses, Ruth, Jonah, and Daniel.

The New Testament

You will find the parables, or teaching stories, Jesus told here. The New Testament also tells about the coming of the Holy Spirit and the work of the first followers of Jesus.

Gente de fe

San Pablo de la Cruz, 1694–1775

San Pablo de la Cruz trató de ser soldado, pero decidió que mejor quería ser sacerdote. Cuando joven, pasó mucho tiempo orando y leyendo la Biblia para aprender sobre Jesús. Leyó sobre la Muerte de Jesús en la Cruz. Quería recordar siempre el sacrificio de Jesús. Por eso, agregó las palabras "de la Cruz" a su nombre. San Pablo nos ayuda a recordar que Dios está cerca de nosotros y que nunca nos olvida.

20 de octubre

Comenta: ¿Qué relato de la Biblia te ayuda a recordar el amor de Dios?

 Aprende más sobre San Pablo en **vivosencristo.osv.com**

Vive tu fe

Sigue el laberinto Usa un lápiz o un creyón para hallar el camino correcto por el laberinto para que el pastor pueda hallar a la oveja perdida.

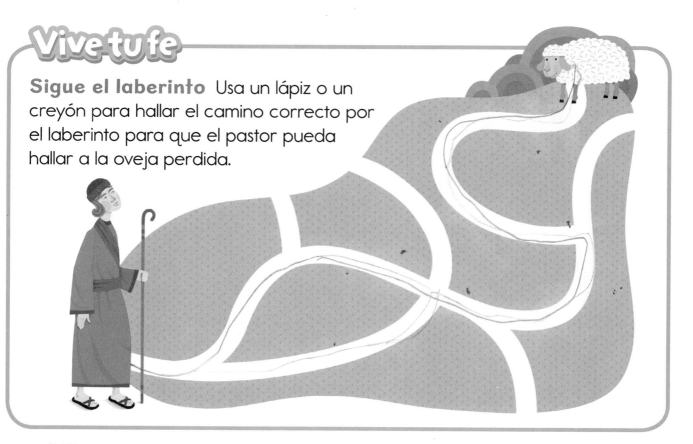

People of Faith

Saint Paul of the Cross, 1694–1775

Saint Paul of the Cross tried being a soldier, but decided that he wanted to be a priest instead. As a young man he spent a lot of time praying and reading the Bible to learn about Jesus. He read about Jesus' Death on the Cross. He wanted to always remember Jesus' sacrifice. That's why he added the words "of the Cross" to his name. Saint Paul helps us to remember that God is close to us and never forgets us.

October 20

Discuss: What story from the Bible helps you remember God's love?

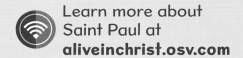

Learn more about Saint Paul at **aliveinchrist.osv.com**

Live Your Faith

Follow the Maze Use a pencil or crayon to find the right path through the maze so the shepherd can find his lost sheep.

 Oremos

Oración de agradecimiento

Reúnanse y comiencen con la Señal de la Cruz.

Líder: Gracias, Jesús, por amarnos.

Todos: Gracias, Jesús.

Líder: Gracias, Jesús, por cuidarnos.

Todos: Gracias, Jesús. Amén.

Canten "Jesús, el Buen Pastor"
El Señor es mi pastor,
la vida ha dado por mí;
yo su voz he de escuchar
y suyo siempre seré.

Yo soy el buen pastor;
doy la vida a mis ovejas;
por su nombre yo las llamo
y con gran amor me siguen.

 Let Us Pray

Prayer of Thanks

Gather and begin with the Sign of the Cross.

Leader: Thank you, Jesus, for loving us.

All: Thank you, Jesus.

Leader: Thank you, Jesus, for taking care of us.

All: Thank you, Jesus. Amen.

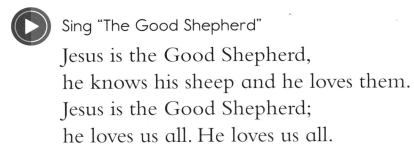 Sing "The Good Shepherd"

Jesus is the Good Shepherd,
he knows his sheep and he loves them.
Jesus is the Good Shepherd;
he loves us all. He loves us all.

Jesus calls our name:

Sing your name twice.

and we come to him running
and running and running
and running and running
and running because we love him.

FAMILIA + FE

VIVIR Y APRENDER JUNTOS

SUS HIJOS APRENDIERON >>>

Este capítulo enseña sobre la Biblia, el libro sagrado de la Iglesia, y sus dos partes —el Antiguo Testamento y el Nuevo Testamento—, que contienen relatos acerca de Dios y de su amor por nosotros.

La Palabra de Dios

 Lean **Mateo 13, 10–15** para saber por qué Jesús usó parábolas para enseñar.

Lo que creemos

- Jesús contaba relatos cortos, o parábolas, para enseñar algo acerca de Dios.
- La Biblia es la Palabra de Dios escrita en palabras humanas.

Para aprender más, vayan al *Catecismo de la Iglesia Católica* #134–139 en **usccb.org**.

Gente de fe

Esta semana, su hijo conoció a San Pablo de la Cruz. Él le agregó "de la Cruz" a su nombre para recordar el sacrificio de Jesús.

LOS NIÑOS DE ESTA EDAD >>>

Cómo comprenden las parábolas de Jesús Los niños de esta edad tienen un pensamiento muy concreto. Ellos aprenden por medio de sus sentidos y con frecuencia toman todo literalmente. Debido a esto, es posible que no capten el significado de las parábolas de Jesús, aunque se les explique. Sin embargo, familiarizarse con estos relatos importantes que Jesús contó puede sentar las bases para una comprensión posterior más profunda de su enseñanza. Si su hijo conoce las parábolas de Jesús, será más fácil enseñarle las grandes verdades que ellas transmiten, cuando esté listo para comprenderlas.

CONSIDEREMOS ESTO >>>

¿Cuál es su relato familiar preferido?

Los relatos de nuestra historia personal nos ayudan a descubrir que formamos parte de algo más grande. Ser miembros de la Iglesia nos ayuda a estar conectados con los relatos de la historia de la Salvación. "La Santísima Trinidad es el origen de la Iglesia. El Padre llamó a existir a la Iglesia. El Hijo instituyó la Iglesia. El Espíritu Santo llenó a la Iglesia con el poder y la sabiduría en Pentecostés. La Santísima Trinidad habita siempre en la Iglesia, creativa y providencialmente" (*CCEUA*, pp. 122–123).

HABLEMOS >>>

- Pidan a su hijo que explique qué es la Biblia.
- Compartan uno de sus relatos favoritos del Antiguo o Nuevo Testamento.

OREMOS >>>

 Querido Dios, ayuda a nuestra familia a recordar siempre las cosas buenas que has hecho por nosotros y a compartir esos relatos con los demás. Amén.

Visiten **vivosencristo.osv.com** para encontrar un glosario multimedia de Palabras católicas, lecturas dominicales, y recursos de Santos y tiempos festivos.

FAMILY+FAITH

LIVING AND LEARNING TOGETHER

YOUR CHILD LEARNED >>>

This chapter teaches about the Bible, the holy book of the Church and its two parts—the Old Testament and the New Testament—that contain stories about God and his love for us.

God's Word

 Read **Matthew 13:10–15** to find out why Jesus used parables to teach.

Catholics Believe

- Jesus told short stories, or parables, to teach others something about God.
- The Bible is the Word of God written in human words.

To learn more, go to the *Catechism of the Catholic Church* #134–139 at **usccb.org**.

People of Faith

This week, your child met Saint Paul of the Cross. He added the words "of the Cross" to his name to remember Jesus' sacrifice.

CHILDREN AT THIS AGE >>>

How They Understand the Parables of Jesus Children at this age are very concrete thinkers. They learn through their senses and often take things literally. Because of this, they may not grasp the meaning of Jesus' parables, even with explanation. However, familiarity with these important stories Jesus told can lay the foundation for a later, deeper understanding of Jesus' teaching. When your child knows Jesus' parables, it will be easier to teach the great truths they convey when he or she is ready to understand.

CONSIDER THIS >>>

What is your favorite family story?

Stories of our personal history help us to discover that we are part of a bigger picture. Being a member of the Church helps us to be connected to the stories of salvation history. "The Holy Trinity brought the Church into being. The Father called the Church into existence. The Son established the Church. The Holy Spirit filled the Church with power and wisdom at Pentecost. The Holy Trinity abides with the Church always, creatively and providentially" (*USCCA, pp. 112–113*).

LET'S TALK >>>

- Have your child explain what the Bible is.
- Share one of your favorite stories from the Old or New Testaments.

LET'S PRAY >>>

 Dear God, help our family always remember the good things you have done for us and to share those stories with others. Amen.

 For a multimedia glossary of Catholic Faith Words, Sunday readings, seasonal and Saint resources, and chapter activities go to **aliveinchrist.osv.com**.

Capítulo 6 Repaso

A **Trabaja con palabras** Encierra en un círculo la respuesta correcta.

1. La ____ es la Palabra de Dios escrita en palabras humanas.

      Biblia   oración

2. El ____ trata acerca de la vida y las enseñanzas de Jesús.

      Antiguo Testamento   Nuevo Testamento

3. Una ____ es un relato corto que enseña algo acerca de Dios.

      oración   parábola

4. El ____ es la primera parte de la Biblia acerca de Dios y su Pueblo antes de que naciera Jesús.

      Antiguo Testamento   Nuevo Testamento

B **Confirma lo que aprendiste** Dibuja un corazón alrededor de la respuesta correcta.

5. ¿En qué se parece Dios al Buen Pastor?

      Está perdido   Él nos ama

Chapter 6 Review

A **Work with Words** Circle the correct answer.

1. The ____ is God's Word written in human words.

    Bible   prayer

2. The ____ is about Jesus' life and teachings.

    Old Testament   New Testament

3. A ____ is a short story that teaches something about God.

    prayer   parable

4. The ____ is the first part of the Bible about God and his People before Jesus was born.

    Old Testament   New Testament

B **Check Understanding** Draw a heart around the correct answer.

5. How is God like the Good Shepherd?

    He is lost   He loves us

A **Trabaja con palabras** Traza las palabras para responder las preguntas.

1. ¿Quiénes son las tres Personas Divinas de la Santísima Trinidad?

~~Padre~~

~~Hijo~~

~~Espíritu Santo~~

2. ¿Quién es el Hijo de Dios?

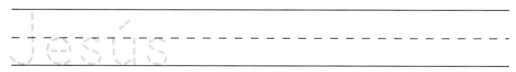

~~Jesús~~

3. ¿Qué puedes hallar en la Biblia?

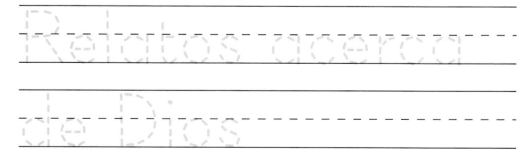

~~Relatos acerca~~

~~de Dios~~

A **Work with Words** Trace the words to answer the questions.

1. Who are the three Divine Persons in the Holy Trinity?

Father

Son

Holy Spirit

2. Who is the Son of God?

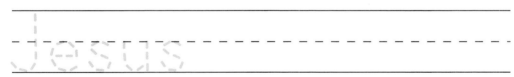

Jesus

3. What can you find in the Bible?

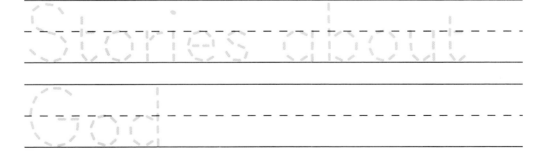

Stories about

God

Repaso de la Unidad

B **Confirma lo que aprendiste** Encierra en un círculo la respuesta correcta.

4. ¿Qué nombre nos enseñó Jesús para llamar a Dios?

Juan   Adán   Padre

5. ¿Quiénes son Jesús, María y José?

La Santísima   La Iglesia   La Sagrada
Trinidad   Familia

6. ¿Qué relatos contó Jesús?

Parábolas   Oración   Ovejas

7. ¿Quién hizo todas las cosas?

El Pastor   Dios   La Familia

8. ¿A quién envió Dios para salvar a su Pueblo?

Dios Hijo   Dios Padre   Sagrada Familia

9. ¿Cuál es el libro sagrado de la Iglesia?

Antiguo   Nuevo   La Biblia
Testamento   Testamento

B **Check Understanding** Circle the correct answer.

4. Jesus taught us to call God by what name?

John   Adam   Father

5. Who are Jesus, Mary, and Joseph?

The Trinity   The Church   The Holy Family

6. What stories did Jesus tell?

Parables   Prayer   Sheep

7. Who made all things?

The Shepherd   God   The Family

8. Who did God send to save his People?

God the Son   God the Father   Holy Family

9. What is the Church's holy book?

Old Testament   New Testament   The Bible

C **Relaciona** Dibuja algo que podemos aprender acerca de Dios en la Biblia.

10.

C **Make Connections** Draw one thing that we can learn about God from the Bible.

10.

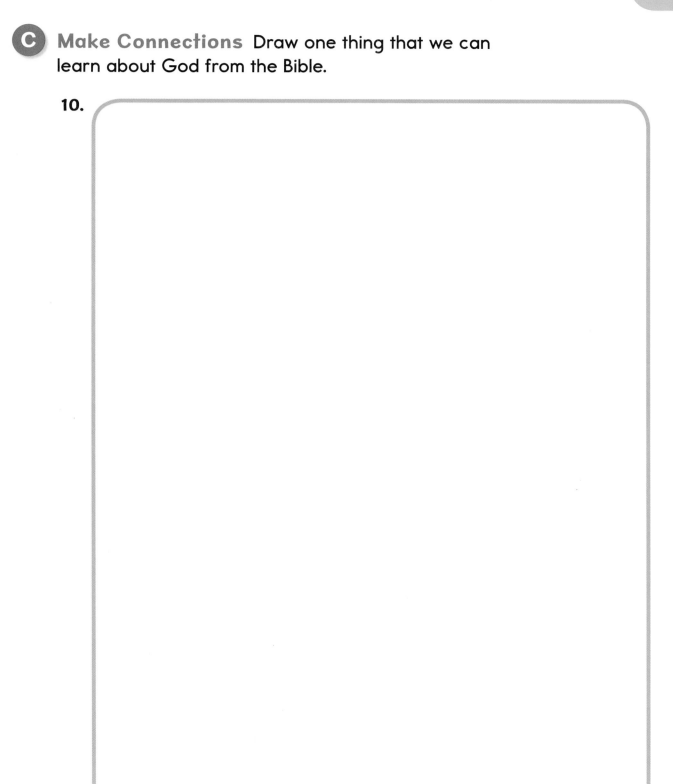

Jesucristo

Nuestra Tradición Católica

- Jesús sanaba a los enfermos. Cuando lo hacía, mostraba el amor de Dios por ellos. (CIC, 1509)

- Jesús mostraba su poder cuando sanaba a los demás y muchos creían en Él. (CIC, 548)

- Jesús nos enseñó que el Mandamiento más importante es amar a Dios y amar a los demás. (CIC, 2083)

- Jesús nos mostró como orar cuando les enseñó a sus amigos el Padre Nuestro. (CIC, 2759)

¿Cómo el mandato de Jesús de amar a Dios con todo el corazón nos lleva a orar por otros y a cuidarlos?

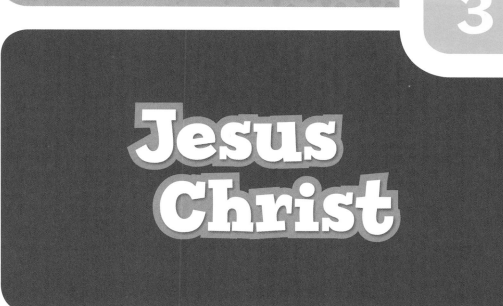

Jesus Christ

Our Catholic Tradition

- Jesus healed people. When he did this, he showed God's love for them. (CCC, 1509)

- Jesus showed his power when he healed others, and many people believed in him. (CCC, 548)

- Jesus showed us that the most important Commandment is to love God and to love others. (CCC, 2083)

- Jesus showed us how to pray when he taught his friends the Lord's Prayer. (CCC, 2759)

How does Jesus' command to love God with all your heart lead us to pray and care for others?

Jesús Sanador

 Oremos

Líder: Así como Jesús sanaba a los enfermos y cuidaba a sus seguidores, los Apóstoles...

"Sepan que por mí, maravillas hace el Señor..." Salmo 4, 4

Todos: Que tengamos nosotros la misma fe y confiemos en que Jesús puede sanarnos. Amén.

La Palabra de Dios

Jesús iba a todas las ciudades y aldeas. Enseñaba en sus lugares de reunión y predicaba la Buena Nueva acerca del Reino de Dios. Además, Jesús curaba a las personas con diferentes dolencias y enfermedades. Basado en Mateo 9, 35

¿Qué piensas?

- ¿Cómo te ayuda tu fe en Jesús?
- Cuando estás enfermo, ¿qué te mejora?

Jesus the Healer

 Let Us Pray

Leader: Just as Jesus healed the sick and cared for his followers, the Apostles …

"Know that the LORD works wonders for his faithful one." Psalm 4:4

All: May we have the same faith and trust that Jesus can heal us. Amen.

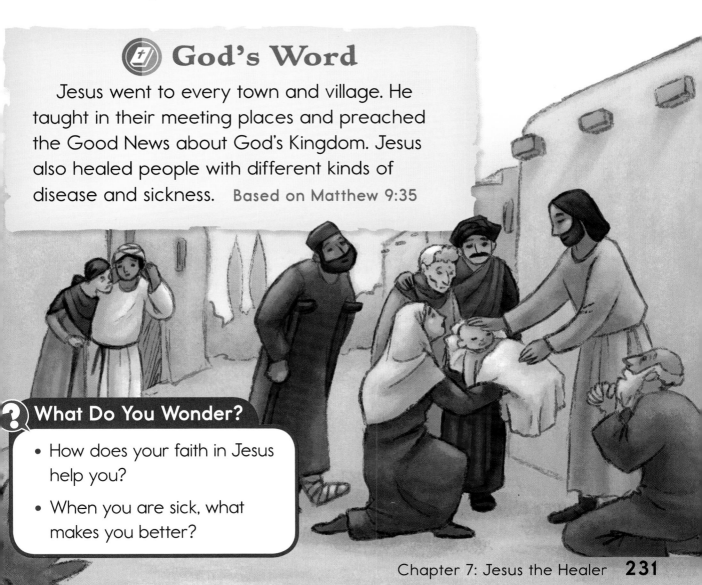

God's Word

Jesus went to every town and village. He taught in their meeting places and preached the Good News about God's Kingdom. Jesus also healed people with different kinds of disease and sickness. Based on Matthew 9:35

? What Do You Wonder?

- How does your faith in Jesus help you?
- When you are sick, what makes you better?

Comparte el amor de Dios

¿Cómo amaba a las personas la Madre Teresa?

De niña, a la Madre Teresa le gustaba leer relatos sobre misioneros, en especial de los que difundían el mensaje de Jesús y cuidaban a personas en la India. Cuando se hizo hermana religiosa, fue a la India a enseñar a los niños sobre el amor de Dios.

La Madre Teresa cuidó a los pobres y enfermos en la India. Lee sobre cómo demostró el amor de Dios.

Beata Madre Teresa

Las calles de Calcuta, India, estaban llenas de gente. Muchos estaban enfermos. Vivían en las calles.

La Madre Teresa vio un hombre enfermo. Estaba cubierto de barro y muy delgado. El hombre estaba muriendo.

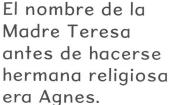

El nombre de la Madre Teresa antes de hacerse hermana religiosa era Agnes.

Share God's Love

How did Mother Teresa love people?

As a child, Mother Teresa loved to read stories about missionaries, especially those who spread Jesus' message and cared for people in India. When she became a religious sister she went to India to teach children about God's love.

Mother Teresa cared for the poor and sick in India. Read about how she showed God's love.

Blessed Mother Teresa

The streets of Calcutta, India, were very crowded with people. Many people were sick. They lived on the streets.

Mother Teresa saw a sick man. He was covered with mud and very thin. The man was dying.

Before she became a religious sister, Mother Teresa's given name was Agnes.

Encierra en un círculo algo que la Beata Madre Teresa hacía por los enfermos y los moribundos.

La Madre Teresa le sonrió. Nunca nadie le había sonreído. Ella y otra hermana religiosa lo llevaron al hospital.

La Madre Teresa tenía un hospital para los moribundos. Ahí, ella y otras mujeres cuidaban de personas que estaban muy enfermas. Les daban ánimo a los moribundos. Oraban con ellos y por ellos.

La bondad de Dios

La Beata Madre Teresa sabía que la bondad de Dios está en todas las personas. Quienes recibían ayuda podían oír amor en su voz. Podían ver amor en su dulce sonrisa. Podían sentir el amor de Dios en su toque.

Comparte tu fe

Piensa Encierra en un círculo lo que te gustaría hacer para ayudar a los enfermos.

Comparte Elige una cosa y habla sobre eso con un compañero.

Mother Teresa smiled at him. No one ever smiled at him. She and another religious sister took him to their hospital.

Mother Teresa had a hospital for the dying. There she and other women cared for people who were very sick. They held hands with dying people. They prayed with them and for them.

Circle one thing that Blessed Mother Teresa did for those who were sick and dying.

God's Goodness

Blessed Mother Teresa knew that God's goodness is in all people. The people she helped could hear love in her voice. They could see love in her sweet smile. They could feel God's love in her touch.

Share Your Faith

Think Circle the things you would like to do to help others who are sick.

Share Choose one thing and talk about it with a partner.

Jesús sana

¿Por qué sanaba Jesús a las personas?

Cuando Jesús veía a los enfermos, se sentía triste por ellos. Él hacía todo lo que podía por ayudar a quienes lo necesitaban.

Subraya lo que Jesús le dijo a Jairo.

 La Palabra de Dios

Ten fe

Un día un hombre llamado Jairo fue a ver a Jesús. Jairo dijo: "Mi hija está muy enferma. Sé que tú puedes ayudarla".

Jesús asintió. De camino a la casa de Jairo, vino un sirviente. "Es demasiado tarde", le dijo a Jairo. "Tu hija ha muerto".

Jesús le dijo a Jairo: "No temas, basta que creas y ella se salvará".

Luego Jesús entró en la casa y tomó la mano de la hija. Jesús dijo: "¡Niña, levántate!" La niña recuperó el aliento y se levantó. Sus padres se llenaron de alegría.

Basado en Lucas 8, 40-56

Jesus Heals

Why did Jesus heal people?

When Jesus saw sick people, he felt sad for them. He did whatever he could to help people who needed him.

 God's Word

Have Faith

One day a man named Jairus came to Jesus. Jairus said, "My daughter is very sick. I know you can help her."

Jesus agreed. On the way to Jairus's house, a servant came. "It is too late, he said to Jairus. Your daughter is dead."

Jesus told Jairus, "Do not be afraid; just have faith and she will be saved."

Then Jesus went into the house and took the daughter's hand. Jesus said, "Child, arise!" The girl's breath returned, and she got up. Her parents were full of joy.

Based on Luke 8:40–56

 Underline what Jesus said to Jairus.

Las acciones sanadoras de Jesús

Jesús sanaba las personas. Cuando las sanaba, esto era un signo del poder y del amor de Dios. Sus acciones sanadoras a menudo, también les cambiaba el corazón. Veían en Jesús el amor y el poder de Dios. Llegaron a creer en Jesús y a tener **fe** en Él.

➤ **¿De qué eran signo las sanaciones de Jesús?**

Practica tu fe

Dibuja el relato Dibuja lo que más te gustó del relato sobre la sanación de Jesús.

Jesus' Healing Actions

Jesus made people well. When Jesus healed people, it was a sign of God's power and love. His healing actions often changed their hearts, too. They saw God's love and power in Jesus. They came to believe in Jesus and have **faith** in him.

➤ **What was Jesus' healing a sign of?**

Connect Your Faith

Draw the Story Draw the part of the story about Jesus' healing that you like best.

Nuestra vida católica

¿Cómo puedes ayudar a que las personas se sientan mejor?

Jesús ayudaba a los enfermos. Daba esperanza y amistad a los desvalidos. Hacía esto como signo del amor de Dios. Tú también puedes compartir signos del amor de Dios.

Formas de ayudar a otros

Coloca una marca junto a las cosas que hayas hecho para ayudar a que alguien se sienta mejor.

☐ Escribir una nota o hacer una tarjeta que diga que estás pensando en la persona.

☐ Contar algunos chistes para alegrar a la persona.

☐ Hacer alguna tarea doméstica para ayudar a la persona.

☐ Orar por la persona.

☐ Hacer un dibujo colorido para la persona.

☐ Grabar una canción para la persona.

☐ Ayudar a hacer algo rico para que la persona coma cuando se mejore.

Our Catholic Life

How can you help people feel better?

Jesus helped people who were sick. He gave hope and friendship to people who were lonely. He did these things as signs of God's love. You can share signs of God's love, too.

Ways to Help Others

☐ Write a note or make a card that says you are thinking of the person.

☐ Tell some jokes to cheer up the person.

☐ Do a chore to help the person.

☐ Pray for the person.

☐ Draw a colorful picture for the person.

☐ Record a song for the person.

☐ Help make a treat for the person to eat when he or she feels better.

⭐ Place a check mark next to things you have done to help someone feel better.

Gente de fe

Santa Luisa de Marillac, 1591–1660

Santa Luisa vivió en Francia. Después morir su esposo, quedó muy triste. Conoció a San Vicente de Paúl y juntos fundaron las Hijas de la Caridad, un grupo de religiosas que trabajaban en hospitales, hogares, cárceles y durante las guerras. Santa Luisa quería compartir el amor de Dios ayudando a pobres y enfermos. Todavía hay más de 25,000 Hijas de la Caridad que ayudan a los pobres.

15 de marzo

Comenta: ¿Cómo compartes el amor de Dios con los demás?

 Aprende más sobre Santa Luisa en **vivosencristo.osv.com**

Vive tu fe

Agradécele a alguien que te haya hecho sentir mejor cuando estuviste enfermo. Escribe su nombre y encierra en un círculo lo que te haya dado para que te sintieras mejor.

_____

Querido _____

_____

Gracias por haberme dado:

Comida

Amor

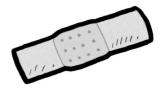

Medicamentos

People of Faith

Saint Louise de Marillac, 1591–1660

Saint Louise lived in France. After her husband died, she was very sad. She met Saint Vincent de Paul and they started the Daughters of Charity, a group of religious sisters who worked in hospitals, homes, prisons, and during wars. Saint Louise wanted to share God's love by helping the poor and the sick. There are still over 25,000 Daughters of Charity who help the poor.

March 15

Discuss: How do you share God's love with others?

 Learn more about Saint Louise at **aliveinchrist.osv.com**

Live Your Faith

Thank someone who has made you feel better when you were sick. Write their name and circle the thing that they gave you to help you feel better.

_____

Dear _____

_____

Thank you for giving me:

Food

Love

Medicine

 Oremos

Oración por la curación

Reúnanse y comiencen con la Señal de la Cruz.

Líder: Jesús, Hijo de Dios, por los que están enfermos, oremos.

Todos: Ayúdalos a ser fuertes y a mejorarse.

Líder: Jesús, Hijo de Dios, por los niños que están enfermos, oremos.

Todos: Ayúdalos a ser fuertes y a mejorarse.

Líder: Por todas las personas que están enfermas, oremos.

Todos: Ayúdalas a ser fuertes y a mejorarse.

Líder: Jesús, Hijo de Dios, oramos por los que cuidan de los enfermos. Por todos los que cuidan de los demás, oremos.

Todos: Dales la gracia y fortaleza. Amén.

 Canten "Cristo, Sáname/Jesus, Heal Me"

Cristo, sáname.
Cristo transfórmame.
Cristo renuévame.
Cristo, quiero seguirte.

Letra y música © 2003, Estela García.
Obra publicada por Spirit & Song®,
Derechos reservados.
Con las debidas licencias.

 **Let Us Pray**

Prayer for Healing

Gather and begin with the Sign of the Cross.

Leader: Jesus, Son of God, for those who are sick, we pray.

All: Help them be strong and well again.

Leader: Jesus, Son of God, for children who are sick, we pray.

All: Help them be strong and well again.

Leader: For all people who are sick, we pray.

All: Help them be strong and well again.

Leader: Jesus, Son of God, we pray for those who take care of the sick. For all who care for others, we pray.

All: Give them grace and strength. Amen.

▶ Sing "Heal Us, Lord"

Heal us, Lord.
We feel the power of
your love.
Let your Spirit
come unto us.

© 2001, John Burland. All rights reserved.

FAMILIA + FE

VIVIR Y APRENDER JUNTOS

SUS HIJOS APRENDIERON >>>

Este capítulo trata de cómo Jesús curó a los enfermos y cuidó de los marginados; Él nos pide que ayudemos a quienes están enfermos o tristes.

La Palabra de Dios

 Lean **Mateo 9** para aprender sobre las enseñanzas de Jesús y los muchos milagros que obró.

Lo que creemos

- Las acciones sanadoras de Jesús muestran el poder y el amor de Dios.
- La fe es el don de creer en Dios y hacer lo que Él pide.

Para aprender más, vayan al *Catecismo de la Iglesia Católica* #547–550 en **usccb.org**.

Gente de fe

Esta semana, su hijo conoció a Santa Luisa de Marillac, fundadora de una orden religiosa dedicada al cuidado de los pobres y los enfermos.

LOS NIÑOS DE ESTA EDAD >>>

Cómo comprenden las sanaciones de Jesús La enfermedad y la sanación son todavía procesos misteriosos para muchos niños de esta edad. Como adultos, comprendemos las sanaciones de Jesús como algo milagroso (un signo de su poder y fuerza espiritual), pero es posible que su hijo a veces vea la sanación y el cuidado que los padres y médicos brindan como algo parecido. Una diferencia que podemos señalar es la manera inmediata como ocurre la sanación en el ministerio de Jesús. Esto muestra que Jesús era capaz de sanar como nadie más puede hacerlo.

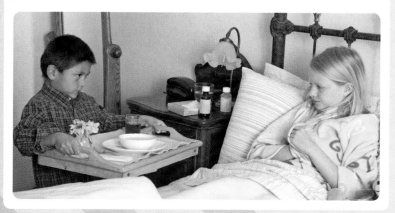

CONSIDEREMOS ESTO >>>

¿Qué hace crecer una relación?

Las relaciones requieren un compromiso de tiempo y presencia. La fe es una relación con Dios que comienza como un don, pero como todas las relaciones, requiere tiempo y presencia. "Dios nunca nos impone su verdad ni su amor. Él se revela a nosotros como seres humanos libres, y nuestra respuesta de fe en Él se toma dentro del contexto de nuestra libertad" (*CCEUA, p. 41*).

HABLEMOS >>>

- Pregunten a su hijo cómo Jesús cuidaba de los enfermos.
- Hablen sobre una ocasión en la que alguien los hizo sentir mejor física, emocional o espiritualmente.

OREMOS >>>

 Querida Santa Luisa, ruega por nosotros para que seamos pacientes cuando estamos enfermos y ayúdanos a ser bondadosos con quienes están tristes. Amén.

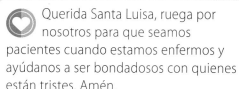 Visiten **vivosencristo.osv.com** para encontrar un glosario multimedia de Palabras católicas, lecturas dominicales, y recursos de Santos y tiempos festivos.

FAMILY+FAITH
LIVING AND LEARNING TOGETHER

YOUR CHILD LEARNED >>>

This chapter is about how Jesus healed people who were sick and cared for those who were lonely; he asks us to help others who are sick or sad.

God's Word

 Read **Matthew 9** to learn about Jesus' teachings and the many miracles that he worked.

Catholics Believe

- Jesus' healing actions show God's power and love.
- Faith is the gift of believing in God and doing as he asks.

To learn more, go to the *Catechism of the Catholic Church* #547–550 at **usccb.org**.

People of Faith

This week, your child met Saint Louise de Marillac, the founder of a religious order dedicated to the care of those who are poor and sick.

CHILDREN AT THIS AGE >>>

How They Understand Jesus' Healings Illnesses and healing are still mysterious processes for many children at this age. As adults, we understand Jesus' healings as being miraculous (a sign of his power and his spiritual strength), but your child might sometimes see the healing and care that parents and doctors give as being quite similar. One difference we can point out is the immediacy of healing in Jesus' ministry. This shows that Jesus was able to heal in a way that no one else could.

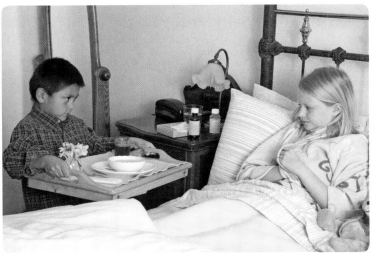

CONSIDER THIS >>>

What makes a relationship grow?

Relationships require a commitment of time and presence. Faith is a relationship with God that begins as a gift, but like all our relationships requires time and presence. "God never forces his truth and love upon us. He reveals himself to us as free human beings, and our faith response to him is made within the context of our freedom" (*USCCA, p. 39*).

LET'S TALK >>>

- Ask your child how Jesus cared for those who were sick.
- Share a time when someone made you feel better physically, emotionally, or spiritually.

LET'S PRAY >>>

 Dear Saint Louise, pray for us so we can be patient when we are sick and help us be kind to those who are feeling sad. Amen.

For a multimedia glossary of Catholic Faith Words, Sunday readings, seasonal and Saint resources, and chapter activities go to **aliveinchrist.osv.com**.

Capítulo 7 Repaso

A **Confirma lo que aprendiste** Traza las palabras para responder a las preguntas.

1. ¿Qué hacía la Beata Madre Teresa de Calcuta para mostrar el amor de Dios a los enfermos?

2. ¿Qué hacía Jesús para mostrar el poder y el amor de Dios?

3. ¿Qué es la fe?

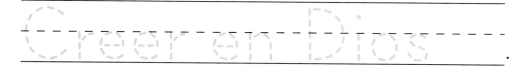

B **Relaciona** Encierra en un círculo la respuesta correcta.

4. ¿Cómo puedes ayudar a una persona enferma?

jugando   peleando   orando

5. ¿Cómo puedes ayudar a una persona triste?

nadando   visitándola   durmiendo

Chapter 7 Review

A **Check Understanding** Trace the words to answer the questions.

1. What did Blessed Mother Teresa of Calcutta do to show God's love to sick people?

   She cared.

2. What did Jesus do to show God's power and love?

   He healed.

3. What is faith?

   Believing in God.

B **Make Connections** Circle the right answer.

4. How can you help a sick person?

   play   fight   pray

5. How can you help a sad person?

   swim   visit them   sleep

Jesús enseña a amar

 Oremos

Líder: Dios, queremos seguir tus enseñanzas.

"Quiero observar tu Ley constantemente,
    por siempre jamás". Salmo 119, 44

Todos: Dios, queremos seguir tus enseñanzas.
    Amén.

La Palabra de Dios

Uno de los hombres le preguntó a Jesús:
"Maestro, ¿cuál es el mandamiento más
importante?" Jesús respondió: "Amarás al
Señor tu Dios con todo tu corazón, con toda tu
alma, con toda tu inteligencia [...] Amarás a tu
prójimo como a ti mismo".

Basado en Marcos 12, 28-31

? **¿Qué piensas?**

- ¿Por qué es importante amar
  a los demás?

- ¿Cómo muestras amor?

Jesus Teaches Love

 Let Us Pray

Leader: God, we want to follow your teachings.

"I will keep your law always,
for all time and forever." Psalm 119:44

All: God, we want to follow your teachings.
Amen.

God's Word

One of the men asked Jesus: "Teacher, what is the most important commandment?" Jesus answered: "You shall love the Lord your God with all your heart, with all your soul, with all your mind…. You shall love your neighbor as yourself." Based on Mark 12:28–31

a Bb Cc Dd Ee Ff Gg Hh Ii Jj Kk Ll Mm Nn g R

What Do You Wonder?

- Why is it important to love others?
- How do you show love?

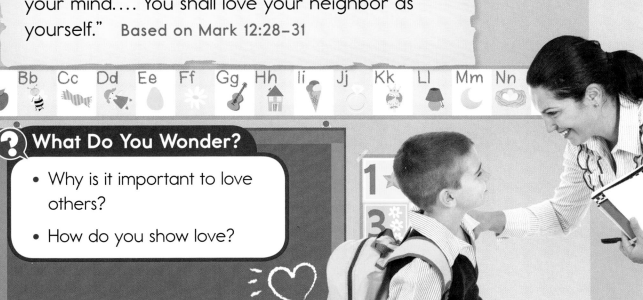

Muestra tu amor

¿Qué puedes regalar?

El regalo

Alejandro preguntó: "Mamá, ¿qué puedo hacer para el cumpleaños del abuelo?"

La mamá dijo: "Pensemos. ¿Qué les gusta hacer a ti y al abuelo?"

"Nos gusta jugar al fútbol. También jugamos al dominó" dijo Alejandro.

La mamá preguntó: "¿Algo más?"

"¡Sí!" dijo Alejandro. "A él le gustan mis dibujos. ¡Ya sé! ¡Gracias, mamá!"

Subraya las cosas que les gustan a Alejandro y a su abuelo.

Show Your Love

What Gift Can You Give?

The Gift

Alejandro asked, "Mom, what can I do for Grandpa's birthday?"

Mom said, "Let's think. What do you and Grandpa like to do?"

"We like to play soccer. We play dominos too," said Alejandro.

Mom asked, "Is there anything else?"

"Yes!" Alejandro said. "He likes my drawings. I've got it! Thanks, Mom!"

Underline the things that Alejandro and his Grandpa like.

El día del cumpleaños del abuelo, Alejandro le dio un regalo.

Era un dibujo de Alejandro y el abuelo jugando al dominó. El dibujo decía: "Te quiero mucho abuelo".

"Gracias, Alejandro" dijo el abuelo. "¡Es el mejor regalo! Voy a colgarlo para que todos lo vean".

"¡Genial!" dijo Alejandro, feliz. "¡Juguemos al dominó!"

Comparte tu fe

Piensa ¿Cómo mostró amor Alejandro con su regalo? Dibuja una manera en la que puedes mostrarle amor a alguien.

Comparte tu trabajo con un compañero.

On Grandpa's birthday, Alejandro gave him a gift.

It was a drawing of Alejandro and Grandpa playing dominos together. The picture said, "I love you, Grandpa."

"Thank you, Alejandro," said Grandpa. "This is the best gift! I will hang it up for everyone to see."

"Great!" Alejandro said happily. "Let's go play dominos!"

Share Your Faith

Think How did Alejandro show love with his gift? Draw one way you can show love to someone else.

Share your work with a partner.

Ama a Dios y a tu prójimo

¿Qué enseñó Jesús sobre el amor?

El dibujo de Alejandro es un signo de amor por su abuelo. Escucha una de las enseñanzas de Jesús sobre el amor.

Encierra en un círculo lo que dice la ley acerca de amar a Dios y a los demás.

 ## La Palabra de Dios

El Gran Mandamiento

Un día, un hombre dijo: "Quiero estar feliz con Dios por siempre. ¿Qué debo hacer?"

Jesús preguntó: "¿Qué está escrito en la ley?"

El hombre respondió: "Amarás al Señor, tu Dios, con todo tu corazón, con todo tu ser, con todas tus fuerzas y con toda tu mente; y a tu prójimo como a ti mismo".

Jesús dijo: "Has respondido correctamente". Basado en Lucas 10, 25-28

Love God and Others

What did Jesus teach about love?

Alejandro's drawing was a sign of his love for his Grandpa. Listen to one of Jesus' teachings on love.

 ## God's Word

The Greatest Commandment

One day a man said, "I want to be happy with God forever. What should I do?"

Jesus asked, "What is written in the law?"

The man replied, "You shall love the Lord, your God, with all your heart, with all your being, with all your strength, and with all your mind, and your neighbor as yourself."

Jesus said, "You have answered correctly." Based on Luke 10:25–28

Circle what the law says about loving God and others.

El Gran Mandamiento

Un **Mandamiento** es una ley que hizo Dios para que las personas la obedecieran. El Mandamiento más importante es amar a Dios y a los demás. Esta ley se llama el Gran Mandamiento.

El **Gran Mandamiento** te enseña que debes amar a Dios más que a nada. Te dice también que debes amar a los demás como a ti mismo.

➡ **¿De qué manera muestran los padres el amor a sus hijos?**

Practica tu fe

Empareja la ilustración Une las acciones de las ilustraciones con las diferentes formas en las que alguien de tu familia muestra amor por Dios y por los demás.

| Enseñar | Orar | Dar amor |

The Great Commandment

A **Commandment** is a law that God made for people to obey. Loving God and others is the most important Commandment. This law is called the Great Commandment.

The **Great Commandment** teaches you to love God more than anything. It also tells you to love others as you love yourself.

➤ What are some ways parents show love to their children?

Connect Your Faith

Match the Picture Match the actions in the pictures to the different ways that someone in your family shows love for God and others.

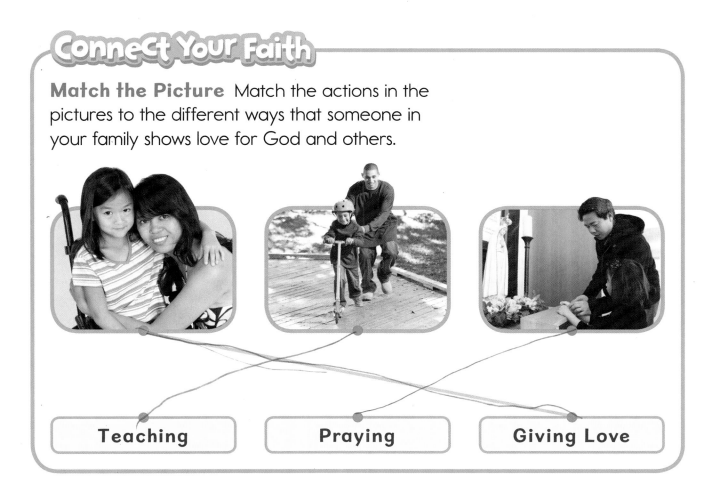

Teaching   Praying   Giving Love

Nuestra vida católica

¿Cómo puedes mostrar amor por Dios y por los demás?

Hay muchas maneras de cumplir el Gran Mandamiento. Aquí hay formas de mostrar amor por Dios y otros.

Ama a Dios y a tu prójimo

Ama a Dios	Ama al prójimo
Reza antes de comer y de acostarte.	Sin quejarte, haz lo que te piden tus padres y los miembros de tu familia.
Aprende acerca de Dios en tu casa, en la iglesia y en la escuela.	Comparte lo que tienes.
Aprende los relatos de la Biblia.	Sé amable. No molestes ni pelees.

En el renglón de arriba, escribe una manera en la que puedas amar a Dios y amar a los demás.

Our Catholic Life

How can you show love for God and for others?

There are many ways to keep the Great Commandment. Here are ways that you can show love for God and for others.

Love God and Others

Love God	Love Others
Pray at meals and bedtime.	Do what parents and family members ask of you without grumbling.
Learn about God at home, at church, and in school.	Share what you have.
Get to know the stories in the Bible.	Be kind. Don't tease or fight.

On the line above, write one way you can love God and love others.

Gente de fe

Santo Tomás de Villanueva, 1486–1555

Santo Tomás fue maestro, monje y obispo en España. Quería amar a las personas como las amaba Jesús. Siempre trataba de vivir el Gran Mandamiento. Santo Tomás daba su dinero a quienes no tenían nada. También trataba de ayudarlos a encontrar trabajo. Les encontró hogar a muchos niños huérfanos. Pagó la libertad de muchos esclavos. Por todas las cosas buenas que hizo, Santo Tomás fue llamado "Obispo de los pobres".

22 de septiembre

Comenta: ¿Cuándo ha dado tu familia comida a los pobres?

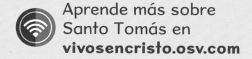

Aprende más sobre Santo Tomás en **vivosencristo.osv.com**

Vive tu fe

Haz un dibujo de alguna ocasión en la que hayas compartido algo con otra persona.

People of Faith

Saint Thomas of Villanova, 1486–1555

Saint Thomas was a teacher, a monk, and a bishop in Spain. He wanted to love people like Jesus did. He always tried to live the Great Commandment. Saint Thomas gave his money to people who had nothing. He tried to help them find work, too. He found homes for many orphaned children. He paid to free many slaves. Because of all the good things he did, Saint Thomas was called "Father of the Poor."

September 22

Discuss: When has your family given food to the poor?

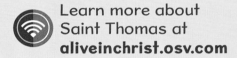
Learn more about Saint Thomas at **aliveinchrist.osv.com**

Live Your Faith

Draw a picture of a time when you shared with someone else.

 Oremos

Ora con la Palabra de Dios

Reúnanse y comiencen con la Señal de la Cruz.

Líder: Bendito sea Dios.

Todos: Bendito seas por siempre, Señor.

Líder: Lectura del santo Evangelio según San Mateo.

Lean Mateo 5, 14-16.

Palabra del Señor.

Todos: Gloria a ti, Señor Jesús.

 Canten "Dios es amor"

Dios es amor,
aleluya;
viva el amor.
¡Aleluya!
Cantemos muy alegres esta
canción, canción de amor.

Letra basada en Daniel 3, 56-88; © 1976 OCP.
Derechos reservados. Con las debidas licencias.

 Let Us Pray

Pray with God's Word

Gather and begin with the Sign of the Cross.

Leader: Blessed be God.

All: Blessed be God forever.

Leader: A reading from the holy Gospel according to Matthew.

Read Matthew 5:14–16.

The Gospel of the Lord.

All: Praise to you, Lord Jesus Christ.

 Sing "Loving God"

Love the Lord, your God,
with all your heart,
with all your soul,
with all your mind,
and with all your strength.

Love the Lord, your God,
with all your heart,
with all your soul,
with all your mind,
and with all your strength.

© 2010, Chet A. Chambers. Published by
Our Sunday Visitor, Inc.

FAMILIA + FE

VIVIR Y APRENDER JUNTOS

SUS HIJOS APRENDIERON >>>

Este capítulo explica que un Mandamiento es una ley que Dios hizo para que las personas la obedecieran y que estamos llamados a amar a Dios y a los demás.

La Palabra de Dios

 Lean **Marcos 12, 28–31** para aprender más sobre cómo Jesús quiere que amemos a Dios.

Lo que creemos

- Un Mandamiento es una ley que Dios hizo para que las personas la obedecieran.
- El Gran Mandamiento enseña que se debe amar a Dios por sobre todas las cosas y amar a los demás como a uno mismo.

Para aprender más, vayan al *Catecismo de la Iglesia Católica* #2052–2055 en **usccb.org**.

Gente de fe

Esta semana, su hijo conoció a Santo Tomás de Villanueva, un obispo español cuya generosidad con los pobres le dio el nombre de "Obispo de los Pobres".

LOS NIÑOS DE ESTA EDAD >>>

Cómo comprenden el Gran Mandamiento El pensamiento concreto, característica de la mayoría de los niños de esta edad, puede dificultarles saber cómo amar a Dios, a quien no pueden ver, por sobre todas las cosas.

Sin embargo, pueden darle ejemplos prácticos a su hijo, ayudándolo a comprender que mostramos nuestro amor a Dios hablando con Él y tomando las decisiones correctas que Él quiere que tomemos. También mostramos amor a Dios cuando somos bondadosos y amorosos con los demás.

CONSIDEREMOS ESTO >>>

¿Cuál es la mayor prioridad en su vida?

Es probable que lo primero que respondamos sea la familia. Sin embargo, Jesús dijo que debemos a amar a Dios en primer lugar y luego todo lo demás sigue en orden, incluyendo nuestras relaciones. *"Amarás al Señor tu Dios con todo tu corazón, con toda tu alma y con toda tu mente. Este es el gran mandamiento, el primero. Pero hay otro muy parecido: Amarás a tu prójimo como a ti mismo"* (**Mateo 22, 37-39**).

HABLEMOS >>>

- Pidan a su hijo que diga una manera en la que muestra amor a Dios y otra en la que muestra amor a otros.
- Comenten por qué las leyes de Dios son importantes.

OREMOS >>>

 Santo Tomás, ayúdanos a cuidar de las personas que no tienen suficiente dinero y de las que tienen hambre. Amén.

Visiten **vivosencristo.osv.com** para encontrar un glosario multimedia de Palabras católicas, lecturas dominicales, y recursos de Santos y tiempos festivos.

FAMILY+FAITH
LIVING AND LEARNING TOGETHER

YOUR CHILD LEARNED >>>

This chapter explains that a Commandment is a law God made for people to obey, and that we are called to love God and others.

God's Word

 Read **Mark 12:28–31** to learn more about how Jesus wants us to love God.

Catholics Believe

- A Commandment is a law that God made for people to obey.
- The Great Commandment teaches that you are to love God above all else and love others as you love yourself.

To learn more, go to the *Catechism of the Catholic Church* #2052–2055 at **usccb.org**.

People of Faith

This week, your child met Saint Thomas of Villanova, a Spanish bishop whose generosity to the poor gave him the name, "Father of the Poor."

CHILDREN AT THIS AGE >>>

How They Understand the Great Commandment The concrete way of thinking that is characteristic of most children at this age may sometimes make it difficult for them to know how to love God, whom they cannot see, above all things. However, you can make this practical for your child by helping him or her understand that we show our love for God by talking with him and making the good choices he wants us to make. We also show love to God when we are kind and loving toward others.

CONSIDER THIS >>>

What is the greatest priority in your life?

Our first response would probably be family. Yet, Jesus said we must love God first then everything falls in order, including our relationships. "You shall love the Lord, your God, with all your heart, with all your soul, and with all your mind. This is the greatest and the first commandment. The second is like it: You shall love your neighbor as yourself" (**Matthew 22:37–39**).

LET'S TALK >>>

- Have your child name one way he/she shows love to God and one way he/she shows love to others.
- Talk about why God's laws are important.

LET'S PRAY >>>

 Saint Thomas, help us care for people who don't have enough money and people who are hungry. Amen.

For a multimedia glossary of Catholic Faith Words, Sunday readings, seasonal and Saint resources, and chapter activities go to **aliveinchrist.osv.com**.

Capítulo 8 Repaso

A **Trabaja con palabras** Encierra en un círculo la palabra correcta que completa la oración.

1. Un Mandamiento es una ____ que hizo Dios para que las personas la obedecieran.

      parábola   ley

2. ____ enseñó el Gran Mandamiento.

      Jesús   Jairo

3. El Gran Mandamiento empieza con ____ a Dios.

      amar   conocer

4. Puedes amar a Dios ____.

      orando   empujando

B **Confirma lo que aprendiste** Haz un dibujo que muestre una manera de amar a los demás.

5.

Chapter 8 Review

A **Work with Words** Circle the correct word to complete each sentence.

1. A Commandment is a ____ God made for people to obey.

  parable   (law)

2. ____ taught the Great Commandment.

  (Jesus)   Jairus

3. The Great Commandment begins with ____ God.

  (loving)   knowing

4. You can love God by ____.

  (praying)   pushing

B **Check Understanding** Draw a picture to show a way to love others.

5.

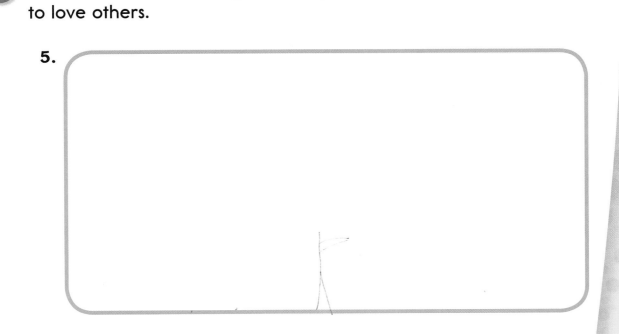

Jesús nos enseña a rezar

 Oremos

Líder: Dios, te alabamos siempre.

"Deseo bendecirte cada día,
alabaré tu Nombre
para siempre". Salmo 145, 2

Todos: Dios, te alabamos siempre. Amén.

La Palabra de Dios

Cuando reces, entra en una habitación solo y cierra la puerta. Reza a Dios en privado. Dios sabe lo que estás haciendo y te premiará. Cuando reces, no hace falta que hables demasiado. Dios escuchará tus oraciones, las largas y las cortas. Dios sabe lo que necesitas antes de que lo pidas. Basado en Mateo 6, 6-8

¿Qué piensas?

- ¿Rezaba Jesús?
- ¿Por qué a veces rezamos solos y otras veces juntos?

Jesus Teaches Us to Pray

 Let Us Pray

Leader: God, we praise you always.

"Every day I will bless you;
    I will praise your name forever and
    ever." Psalm 145:2

All: God, we praise you always. Amen.

 God's Word

When you pray, go into a room alone and close the door. Pray to God in private. God knows what you are doing and will reward you. When you pray, you don't have to talk on and on. God will listen to your short and long prayers. God knows what you need before you ask. Based on Matthew 6:6–8

? What Do You Wonder?

- Did Jesus pray?
- Why do we sometimes pray alone and sometimes together?

Quédate cerca de Dios

¿Qué formas hay de rezar?

Cuando hablas con tu familia y tus amigos, te sientes cerca de ellos. Hablar con Dios y escucharlo se llama **oración**.

Dios quiere que seamos sus amigos. Nos pide que le recemos. Cuando rezamos, nos sentimos cerca de Dios.

Las oraciones de bendición dan gracias a Dios por lo bueno que nos da. Le piden que siga cuidando de ti y cuidando a los demás.

➜ **¿Por qué cosas puedes dar gracias a Dios cuando rezas?**

Palabras católicas

oración hablar con Dios y escucharlo

Subraya lo que significa decir una oración.

Stay Close to God

What are some ways to pray?

Talking with family and friends helps you feel close to them. Talking to and listening to God is called **prayer**.

God wants us to be his friends. He asks us to pray to him. We feel close to God when we pray.

Blessing prayers thank God for the good things he gives you. They ask God to keep caring for you and others.

➡ **What are some things you can thank God for when you pray?**

Underline what it means to pray.

Reza en todas partes

Puedes rezar en cualquier lugar donde estés. Puedes hablar con Dios en tu casa o en la iglesia. Puedes rezar en tu salón de clases o en el patio de juegos.

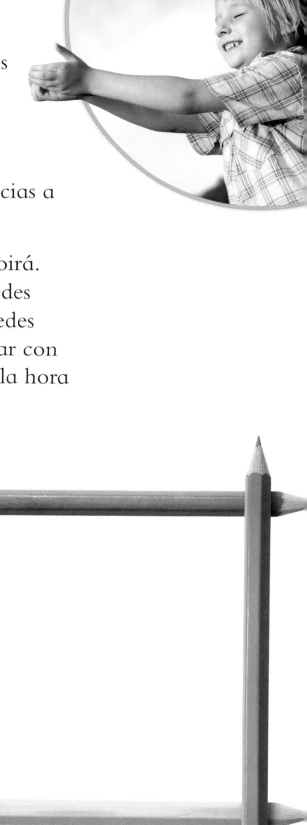

Comienza tu oración dando gracias a Dios Padre por todo lo que te da.

Donde quiera que estés, Dios te oirá. Puedes decir tu propia oración. Puedes decir las oraciones de la Iglesia. Puedes rezar en silencio o en voz alta. Rezar con tu familia antes de las comidas y a la hora de acostarte es una manera especial de estar cerca de Dios y unos de otros.

Comparte tu fe

Piensa Dibuja algo por lo que quieras dar gracias a Dios.

Comparte tu dibujo con un amigo.

Pray Anywhere

You can pray wherever you are. You can talk to God at home or in church. You can pray in your classroom or on the playground.

Begin your prayer by thanking God the Father for all that he gives you.

Wherever you are, God will hear you. You can say your own prayer. You can say prayers of the Church. You can pray silently or out loud. Praying with your family before meals and at bedtime is a special way to stay close to God and one another.

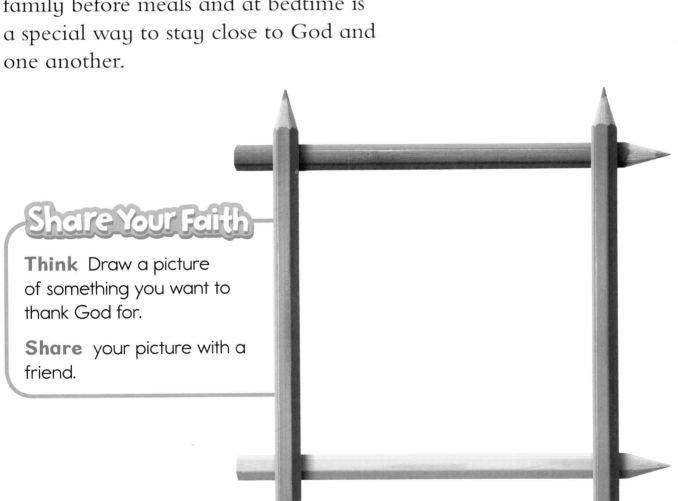

Share Your Faith

Think Draw a picture of something you want to thank God for.

Share your picture with a friend.

Aprende a rezar

¿Qué oración especial dio Jesús a sus seguidores?

Para hablar con Dios, puedes aprender canciones, palabras y acciones. Puedes usarlas para rezar en cualquier momento.

La familia de la Iglesia puede aprender de la Biblia a rezar junta. Debemos dar gracias siempre a Dios por todo lo que nos ha dado. Leamos lo que dice San Pablo sobre cómo hacerlo:

1. Encierra en un círculo formas de dar gracias a Dios.

2. Colorea las notas musicales.

 ## La Palabra de Dios

Cómo rezar

Llénense del Espíritu Santo. Canten salmos, himnos y cánticos espirituales. Canten y toquen música al Señor en su corazón, y den gracias a Dios Padre en nombre de Cristo Jesús, nuestro Señor, siempre y por todas las cosas.

Basado en Efesios 5, 18-20

Learn to Pray

What special prayer did Jesus give his followers?

You can learn songs, words, and actions to talk with God. You can use them to pray any time you wish.

The Church family can learn to pray together from the Bible. We should always give thanks to God for all he has given us. Let's read what Saint Paul tells us are some ways we can do that:

1. Circle ways that we can give thanks to God.

2. Color in the music notes below.

 God's Word

How to Pray

Be filled with the Holy Spirit. Sing psalms, hymns, and spiritual songs—singing and playing to the Lord in your hearts, giving thanks always and for everything in the name of our Lord Jesus Christ to God the Father.   Based on Ephesians 5:18–20

El Padre Nuestro

En la Misa y en otros momentos, rezas una oración muy importante que se llama **Padre Nuestro**. Jesús les enseñó a sus amigos a rezar de esta manera.

Padre Nuestro

Padre nuestro, que estás en el cielo,

santificado sea tu Nombre;

venga a nosotros tu reino;

hágase tu voluntad

en la tierra como en el cielo.

Danos hoy nuestro pan

de cada día;

perdona nuestras ofensas,

como también nosotros

perdonamos a los que nos ofenden;

no nos dejes caer en la tentación,

y líbranos del mal. Amén.

Practica tu fe

Recen juntos Escribe el nombre de alguien con quien rezas.

_____

_____

_____

The Lord's Prayer

At Mass and at other times, you pray a very important prayer called the **Lord's Prayer**. Jesus taught his friends to pray this way.

The Lord's Prayer

Our Father, who art in heaven,
hallowed be thy name;
thy kingdom come,
thy will be done
on earth as it is in heaven.
Give us this day our daily bread,
and forgive us our trespasses,
as we forgive those who
      trespass against us;
and lead us not into temptation,
but deliver us from evil. Amen.

Connect Your Faith

Pray Together Write the name of someone that you pray with.

_____

- -

_____

Nuestra vida católica

¿Qué pedimos a Dios cuando rezamos el Padre Nuestro?

La siguiente tabla explica lo que le estamos pidiendo a Dios cuando rezamos el Padre Nuestro.

El Padre Nuestro

Palabras de la oración	Lo que quieren decir
Padre nuestro, que estás en el Cielo, santificado sea tu Nombre;	Dios, Padre nuestro, que alabemos tu santo nombre.
venga a nosotros tu reino; hágase tu voluntad en la tierra como en el cielo.	Que hagamos lo que pides aquí en la Tierra como los ángeles y los Santos en el Cielo.
Danos hoy nuestro pan de cada día;	Por favor, danos las cosas que necesitamos, y que nunca nos falte la Eucaristía.
perdona nuestras ofensas, como también nosotros perdonamos a los que nos ofenden;	Por favor, perdónanos por lo que hacemos mal y ayúdanos a perdonar a quienes nos hacen daño.
no nos dejes caer en la tentación, y líbranos del mal.	Protégenos de lo que pueda herirnos o apartarnos de ti.
¡Amén!	¡Que así sea!

Our Catholic Life

What do we ask God when we pray the Lord's Prayer?

The chart below explains what we are asking God for when we pray the Lord's Prayer.

The Lord's Prayer

Words of the Prayer	What They Mean
Our Father, who art in heaven, hallowed be thy name;	God our Father, may we praise your holy name.
Thy kingdom come, thy will be done on earth as it is in heaven.	May we do what you ask here on Earth as the angels and Saints do in Heaven.
Give us this day our daily bread,	Give us the things we need, most especially the Eucharist.
and forgive us our trespasses, as we forgive those who trespass against us;	Please forgive us for the things we do wrong, and help us forgive those who hurt us.
and lead us not into temptation, but deliver us from evil.	Keep us safe from anything that would harm us or lead us away from you.
Amen!	May it be so!

Gente de fe

San Efrén, el compositor de himnos, 306–373

San Efrén fue maestro y poeta, pero es más conocido porque componía himnos. ¡Escribió más de 400 himnos! Tomaba las canciones populares de su época y les cambiaba la letra para ayudar a la gente a aprender acerca de Jesús y María, y alabar a Dios. Sus himnos nos recuerdan cuánto nos ama Dios y cuánto quiere que lo amemos.

9 de junio

Comenta: ¿Cómo le cuentas a los demás cuánto te ama Dios?

Aprende más sobre San Efrén en **vivosencristo.osv.com**

Vive tu fe

Traza las palabras para completar los primeros versos del Padre Nuestro.

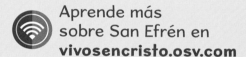

~Padre~ nuestro,

que estás en el ~Cielo,~

santificado sea tu Nombre.

People of Faith

Saint Ephrem the Hymnist, 306–373

Saint Ephrem was a teacher and a poet, but he is best known for writing hymns. He wrote more than 400 hymns! He used the popular songs of his time, but changed the words to help people learn about Jesus and Mary and praise God. His hymns remind us how much God loves us and wants us to love him.

June 9

Discuss: How do you tell others how much God loves you?

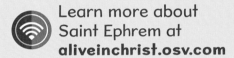

Learn more about Saint Ephrem at **aliveinchrist.osv.com**

Live Your Faith

Trace the Words to complete the first lines of the Lord's Prayer.

Our Father,

who art in heaven,

hallowed be thy name.

 **Oremos**

Oración para cualquier momento

Reúnanse y comiencen con la Señal de la Cruz.

Líder: Podemos rezar en la mañana, cuando el día comienza.

Todos: Podemos rezar en la mañana, cuando el día comienza.

Líder: Cada vez que comemos, rezamos inclinando la cabeza.

Todos: Cada vez que comemos, rezamos inclinando la cabeza.

Líder: Rezamos al ir a dormir, al fin del día.

Todos: Rezamos al ir a dormir, al fin del día.

Líder: Porque Dios es nuestro Padre, que siempre escucha al que reza.

Todos: Porque Dios es nuestro Padre, que siempre escucha al que reza.

Líder: Unámonos en oración a Dios, nuestro Padre.

Recen juntos el Padre Nuestro.

 Todos: Canten "Padrenuestro"

 **Let Us Pray**

Anytime Prayer

Gather and begin with the
Sign of the Cross.

Leader: We can pray in the morning,
at the start of each day.

All: We can pray in the morning, at the start
of each day.

Leader: And at every mealtime, we bow heads
and pray.

All: And at every mealtime, we bow heads
and pray.

Leader: We pray at our bedtime, at the end of
our days.

All: We pray at our bedtime, at the end of
our days.

Leader: For God is our Father, who listens always.

All: For God is our Father, who listens always.

Leader: Let us join in prayer to God our Father.

Pray the Lord's Prayer together.

 All: Sing "The Lord's Prayer"

FAMILIA + FE

VIVIR Y APRENDER JUNTOS

SUS HIJOS APRENDIERON >>>

El capítulo describe las formas de orar y las razones para hacerlo, y presenta las palabras y el significado del Padre Nuestro.

La Palabra de Dios

 Lean **Mateo 6, 6–8** para aprender las formas de oración que Jesús enseñó.

Lo que creemos

• Orar es hablar con Dios y escucharlo.

• Jesús les enseñó a sus amigos a rezar el Padre Nuestro, o la Oración del Señor.

Para aprender más, vayan al *Catecismo de la Iglesia Católica* #2607–2612 en **usccb.org**.

Gente de fe

Esta semana, su hijo conoció a San Efrén. Le encantaba cantar y alabar a Dios. Él mismo escribió más de 400 himnos.

LOS NIÑOS DE ESTA EDAD >>>

Cómo comprenden la oración Los niños que crecen en familias, parroquias y escuelas católicas tienen muchas oportunidades de ver personas orando y de rezar en grupo. Los niños comienzan a responderle a un Dios que no ven, y a relacionarse con Él, cuando ven en su vida a adultos que hablan con Dios. Es importante que su hijo sepa que Dios es un amigo con quien puede hablar en sus propias palabras. También es importante enseñarle a su hijo que la oración es escuchar, además de hablar.

CONSIDEREMOS ESTO >>>

¿Quién fue su principal apoyo en la niñez?

Muchas personas podrían responder que fue uno de sus padres u otro miembro de la familia. Para el bienestar emocional de un niño, es necesario que sepa que hay alguien en quien se puede apoyar, alguien en quien confiar. "Una palabra que nuestro Señor usa para Padre es 'Abba'. Esto implica que Jesús está diciendo que una relación con Dios debería ser como la de un niño, muy cercana, personal, con su padre" (*CCEUA, p. 518*).

HABLEMOS >>>

• Hablen con su hijo acerca de las diferentes maneras en las que su familia ora unida.

• Describan su momento o lugar preferido para orar.

OREMOS >>>

 Querido Dios, ayúdanos a saber cuánto nos amas y permítenos cantarte siempre como lo hizo San Efrén. Amén.

Visiten **vivosencristo.osv.com** para encontrar un glosario multimedia de Palabras católicas, lecturas dominicales, y recursos de Santos y tiempos festivos.

FAMILY+FAITH
LIVING AND LEARNING TOGETHER

YOUR CHILD LEARNED >>>

The chapter describes the ways and reasons we pray and introduces the words and meaning of the Lord's Prayer.

God's Word

 Read **Matthew 6:6–8** to learn the ways that Jesus says we can pray.

Catholics Believe

• Prayer is talking and listening to God.

• Jesus taught his friends how to pray the Lord's Prayer.

To learn more, go to the *Catechism of the Catholic Church* #2607–2612 at **usccb.org**.

People of Faith

This week, your child met Saint Ephrem. He loved to sing and give praise to God. He personally wrote more than 400 hymns.

CHILDREN AT THIS AGE >>>

How They Understand Prayer Children who grow up in Catholic families, parishes, and schools have many opportunities to see people praying and to say prayers in groups. Children begin to respond to and relate to an unseen God when they see adults in their lives talking to God. It's important for your child to know that God is a friend he or she can talk to in his or her own words. It's also important to teach your child that prayer is listening as well as speaking.

CONSIDER THIS >>>

Who did you most depend on as a child?

Many people might answer a parent, or family member. It is necessary for a child's emotional well-being to know that there is someone he/she can depend upon, someone who is trustworthy. "A term that our Lord uses for Father is *Abba!* This implies that Jesus is saying that a relationship with God should be like that of a child, very close, personal, and dependent" (*USCCA*, p. 484).

LET'S TALK >>>

• Talk with your child about the different ways your family prays together.

• Describe your favorite time or place to pray.

LET'S PRAY >>>

 Dear God, help us to know how much you love us and let us always sing to you like Saint Ephrem did. Amen.

For a multimedia glossary of Catholic Faith Words, Sunday readings, seasonal and Saint resources, and chapter activities go to **aliveinchrist.osv.com**.

A **Trabaja con palabras** Traza las palabras para completar la oración.

1. Puedes rezar  cantando.

2. Un nombre para llamar a Dios cuando rezas es  Padre.

3. Jesús enseñó a sus amigos a rezar el Padre Nuestro.

4. Oración es hablar con Dios y escucharlo.

B **Confirma lo que aprendiste** Encierra en un círculo las respuestas correctas.

5. ¿Qué dibujos muestran formas de orar?

Cantar a Dios   Hablar con Dios   Nadar

Chapter 9 Review

A **Work with Words** Trace the words to complete the sentence.

1. You can pray by singing.

2. One name to call God when you pray is Father.

3. Jesus taught his friends to pray the Lord's Prayer.

4. Prayer is talking and listening to God.

B **Check Understanding** Circle the correct answers.

5. What pictures show ways to pray?

Singing to God   Talking to God   Swimming

Repaso de la Unidad

A **Trabaja con palabras** Encierra en un círculo la respuesta correcta.

1. ____ es hablar con Dios y escucharlo.

   Canción   Oración

2. Un ____ es una ley que hizo Dios para que las personas la obedecieran.

   Mandamiento   relato

3. ____ es el don de creer en Dios y hacer lo que Él pide.

   Amor   Fe

4. El Gran Mandamiento es acerca de ____ a Dios sobre todas las cosas y a tu prójimo como a ti mismo.

   conocer   amar

5. ____ te enseña a amar a Dios y a los demás.

   Jesús   Jairo

A **Work with Words** Circle the correct answer.

1. ____ is talking to and listening to God.

   Playing   Prayer

2. A ____ is a law God made for people to obey.

   Commandment   parable

3. ____ is the gift of believing in God and doing as he asks.

   Love   Faith

4. The Great Commandment is about ____ God above all else and your neighbor as yourself.

   knowing   loving

5. ____ teaches you to love God and others.

   Jesus   Jairus

B **Confirma lo que aprendiste** Traza una línea desde la frase de la Columna A hasta la palabra o las palabras correctas de la Columna B.

Columna A	Columna B
6. Lo que hizo Jesús por algunos enfermos	amor
7. Lo que Dios quiere ser	sanó
8. Un don que puedes dar	tu amigo
9. Donde puedes rezar	oraciones
10. Dios escucha tus	en todas partes

Encierra en un círculo las palabras en la sopa de letras.

11–13.

Vocabulario
• • • • • • • • • • • •

Amor

Rezar

Leyes

```
L   A   M   O   R   P

R   U   B   V   K   L

E   A   F   W   A   E

Z   O   A   L   B   Y

A   S   O   R   L   E

R   E   D   Z   D   S
```

B **Check Understanding** Draw a line from the phrase in Column A to the correct word or words in Column B.

Column A   Column B

6. What Jesus did for some
sick people   love

7. What God wants to be   healed

8. A gift you can give   your friend

9. Where you can pray   prayers

10. God hears your   everywhere

Circle the words in the word search.

11–13.

Word Bank

Love

Pray

Laws

L	A	W	S	P	C
K	U	U	V	R	V
B	L	F	W	A	A
V	O	A	L	Y	L
Q	V	T	L	I	L
P	E	D	Z	M	D

C **Relaciona** Traza las palabras para responder
a las preguntas.

14. ¿Qué oración enseñó Jesús?

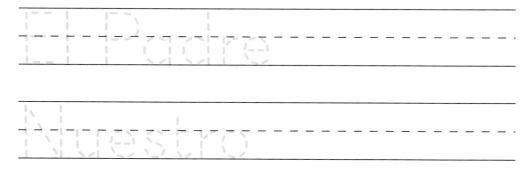

15. ¿Cómo mostraba la Madre Teresa el amor de Dios a
los demás?

C **Make Connections** Trace the words to answer the questions.

14. What prayer did Jesus teach?

<u>The Lord's</u>

<u>Prayer</u>

15. How did Mother Teresa show God's love to others?

<u>She cared for</u>

<u>people who</u>

<u>were sick</u>.

La Iglesia

Nuestra Tradición Católica

- La Iglesia se compone de las personas bautizadas que creen en Dios y siguen a Jesús. (CIC, 751-752)

- Decimos "sí" a Jesús y, como su Iglesia, compartimos su mensaje del Reino de Dios. (CIC, 763)

- Dios Espíritu Santo obra con Dios Padre y Dios Hijo en el mundo entero. (CIC, 686)

- El Espíritu Santo guía a las personas de la Iglesia para que lleven una vida santa como lo hicieron los Santos. (CIC, 736)

¿Cómo nos ayuda el Espíritu Santo a vivir como personas santas?

Catedral de Notre Dame París, Francia

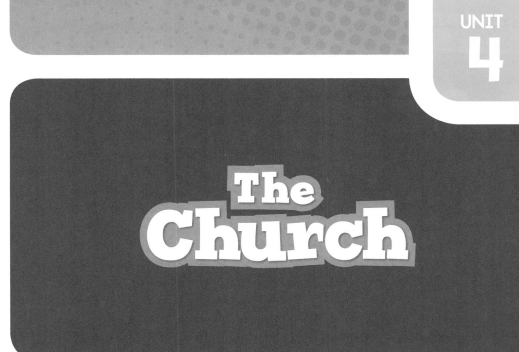

The Church

Notre Dame Cathedral Paris, France

Our Catholic Tradition

- The Church is made up of the baptized people who believe in God and follow Jesus. (CCC, 751–752)

- We say "yes" to Jesus and as his Church share his message of God's Kingdom. (CCC, 763)

- God the Holy Spirit is at work with God the Father and God the Son in the whole world. (CCC, 686)

- The Holy Spirit guides people in the Church to live holy lives like the Saints. (CCC, 736)

How does the Holy Spirit help us to live as holy people?

Responder a Dios

 Oremos

Líder: Dios, que siempre nos eres fiel, ayúdanos a serte fieles.

"Te alabaré Señor, entre los pueblos, te cantaré en todas las provincias".   Salmo 57, 10

Todos: Querido Dios, ayúdanos a decirte "sí" siempre. Amén.

La Palabra de Dios

"Por la fe Noé escuchó el anuncio de acontecimientos que no se podían anticipar, y construyó el arca en que iba a salvarse con su familia. [...] Y por ella alcanzó la verdadera rectitud, fruto de la fe."

Hebreos 11, 7

¿Qué piensas?

- ¿Qué significa ser fiel?
- ¿Cómo nos habla Dios hoy?

Responding to God

 Let Us Pray

Leader: God, you are always faithful to us, help us to be faithful to you.

"I will praise you among the peoples, Lord;
I will chant your praise among
the nations." Psalm 57:10

All: Dear God, help us to always say "yes" to you. Amen.

God's Word

"By faith Noah, warned about what was not yet seen, with reverence built an ark for the salvation of his household … he … [Noah] inherited the righteousness that comes through faith." Hebrews 11:7

? What Do You Wonder?

• What does faithful mean?

• How does God speak to us today?

Confía en Dios

¿Qué le prometió Dios a Noé?

La historia de Noé está en el Antiguo Testamento. Noé dijo "sí" cuando Dios le hizo una pregunta muy importante.

 ## La Palabra de Dios

Noé dice "sí"

Noé era un buen hombre. Dios le dijo a Noé que construyera un arca, o barco muy grande.

Dios dijo que iba a llover cuarenta días y cuarenta noches. Habría un diluvio. Dios quería que Noé estuviera a salvo.

Subraya lo que Dios le dijo a Noé que hiciera.

Trust in God

What did God promise Noah?

The story of Noah is in the Old Testament. Noah said "yes" when God asked him a very big question.

 God's Word

Noah Says "Yes"

Noah was a good man. God told Noah to build an ark, or very large boat.

God said it was going to rain for forty days and forty nights. There would be a flood. God wanted Noah to be safe.

 Underline what God told Noah to do.

Noé dijo: "¡Sí, la haré!" Construyó el arca aunque no veía lluvia por ninguna parte.

Dios le dijo a Noé que subiera al arca a su familia y a dos ejemplares de cada especie animal. Noé dijo: "¡Sí!", e hizo lo que Dios dijo.

Entonces llovió. Los ríos crecieron hasta inundar la Tierra. Noé, su familia y todos los animales permanecieron secos en el arca.

Después de cuarenta días, la lluvia cesó. Dios prometió que nunca más el agua inundaría la Tierra entera.

Dios le dio a Noé y a su familia un signo de su promesa. Dios puso un arcoíris en el cielo.

Basado en Génesis 6, 14-22; 7, 1-10; 9, 17

Comparte tu fe

Piensa Traza la palabra que dice cómo se sintió Noé al ver el arcoíris de Dios.

Feliz

Comparte Habla con un compañero sobre la promesa de Dios.

Noah said "Yes, I will!" He built the ark even though he saw no rain anywhere.

God told Noah to take his family and two of each kind of animal into the ark. Noah said, "Yes!" and did as God said.

Then the rains came. The rivers swelled until they flooded all the Earth. Noah, his family, and all the animals stayed dry in the ark.

After forty days, the rain stopped. God promised that water would never flood the whole Earth again.

God gave Noah and his family a sign of his promise. God put a rainbow in the sky.

Based on Genesis 6:14–22, 7:1–10, 9:17

Share Your Faith

Think Trace the word that tells how Noah felt when he saw God's rainbow.

Happy

Share Talk with a partner about God's promise.

Estamos invitados

¿Cómo le dices "sí" a Dios?

Jesús contó un relato acerca del cuidado de Dios por todas las personas. En el relato, todos están invitados al **Reino de Dios**.

Subraya lo que el hombre rico dijo cuando nadie llegó a la fiesta.

🕮 La Palabra de Dios

La parábola del gran banquete

Un hombre rico dio una gran fiesta. Invitó a mucha gente. Nadie vino.

El hombre rico habló a sus sirvientes "Salgan e inviten a los pobres, los ciegos y los cojos."

Los sirvientes hicieron lo que el hombre les pidió. Enseguida la casa se llenó de gente feliz. Aún había lugar para más personas.

El hombre dijo: "Vayan y traigan gente de cualquier lugar. Invítenla a mi fiesta."

Basado en Lucas 14, 16-23

All Are Invited

How do you say "yes" to God?

Jesus told a story about God's care for all people. In the story, everyone is invited into the **Kingdom of God**.

 God's Word

The Parable of the Great Feast

A rich man gave a big party. He invited many people. No one came.

The rich man spoke to his servants. "Go out and invite those who are poor, blind, and lame."

The servants did as the man asked. Soon the house was filled with happy people. There still was room for more people.

The rich man said, "Go and find people anywhere you can. Ask them to come to my party." Based on Luke 14:16–23

> ### Catholic Faith Words
>
> **Kingdom of God** the world of love, peace, and justice that is in Heaven and is still being built on Earth

Underline what the rich man said when no one showed up for the party.

La Iglesia

La **Iglesia** comparte el mensaje de Jesús acerca del Reino de Dios

Tú te hiciste miembro de la Iglesia cuando te bautizaron. Tus padres dijeron "sí" a Dios por ti. Ahora puedes decir "sí" a Dios por ti mismo.

Como miembro de la Iglesia, compartes el amor. Trabajas con Dios mientras Él construye su Reino.

Puedes invitar a otras personas al Reino de Dios. Puedes pedirles que también digan "sí" a Dios.

Palabras católicas

Iglesia la comunidad de todas las personas bautizadas que creen en Dios y siguen a Jesús.

Practica tu fe

Halla la palabra oculta
Colorea de rojo las X y de azul, verde o amarillo las O para hallar lo que dices cuando Dios te llama a su Reino.

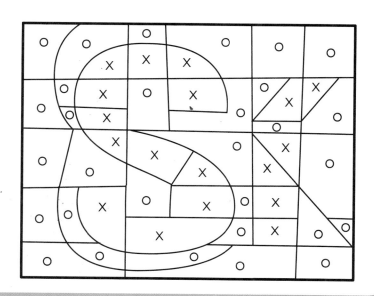

The Church

The **Church** shares Jesus' message about God's Kingdom.

You became a member of the Church when you were baptized. Your parents said "yes" to God for you. Now you can say "yes" to God for yourself.

You share love as a member of the Church. You work together with God as he builds his Kingdom.

You can invite others into God's Kingdom. You can ask them to say "yes" to God, too.

Catholic Faith Words

Church the community of all baptized people who believe in God and follow Jesus

Connect Your Faith

Find the Hidden Word
Color the X's red and the O's blue, green, or yellow to find what you say when God calls you into his Kingdom.

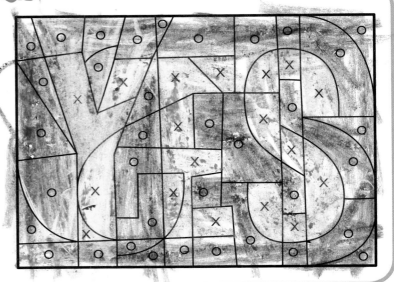

Nuestra vida católica

¿Qué le respondió María a Dios?

Dios le pidió a María que hiciera algo especial, igual que le había pedido a Noé. Esta es la historia de María.

María dice "sí"

Clave

ángel   María   bebé   ? pregunta

Un día [María] estaba orando. Un [ángel] vino a verla.

El [ángel] era mensajero de Dios. El [ángel] le dijo a [María] que

Dios tenía una [?] que hacerle.

Quería que [María] tuviera un [bebé]. Este [bebé] sería muy

especial. Este [bebé] sería el Hijo de Dios. [María] amaba mucho

a Dios. El [ángel] le preguntó a [María] qué debía decirle a Dios.

Y [María] dijo: "¡Dile a Dios que sí!".

Our Catholic Life

How did Mary answer God's question?

God asked Mary to do something special, just as he had asked Noah. Here is Mary's story.

Mary Says "Yes"

Key

angel   Mary   baby   ? question

One day [Mary] was praying. An [angel] came to see her.

The [angel] was God's messenger. The [angel] told [Mary] that

God had a [?] for her.

He wanted [Mary] to have a [baby]. This [baby] would be very

special. This [baby] would be God's Son. [Mary] loved God very

much. The [angel] asked [Mary] what he should tell God. And

[Mary] said, "Tell God yes!"

Gente de fe

Beata María Teresa de Jesús Gerhardinger, 1797–1879

Caroline Gerhardinger nació en Alemania. Era maestra, pero creía que Jesús estaba pidiéndole que fuera hermana religiosa. Como siempre decía "sí" a Jesús, creó la orden de las Pobres Hermanas Escolásticas de Nuestra Señora. El nuevo nombre de Caroline fue María Teresa de Jesús. Abrió escuelas en Alemania y Estados Unidos. Era feliz haciendo lo que Jesús le pedía.

9 de mayo

Comenta: Menciona algo que Jesús está pidiéndote que hagas.

Aprende más sobre la Beata María Teresa en **vivosencristo.osv.com**

Vive tu fe

Dibuja una escena de la historia de María diciendo "sí" a Dios.

People of Faith

Blessed Mary Theresa of Jesus Gerhardinger, 1797–1879

Caroline Gerhardinger was born in Germany. She was a teacher, but she believed Jesus was asking her to be a religious sister. She always said "yes" to Jesus, so she started the School Sisters of Notre Dame. Caroline's new name was Mary Theresa of Jesus. She opened schools in Germany and the United States. She was happy to do what Jesus asked.

May 9

Discuss: Name one thing Jesus is asking you to do.

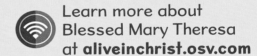 Learn more about Blessed Mary Theresa at **aliveinchrist.osv.com**

Live Your Faith

Draw a scene from the story of Mary saying "yes" to God.

 Oremos

Oración del "sí"

Reúnanse y comiencen con la Señal de la Cruz.

Líder: Señor, tú nos pides que seamos bondadosos con nuestra familia.

Todos: ¡Decimos "sí"!

Líder: Nos pides que compartamos lo que tenemos.

Todos: ¡Decimos "sí"!

Líder: Quieres que invitemos a todos a jugar.

Todos: ¡Decimos "sí"!

Líder: Oremos.

Inclinen la cabeza mientras el líder ora.

Todos: Amén.

 Canten "Mi Amigo Jesús"

Yo tengo un amigo, se llama Jesús,
el que perdona mis culpas.
Yo tengo un amigo, se llama Jesús,
el que me llena de amor.

© 2007, Silvio Cuéllar. Obra publicada por OCP.
Derechos reservados.
Con las debidas licencias.

 **Let Us Pray**

"Yes" Prayer

Gather and begin with the Sign of the Cross.

Leader: Lord, you ask us to be kind to our families.

All: We say "yes!"

Leader: You ask us to share what we have.

All: We say "yes!"

Leader: You want us to ask everyone to play.

All: We say "yes!"

Leader: Let us pray.

Bow your heads as the leader prays.

All: Amen.

 Sing "Saying Yes"

Saying yes, saying yes to our God.
Jesus, you're my friend.
You are here with me.
I know you are always by my side.

FAMILIA + FE
VIVIR Y APRENDER JUNTOS

SUS HIJOS APRENDIERON >>>

Este capítulo examina la historia de Noé y de cómo los católicos le decimos "sí" a Dios, y describe el Reino de Dios como el mundo de amor, paz y justicia que está en el Cielo y que todavía se construye en la Tierra.

La Palabra de Dios

 Lean **Hebreos 11, 7** para saber por qué Noé obtuvo las bendiciones que reciben los que creen.

Lo que creemos

• Dios invita a todos a su Reino.

• La Iglesia es la comunidad de todas las personas bautizadas que creen en Dios y siguen a Jesús.

Para aprender más, vayan al *Catecismo de la Iglesia Católica* #541–546 en **usccb.org**.

Gente de fe

Esta semana, su hijo conoció a la Beata María Teresa de Jesús, fundadora de las Pobres Hermanas Escolásticas de Nuestra Señora.

LOS NIÑOS DE ESTA EDAD >>>

Cómo comprenden decir "sí" a Dios Dios nos habla de muchas maneras. Solo necesitamos aprender a escuchar su voz. Antes de que los niños de esta edad puedan comprender lo que significa decirle "sí" a Dios, deben aprender a reconocer el llamado de Dios. Ellos pueden hacerlo cuando los adultos los ayudan a escuchar la Palabra de Dios en la Sagrada Escritura. Los niños también experimentan el llamado de Dios en sus talentos, y en los sueños y oportunidades de su vida diaria. A medida que pasa el tiempo, su hijo aprende cada vez mejor a responder la pregunta: "¿Qué me estará diciendo Dios ahora?".

CONSIDEREMOS ESTO >>>

¿Cuándo se dieron cuenta de que su perspectiva estaba limitada por su experiencia personal?

Es posible que se hayan dado cuenta de esto cuando se casaron y la familia de su cónyuge hacía las cosas de otra manera, o cuando fueron a un país extranjero, o cuando se hicieron amigos de alguien de otro lugar del mundo. Como seres humanos, estamos limitados. Necesitamos la ayuda de Dios para reconocer la verdad. "…el Espíritu Santo, que reside en la Iglesia, lleva a todos los creyentes a creer aquello que pertenece verdaderamente a la fe" (*CCEUA, p. 27*).

HABLEMOS >>>

• Hablen del primer maestro que les enseñó acerca de Dios.

• Den un ejemplo de alguna ocasión en su vida cuando dijeron "sí" a Dios.

OREMOS >>>

 Querido Dios, ayúdanos a estar agradecidos con los trabajadores de nuestra parroquia y con nuestros maestros. Gracias por el amor que ellos demuestran. Amén.

Visiten **vivosencristo.osv.com** para encontrar un glosario multimedia de Palabras católicas, lecturas dominicales, y recursos de Santos y tiempos festivos.

FAMILY+FAITH
LIVING AND LEARNING TOGETHER

YOUR CHILD LEARNED >>>

This chapter examines the story of Noah and how Catholics say "yes" to God and describes the Kingdom of God as the world of love, peace, and justice that is in Heaven and is still being built on Earth.

God's Word

 Read **Hebrews 11:7** to learn why Noah was given the blessings that come to those who believe.

Catholics Believe

- God invites everyone into his Kingdom.
- The Church is the community of all baptized people who believe in God and follow Jesus.

To learn more, go to the *Catechism of the Catholic Church* #541–546 at **usccb.org**.

People of Faith

This week, your child met Blessed Mary Theresa of Jesus, the founder of the School Sisters of Notre Dame.

CHILDREN AT THIS AGE >>>

How They Understand Saying "Yes" to God God speaks to us in many ways. We simply need to learn to listen to his voice. Before children can understand what it means to say "yes" to God, they must understand how to recognize the call of God. They can do this when adults in their lives help them to hear God's Word in Scripture. Children also experience God's call in their talents, dreams, and opportunities in their daily lives. As time goes on, your child will become better and better at answering the question, "What might God be saying to me right now?"

CONSIDER THIS >>>

When did you realize that your perspective was limited by your personal experience?

You may have realized this when you got married and your spouse's family did things differently, or when you went to a foreign country, or made a friend from another place in the world. As human beings we are limited. We need God's help to recognize what is truth. "…the Holy Spirit, dwelling in the Church, draws the whole body of the faithful to believe what truly belongs to the faith" (*USCCA, p. 25*).

LET'S TALK >>>

- Talk about the teacher who first taught you about God.
- Give an example of a time in your life when you've said "yes" to God.

LET'S PRAY >>>

 Dear God, help us appreciate our parish workers and teachers. Thank you for the love they show. Amen.

 For a multimedia glossary of Catholic Faith Words, Sunday readings, seasonal and Saint resources, and chapter activities go to **aliveinchrist.osv.com**.

Capítulo 10 Repaso

A **Trabaja con palabras** Encierra en un círculo la palabra correcta que completa cada oración.

1. María dijo ____ a la invitación de Dios.

"sí"   "no"

2. Dios invita a ____ las personas a entrar en su Reino.

todas   algunas

3. Ser ____ es una manera de decir "sí" a Dios.

bondadoso   injusto

4. La comunidad de las personas bautizadas que creen en Dios y siguen a Jesús es ____.

la Iglesia   la clase

5. Dios puso un ____ en el cielo como señal para Noé.

pájaro   arcoíris

B **Confirma lo que aprendiste** Marca con una X las maneras de decir "sí" a Dios.

6. ▢ Rezar con tu familia.

7. ▢ Cuidar a un hermano.

8. ▢ Discutir con tus padres.

Chapter 10 Review

A **Work with Words** Circle the correct word to complete each sentence.

1. Mary said ____ to God's invitation.

   (**"yes"**)   **"no"**

2. God invites ____ people into his Kingdom.

   (**all**)   **some**

3. Being ____ is a way of saying "yes" to God.

   (**kind**)   **unfair**

4. The community of baptized people who believe in God and follow Jesus is called ____.

   (**the Church**)   **the class**

5. God put a ____ in the sky as a sign to Noah.

   bird   (**rainbow**)

B **Check Understanding** Mark an X in front of the ways to say "yes" to God.

6. ☒ Pray with your family.

7. ☒ Take care of a brother or sister.

8. ☐ Argue with your parents.

El Guía de la Iglesia

 Oremos

Líder: Gracias, Dios, por tu Espíritu Santo.

"Enséñame a que haga tu voluntad,
    ya que tú eres mi Dios;
que tu buen espíritu me guíe
    por un terreno plano". Salmo 143, 10

Todos: Espíritu Santo, guíanos y enséñanos.
Amén.

La Palabra de Dios

"… el fruto del Espíritu es caridad, alegría, paz, comprensión de los demás, generosidad, bondad, fidelidad, mansedumbre y dominio de sí mismo. […] Si ahora vivimos según el espíritu, dejémonos guiar por el Espíritu." Gálatas 5, 22-23. 25

? ¿Qué piensas?

- ¿Qué te ayuda a ser comprensivo y generoso para mostrar amor?

- ¿Cómo sabes que el Espíritu Santo está contigo?

The Church's Guide

 Let Us Pray

Leader: Thank you, God, for your Holy Spirit.

"Teach me to do your will,
   for you are my God.
May your kind spirit guide me
   on ground that is level."   Psalm 143:10

All: Holy Spirit, guide and teach us. Amen.

📖 God's Word

"… the fruit of the Spirit is love, joy, peace, patience, kindness, generosity, faithfulness, gentleness, self-control…. If we live in the Spirit, let us also follow the Spirit."
Galatians 5:22–23, 25

❓ What Do You Wonder?

- What helps you be patient and kind, to show love?
- How do you know that the Holy Spirit is with you?

Los guías están para ayudarnos en nuestro camino.

Dios Espíritu Santo

¿Cómo nos guía el Espíritu Santo?

Palabras católicas

Espíritu Santo la Tercera Persona Divina de la Santísima Trinidad

Necesitamos guías que nos dirijan y enseñen. Un guardaparques guía a los que visitan un parque. Un guía de turismo ayuda a hallar lugares importantes en la ciudad que se visita. Un guía del museo de los niños puede ayudarlos a aprender sobre las cosas interesantes que hay allí.

Necesitas un guía para permanecer cerca de Dios Padre y de Jesús, que también es Dios Hijo. Dios **Espíritu Santo** ayudará a guiarte

Guides are there to help us on our journey.

God the Holy Spirit

How does the Holy Spirit guide us?

We need guides to help lead us and teach us. A ranger guides people who visit a park. A tour guide helps people to find important places in a city that they are visiting. A guide in the children's museum can help children to learn about the interesting things that are there.

You need a guide to stay close to God the Father and to Jesus, who is also God the Son. God the **Holy Spirit** will help guide you.

Catholic Faith Words

Holy Spirit the Third Divine Person of the Holy Trinity

La obra del Espíritu Santo

Jesús volvería pronto con Dios Padre. Les prometió a sus seguidores que vendría un ayudante.

La Palabra de Dios

Jesús promete el Espíritu Santo

Jesús dijo: "... el Espíritu Santo, [...] que el Padre les va a enviar en mi Nombre, les enseñará todas las cosas y les recordará todo lo que yo les he dicho."   Juan 14, 26

Subraya el guía que Jesús prometió enviar.

El guía que vino para ellos es el Espíritu Santo. El Espíritu Santo está hoy con nosotros. Vive en toda la Iglesia.

Comparte tu fe

Piensa ¿Cómo es el Espíritu Santo un guía para toda la Iglesia? Une los puntos para hallar un símbolo del Espíritu Santo.

Comparte Habla acerca de qué manera el Espíritu Santo es un guía.

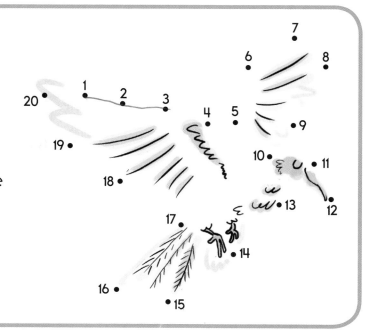

The Work of the Holy Spirit

Jesus would soon be going back to God the Father. He promised his followers that a helper would come.

God's Word

Jesus Promises the Holy Spirit

Jesus said, "The holy Spirit that the Father will send in my name—he will teach you everything and remind you of all that [I] told you." John 14:26

The guide who came to them is the Holy Spirit. The Holy Spirit is with us today. He lives in the whole Church.

 Underline the guide that Jesus promised to send.

Share Your Faith

Think How is the Holy Spirit a guide to the whole Church? Connect the dots to find a symbol of the Holy Spirit.

Share Talk about how the Holy Spirit is a guide.

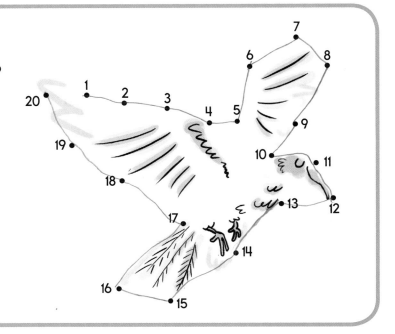

Los caminos hacia Dios

¿Quién puede mostrarte el camino hacia Dios?

A veces, otras personas pueden mostrarnos el camino que conduce hacia Dios. Santa Teresa encontró un camino sencillo para llegar a Dios.

Subraya cómo trabajaba Santa Teresa para Dios.

Santa Teresa del Niño Jesús

Teresa era la hija menor de su familia. Sabía que Dios la amaba. Ella también amaba mucho a Dios.

Sentía que Dios no la había llamado a hacer ninguna de las cosas grandiosas y valientes que habían hecho algunos Santos. Pero ella sabía que, de todas maneras, podía trabajar para Dios a través de sus pequeñas tareas. Esto se llama "el caminito". Santa Teresa sabía que Dios vería el amor en su trabajo.

Santa Teresa del Niño Jesús

Ways to God

Who can show you the way to God?

Sometimes other people can show us the way to God. Saint Thérèse found a simple way to God.

Saint Thérèse of Lisieux

Thérèse was the youngest child in her family. She knew that God loved her. She loved God very much, too.

She felt that God had not called her to do some of the great big, brave things that some of the Saints had done. But she knew she could still work for God through her little jobs. This is called "the little way." Saint Thérèse knew that God would see the love in her work.

Saint Thérèse of Lisieux

Underline how Saint Thérèse worked for God.

Cuando adulta, Teresa escribió sobre su caminito en un libro. Muchos leyeron el libro y siguieron el caminito. Teresa ayudó a que mucha gente encontrara a Dios. Ella es una Santa especial.

➜ **¿Cómo nos ayuda el caminito de Teresa a hacer lo que Dios pide?**

Una guía para todos

Santa Teresa condujo a las personas hacia el amor de Dios. Lo hizo porque Dios Espíritu Santo guió su obra. El Espíritu Santo también te guía. Te guardará cerca de Dios Padre y Dios Hijo.

Practica tu fe

Usa el código Resuelve el mensaje codificado para saber quién guía a la Iglesia. Escribe la letra que coincide con cada número en la siguiente frase.

1 = E	2 = I	3 = U	4 = O	5 = P
6 = R	7 = S	8 = T	9 = A	10 = N

Dios

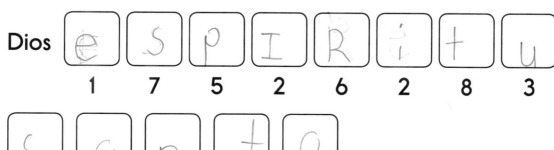

E S P I R I T U
1   7   5   2   6   2   8   3

S A N T O
7   9   10   8   4

After Thérèse grew up, she wrote about her little way in a book. Many people read the book and followed the little way. Thérèse helped many people find God. She is a special Saint.

➜ **How does Thérèse's little way help people to do what God asks?**

A Guide for Everyone

Saint Thérèse led people to God's love. She did this because God the Holy Spirit guided her work. The Holy Spirit guides you, too. He will keep you close to God the Father and to God the Son.

Connect Your Faith

Use the Code Solve the code to learn who guides the Church. Write the letter that matches each number in the phrase below.

1 = H	2 = I	3 = L	4 = O	5 = P
6 = R	7 = S	8 = T	9 = Y	

God the

H O L Y
1 4 3 9

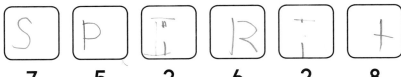

S P I R I T
7 5 2 6 2 8

Nuestra vida católica

¿Cómo te ayuda el Espíritu Santo?

El Espíritu Santo vino a ayudar a los amigos de Jesús. Les dio dones como el valor y el entendimiento. Estos son los Dones que te da el Espíritu Santo.

Marca dos Dones del Espíritu Santo que hayas visto en tu familia esta semana.

Dones del Espíritu Santo

Don	Cómo te ayuda
sabiduría	te ayuda a verte y a ver a los demás como los ve Dios
entendimiento	te ayuda a comprender las verdades de la fe
buen juicio (consejo)	te ayuda a tomar buenas decisiones
valor (fortaleza)	te ayuda a actuar con valentía
ciencia	te ayuda a conocer mejor a Dios
reverencia (piedad)	te ayuda a orar todos los días
admiración y veneración (temor de Dios)	te ayuda a entender lo grande y poderoso que es Dios

Our Catholic Life

How does the Holy Spirit help you?

The Holy Spirit came to help Jesus' friends. He gave them gifts like courage and understanding. Here are the Gifts the Holy Spirit gives you.

Gifts of the Holy Spirit

Gift	How It Helps
☐ wisdom	helps you see yourself and others as God sees you
☐ understanding	helps you understand the truths of the faith
☐ right judgment (counsel)	helps you make good choices
☐ courage (fortitude)	helps you act bravely
☐ knowledge	helps you know God better
☐ reverence (piety)	helps you pray every day
☐ wonder and awe (fear of the Lord)	helps you understand how great and powerful God is

Check off two Gifts of the Holy Spirit that you have seen in your family this week.

Gente de fe

Santa Rosa de Lima, 1586–1617

Al nacer, Santa Rosa de Lima fue llamada Isabel. Su familia decía que era tan bonita como una flor y le decían "Rosa". El Espíritu Santo le dio a Rosa el don de la piedad. Ella oraba y ayunaba a diario. Amaba el mundo de Dios. Usó su don para cultivar flores que vendía para ayudar a su familia y cuidar de los pobres.

23 de agosto

Comenta: ¿Qué dones te ha dado el Espíritu Santo?

Aprende más sobre Santa Rosa de Lima en **vivosencristo.osv.com**

Vive tu fe

Sigue al Espíritu Santo Si la acción de abajo muestra amor por Dios y los demás, colorea la paloma del Espíritu Santo. Si la acción no muestra amor, tacha la paloma.

 Compartir tu juguete nuevo con un amigo.

 Ponerle un apodo a alguien.

 Ayudar a doblar la ropa lavada.

 Orar.

 Tirar basura en el patio de juegos.

People of Faith

Saint Rose of Lima, 1586–1617

Saint Rose of Lima was named Isabel at birth. Her family said she was as pretty as a flower, so they called her "Rose." The Holy Spirit gave Rose the gift of piety. She prayed and fasted every day. She loved God's world. She used her gift to grow beautiful flowers that she sold to help her family and care for the poor.

August 23

Discuss: What gifts has the Holy Spirit given you?

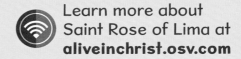 Learn more about Saint Rose of Lima at **aliveinchrist.osv.com**

Live Your Faith

Follow the Holy Spirit If the action below shows love for God and others, color the dove of the Spirit. If the action does not show love, cross out the dove.

 Share your new toy with a friend.

 Call someone a bad name.

 Help fold the laundry.

 Pray.

 Throw trash on the playground.

Oremos

Oración para pedir

Reúnanse y comiencen con la Señal de la Cruz.

Líder: Cuando les pregunto a los demás si puedo jugar,

Todos: Ven, Espíritu Santo, guíame.

Líder: Cuando temo hacer lo correcto,

Todos: Ven, Espíritu Santo, guíame.

Líder: Cuando tengo que ayudar a los demás,

Todos: Ven, Espíritu Santo, guíame.

Canten "Ven, Espíritu Santo"

Ven, Espíritu Santo,
y envíanos tu luz.
Ven, Dios Espíritu Santo,
y envíanos desde el cielo tu luz,
para iluminarnos.

Letra basada en Leccionario I © 1976, Comisión
Episcopal Española de Liturgia
de la Conferencia del Episcopado Mexicano.
Administradora exclusiva en EE. UU.:
US Conference of Catholic Bishops. Derechos
reservados. Con las debidas licencias.

Let Us Pray

Asking Prayer

Gather and begin with the Sign of the Cross.

Leader: When I ask others to play,

All: Come, Holy Spirit, guide me.

Leader: When I am afraid to do what is right,

All: Come, Holy Spirit, guide me.

Leader: When I need to help others,

All: Come, Holy Spirit, guide me.

Sing "The Holy Spirit"

The Holy Spirit, sent from God above.
The Holy Spirit, bringing peace and love.
Receive the power of the Holy Spirit today!

The Holy Spirit, giving strength each day.
The Holy Spirit, showing us the way.
Receive the power of the Holy Spirit
today!

FAMILIA + FE

VIVIR Y APRENDER JUNTOS

SUS HIJOS APRENDIERON >>>

Este capítulo explora la promesa de Jesús de enviar al Espíritu Santo —la Tercera Persona Divina de la Santísima Trinidad— para guiar a la Iglesia.

La Palabra de Dios

 Lean **Juan 14, 15–26** para saber cómo el Espíritu Santo está siempre con nosotros.

Lo que creemos

- Dios Espíritu Santo es la Tercera Persona de la Santísima Trinidad.
- El Espíritu Santo llena de amor el corazón de las personas y guía a la Iglesia.

Para aprender más, vayan al *Catecismo de la Iglesia Católica* #737–741 en **usccb.org**.

Gente de fe

Esta semana, su hijo conoció a Santa Rosa de Lima. Rosa usaba los Dones del Espíritu Santo para vivir una vida santa en el Perú del siglo XVII.

LOS NIÑOS DE ESTA EDAD >>>

Cómo comprenden al Espíritu Santo Aun en el más general de los términos, "Dios" y "Trinidad" son conceptos abstractos para los niños de este nivel, pero el Espíritu Santo suele ser el más elusivo de todos. Para los niños de esta edad es difícil captar la idea de esta Persona de la Santísima Trinidad, quien también habita en el corazón de todos los cristianos. Pueden ayudar a que esta idea les sea más concreta refiriéndose a los Dones y Frutos del Espíritu Santo. También será útil si su hijo comprende que el Espíritu Santo nos incita a tomar decisiones correctas y nos lleva a ser amorosos con los demás.

CONSIDEREMOS ESTO >>>

¿Recuerdan alguna ocasión en la que realmente necesitaron un guía?

Tal vez el viaje fue largo o el mejor camino no estaba claro todavía. Un buen guía puede minimizar la frustración, llevarlos a donde necesitan ir o, en algunos casos, darles información que no tenían. El Espíritu Santo guía a la Iglesia. Siempre que necesiten dirección, o que busquen conocer la voluntad de Dios para su vida, recuerden: "No trabajamos solos. El Espíritu Santo es nuestro maestro y guía" (*CCEUA, p.19*).

HABLEMOS >>>

- Pidan a su hijo que hable sobre alguna vez cuando recibió guía o ayuda.
- Hablen sobre alguna vez cuando el Espíritu Santo los guió o los ayudó a orar.

OREMOS >>>

 Santa Rosa, ruega por nosotros para que siempre usemos los Dones del Espíritu Santo en nuestra vida. Amén.

Visiten **vivosencristo.osv.com** para encontrar un glosario multimedia de Palabras católicas, lecturas dominicales, y recursos de Santos y tiempos festivos.

FAMILY+FAITH
LIVING AND LEARNING TOGETHER

YOUR CHILD LEARNED >>>

This chapter explores Jesus' promise to send the Holy Spirit—the Third Divine Person of the Holy Trinity—to guide the Church.

God's Word

 Read **John 14:15–26** to learn how the Holy Spirit is always with us.

Catholics Believe

- God the Holy Spirit is the Third Person of the Holy Trinity.
- The Holy Spirit fills people's hearts with love and guides the Church.

To learn more, go to the *Catechism of the Catholic Church* #737–741 at **usccb.org**.

People of Faith

This week, your child met Saint Rose of Lima. Rose used the Gifts of the Holy Spirit to live a holy life in seventeenth century Peru.

CHILDREN AT THIS AGE >>>

How They Understand the Holy Spirit Even in the most general terms, "God" and "Trinity" are abstract concepts for children at this level, but the Holy Spirit tends to be the most elusive of all. It's difficult for children this age to grasp this Person of the Trinity who also dwells within the hearts of all Christians. You can help make this more concrete by referring to Gifts and Fruits of the Holy Spirit. It will also help if your child understands that the Holy Spirit helps us to make good choices and prompts us to be loving toward others.

CONSIDER THIS >>>

Do you remember a time when you really needed a guide?

Maybe the journey was long, or the best of directions were still not clear. A good guide can lessen frustration, get you where you need to be, or in some cases give you information you didn't know. The Holy Spirit guides the Church. Whenever you need direction, or you seek to know God's will in your life, remember—"We do not work alone. The Holy Spirit is our teacher and guide" (*USCCA, p.16*).

LET'S TALK >>>

- Ask your child to share a time when he or she was guided or helped.
- Share about a time when the Holy Spirit guided you or helped you pray.

LET'S PRAY >>>

 Saint Rose, pray for us that we may always use the Gifts of the Holy Spirit in our lives. Amen.

 For a multimedia glossary of Catholic Faith Words, Sunday readings, seasonal and Saint resources, and chapter activities go to **aliveinchrist.osv.com**.

Capítulo 11 Repaso

A **Trabaja con palabras** Encierra en un círculo la palabra correcta que completa cada oración.

1. Jesús prometió enviar _____.

   la Iglesia   el Espíritu Santo

2. El Espíritu Santo guía a _____.

   la Iglesia   los animales

3. El Espíritu Santo es la _____ Persona Divina de la Santísima Trinidad.

   Primera   Tercera

4. El Espíritu Santo nos da _____ para guiarnos.

   dones   tiempo

B **Confirma lo que aprendiste** Traza las respuestas a las preguntas.

5. ¿A quién envió Jesús para que nos guiara?

   el Espíritu Santo

6. ¿De qué manera puedes seguir al Espíritu Santo?

   ayudando a los demás

A **Work with Words** Circle the correct answer to complete each sentence.

1. Jesus promised to send ____.

   the Church   ~~the Holy Spirit~~

2. The Holy Spirit guides the ____.

   ~~Church~~   animals

3. The Holy Spirit is the ____ Divine Person of the Trinity.

   First   ~~Third~~

4. The Holy Spirit gives us ____ to guide us.

   ~~gifts~~   time

B **Check Understanding** Trace the answers to the questions.

5. Who did Jesus send to guide us?

   the Holy Spirit

6. What is one way you can follow the Holy Spirit?

   Helping others

Los amigos de Dios

 Oremos

Líder: Confiamos en ti siempre, oh, Señor.

"Feliz el hombre que cuenta
con el Señor..." Salmo 40, 5

Todos: Confiamos en ti siempre, oh, Señor. Amén.

La Palabra de Dios

"Pero yo les digo: Amen a sus enemigos
y recen por sus perseguidores, para que así
sean hijos de su Padre que está en los Cielos."
Mateo 5, 44-45

? **¿Qué piensas?**

- ¿En quiénes confías?
- ¿Cuándo ha sido difícil
  mostrar bondad?

Friends of God

 Let Us Pray

Leader: We trust in you always, O Lord.

"Blessed the man who sets
his security in the LORD." Psalm 40:5

All: We trust in you always, O Lord. Amen.

 **God's Word**

"But I say to you, love your enemies, and pray for those who persecute you, that you may be children of your heavenly Father."

Matthew 5:44–45

? What Do You Wonder?

- Who do you trust?
- When has it been hard to show kindness?

Jesús visita la casa de dos hermanas llamadas Marta y María.

Palabras católicas

Santo un héroe de la Iglesia que amó mucho a Dios, que llevó una vida santa y que ahora está con Dios en el Cielo.

ángel un tipo de ser espiritual que hace la obra de Dios, como entregar mensajes de Dios o ayudar a proteger a las personas del peligro

Personas santas

¿Qué te pide Jesús que hagas?

Los **Santos** son amigos de Dios y héroes de la Iglesia. Llevaron vidas santas en la Tierra. Mostraron su amor por Dios más que nada. Ahora viven en el Cielo con Dios y los **ángeles** para siempre.

Puedes aprender de la Biblia cómo ser amigo de Dios

La Palabra de Dios

Marta y María

Jesús visitó a dos hermanas que se llamaban Marta y María. María se sentó junto a Jesús y escuchó todo lo que Él decía. Marta cocinó y limpió. ¡Ella estaba haciendo todo el trabajo! Marta empezó a enojarse con su hermana.

Jesus visits the home of two sisters named Martha and Mary.

Holy People

What does Jesus ask you to do?

Saints are God's friends and heroes of the Church. They led holy lives here on Earth. They showed their love for God more than anything. They now live with God and the **angels** forever in Heaven.

You can learn from the Bible how to be God's friend.

 ## God's Word

Martha and Mary

Jesus visited two sisters named Martha and Mary. Mary sat next to Jesus and listened to everything he said. Martha did all the cooking and cleaning. She was doing all the work! Martha started to get angry with her sister.

Catholic Faith Words

Saint a hero of the Church who loved God very much, led a holy life, and is now with God in Heaven.

angel a type of spiritual being that does God's work, such as delivering messages from God or helping to keep people safe from harm

Marta le dijo a Jesús: "María me está dejando todo el trabajo. ¡Por favor, dile que me ayude!" Jesús le dijo a Marta que no se preocupara, que María estaba haciendo lo más importante, que era escucharlo a Él.   Basado en Lucas 10, 38-42

Familia de Santos

Los Santos son personas **santas**. Están llenas del Espíritu Santo. Las personas santas sirven a Dios con amor.

Los católicos celebran a muchos Santos. ¡Tú eres parte de la Iglesia Católica y de su familia de Santos! Estás unido a los Santos que vivieron antes que tú. También, a las personas santas que viven ahora.

Palabras católicas

santas personas únicas y puras; elegidas para Dios y sus propósitos

San Antonio

Comparte tu fe

Piensa Escribe el nombre de alguien que conozcas y que sirva a Dios.

_____

- - - - - - - - - - - - - - - - - -

_____

Comparte Cuéntale a un amigo sobre esta persona. Hablen sobre cómo servir a Dios.

Martha said to Jesus, "Mary is making me do all the work. Please tell her to help me!" Jesus told Martha not to worry. He said that Mary was doing the most important thing, which was to listen to him. Based on Luke 10:38–42

Family of Saints

Saints are **holy** people. They are filled with the Holy Spirit. Holy people serve God with love.

Catholics celebrate many Saints. You are part of the Catholic Church and her family of Saints! You are connected to the Saints who lived before you. You are also connected to holy people who live now.

Catholic Faith Words

holy unique and pure; set apart for God and his purposes

Saint Anthony

Share Your Faith

Think Write the name of someone you know who serves God.

_____

- - - - - - - - - - - - - - - - - - - -

_____

Share Tell a partner about this person. Talk about ways you can serve God.

Todo tipo de Santos

¿Cómo muestran su amor los Santos?

Los relatos sobre los Santos te ayudan a aprender a ser una persona santa. Los Santos son héroes de la Iglesia. Aman mucho a Dios y llevan una vida santa. María, la Madre de Jesús, es la primera Santa y la más importante.

María es la Madre de Dios y también nuestra Madre. Ella nos ama y nos cuida como hizo con Jesús.

➔ **¿Cómo podemos agradecer a María por su amor?**

San Juan Diego

San Juan Diego vivió en México. Un día de diciembre cuando caminaba a Misa, Nuestra Señora de Guadalupe lo visitó. Le dijo que ella era la Madre de Dios y que Jesús era su Hijo. San Juan Diego pasó el resto de su vida compartiendo su historia con otros. Muchas personas que escucharon esta historia se hicieron Católicas.

➔ **¿Cómo sirvió San Juan Diego a Dios?**

All Kinds of Saints

How do Saints show their love?

Stories about the Saints help you learn how to be holy. Saints are heroes of the Church. They loved God very much and led holy lives. Mary, the Mother of Jesus, is the first and greatest of the Saints.

Mary is the Mother of God, and our Mother, too. She loves and cares for us just as she did for Jesus.

➡ **How can we thank Mary for her love?**

Saint Juan Diego

Saint Juan Diego lived in Mexico. One December day he walked to Mass. Along the way, he was visited by Our Lady of Guadalupe. She told Juan Diego that she was the Mother of God and Jesus was her Son. Saint Juan Diego spent the rest of his life sharing his story with others. Many people who heard this story became Catholic.

➡ **How did Saint Juan Diego serve God?**

Un rey

San Luis IX de Francia fue un hombre poderoso. Usó su cargo de rey para ayudar a cuidar a los enfermos y a los menos afortunados. Les servía comida a los necesitados cerca de su palacio.

La hija de un guerrero

Santa Kateri Tekakwitha es la primera indígena americana que llegó a ser Santa. Ella consagró su vida a la oración, la penitencia, los enfermos y los ancianos.

Practica tu fe

Relacionar Lee las siguientes descripciones. Empareja cada descripción con una persona santa en esta página. Escribe el número en la casilla junto a la ilustración de la persona.

1. Ayudó a alimentar y a cuidar a los demás.

2. Se consagró a una vida de oración y penitencia.

A King

Saint Louis IX of France was a powerful man. He used his position as king to help care for the sick and less fortunate. He served meals near his palace to people in need.

The Daughter of a Warrior

Saint Kateri Tekakwitha is the first Native American to become a Saint. She devoted her life to prayer, penance, and those who were sick or old.

Connect Your Faith

Matching Read the following descriptions. Match each description with a holy person on this page. Write the number in the box next to the person's picture.

1. Helped feed and take care of others

2. Was devoted to a life of prayer and penance

Nuestra vida católica

¿Cómo puedes ser Santo?

Los Santos no son solamente personas que vivieron hace mucho tiempo. ¡Dios quiere que también tú seas Santo! Tú eres amigo de Dios. Jesús te enseña a ser una persona santa y el Espíritu Santo te ayuda a llevar una vida santa todos los días.

Estas son algunas maneras de mostrar que eres amigo de Dios.

Coloca una X junto a las cosas que ya haces.

Sé amigo de Dios

- ☐ Piensa en los demás, no solo en ti mismo.
- ☐ Trata a todos con bondad.
- ☐ Ayuda cuando alguien te necesita.
- ☐ Reza todos los días.
- ☐ Aprende más acerca de Dios.
- ☐ Esfuérzate por hacer lo correcto.
- ☐ Ama a otros como lo hizo Jesús.

Our Catholic Life

How can you be a Saint?

Saints are not just people who lived a long time ago. God wants you to be a Saint, too! You are God's friend. Jesus shows you how to be holy, and the Holy Spirit helps you live a holy life every day.

Here are some ways you can show that you are God's friend.

Place an X next to the things you do already.

Be God's Friend

- ☒ Think about other people, not just yourself.
- ☒ Treat everyone with kindness.
- ☒ Help when someone needs you.
- ☒ Pray every day.
- ☒ Learn more about God.
- ☒ Try your best to do what is right.
- ☒ Love others as Jesus did.

Gente de fe

Santo Domingo, 1170–1221

Santo Domingo era muy buen orador. Les contaba a otros sobre Jesús. Cuando hablaba de Dios, venían de todas partes a escucharlo. Todos querían ser santos como Domingo. Él decía que oír sobre Dios no bastaba. Decía que, si querías ser santo, debías alabar a Dios y bendecir a otros. También decía que es más importante ser bueno y hacer lo correcto que hablar todo el tiempo.

8 de agosto

Comenta: ¿Qué cosa buena has hecho hoy?

Aprende más sobre Santo Domingo en **vivosencristo.osv.com**

Vive tu fe

Ser Santo Colorea de rojo las X y de otro color las O para hallar el mensaje oculto.

People of Faith

Saint Dominic, 1170–1221

Saint Dominic was a very good speaker. He told people about Jesus. When he talked about God, people came from all over to listen. They wanted to be holy like Dominic. He said that hearing about God wasn't enough. He said that if you want to be holy, you need to praise God and bless other people. He also said that it is more important to be good and do the right thing than to talk all the time.

August 8

Discuss: What good thing have you done today?

Learn more about Saint Dominic at **aliveinchrist.osv.com**

Live Your Faith

Being a Saint Color the X's red and the O's another color to find the hidden message.

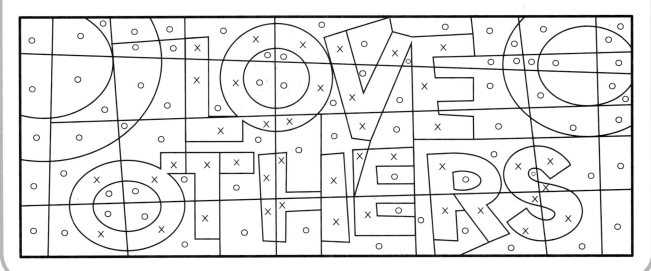

 **Oremos**

Letanía de los Santos

Reúnanse y comiencen con la Señal de la Cruz.

Líder: Al orar con los Santos, les pedimos que oren con nosotros y por nosotros. Santa María,

Todos: ruega por nosotros.

Líder: San Juan Diego,

Todos: ruega por nosotros.

Líder: San Luis IX,

Todos: ruega por nosotros.

Líder: Santa Kateri,

Todos: ruega por nosotros.

 Canten "Letanía de los Santos"

Señor, ten piedad de nosotros
Ruega por nosotros
Líbranos, Señor
Te rogamos, óyenos
Cristo, óyenos
Cristo, escúchanos.
Letra del *Misal Romano*

 **Let Us Pray**

Litany of the Saints

Gather and begin with the Sign of the Cross.

Leader: When we pray with the Saints, we ask them to pray with us and for us. Holy Mary,

All: pray for us.

Leader: Saint Juan Diego,

All: pray for us.

Leader: Saint Louis IX,

All: pray for us.

Leader: Saint Kateri,

All: pray for us.

 Sing "Oh, When the Saints"

Oh, when the saints go marching in;
Oh, when the saints go marching in;
Oh, Lord, I want to be
in that number,
when the saints go
marching in.

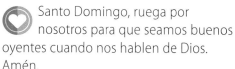

FAMILIA + FE
VIVIR Y APRENDER JUNTOS

SUS HIJOS APRENDIERON >>>

Este capítulo explica cómo los Santos son personas que amaron mucho a Dios, hicieron Su obra en la Tierra y están con Él en el Cielo.

La Palabra de Dios

 Lean **Mateo 5, 44–45** para aprender cómo Dios quiere que amemos a quienes nos tratan mal.

Lo que creemos

- Los Santos son héroes de la Iglesia que nos muestran cómo debemos vivir.
- En la Iglesia se llama a las personas a llevar vidas santas, como lo hicieron María y todos los Santos.

Para aprender más, vayan al *Catecismo de la Iglesia Católica* #956–958 en **usccb.org**.

Gente de fe

Esta semana, su hijo conoció a Santo Domingo, fundador de la Orden de Predicadores, llamados Dominicos, cuyos dones especiales los ayudaron a difundir el Evangelio.

LOS NIÑOS DE ESTA EDAD >>>

Cómo comprenden a las personas santas Todos los niños tienen héroes. Algunos "héroes" son mejores ejemplos que otros. Los "héroes" también se distinguen por su longevidad. Por otra parte, los Santos son grandes ejemplos y tienen un poder permanente. Los niños pueden relacionarse con los Santos porque son personas reales que vivieron una vida católica en su propio tiempo y circunstancia. Para aprovechar por completo el gran ejemplo de los Santos, es importante que los niños tengan la oportunidad de aprender, no solo acerca de su extraordinaria virtud, sino también sobre la manera en que los Santos tenían una vida normal. Esto nos ayuda a relacionarnos y a conectarnos con los Santos como seres humanos reales.

CONSIDEREMOS ESTO >>>

¿Cómo se siente su hijo cuando es elegido para hacer algo especial?

Cuando un maestro o entrenador le da a su hijo la oportunidad de destacarse por sus talentos, este es un momento de verdadera alegría. Qué diferente sería nuestra vida si estuviéramos más conscientes de que Dios nos ha llamado a cada uno a usar los dones y talentos que nos ha dado para transformar el mundo. "Dios llama a todos los miembros de la Iglesia a la fidelidad a la unión con Él que tuvo lugar en el Bautizo y que continúa en los otros sacramentos" (*CCEUA, p. 157*). Ciertamente, hemos sido elegidos y esto debe darnos alegría.

HABLEMOS >>>

- Hablen de sus Santos preferidos. ¿Quiénes eran y qué hacían?
- Pidan a su hijo que piense en maneras de vivir una vida santa.

OREMOS >>>

 Santo Domingo, ruega por nosotros para que seamos buenos oyentes cuando nos hablen de Dios. Amén.

Visiten **vivosencristo.osv.com** para encontrar un glosario multimedia de Palabras católicas, lecturas dominicales, y recursos de Santos y tiempos festivos.

FAMILY+FAITH
LIVING AND LEARNING TOGETHER

YOUR CHILD LEARNED >>>

This chapter explains how Saints are people who loved God very much, did his work on Earth, and are with him in Heaven.

God's Word

 Read **Matthew 5:44–45** to learn how God wants us to love those who mistreat us.

Catholics Believe

- Saints are heroes of the Church who can show us how to live.
- People in the Church are called to live holy lives, as Mary and all the Saints did.

To learn more, go to the *Catechism of the Catholic Church* #956–958 at **usccb.org**.

People of Faith

This week, your child met Saint Dominic, the founder of the Order of Preachers, called the Dominicans, whose special gifts help them spread the Gospel.

CHILDREN AT THIS AGE >>>

How They Understand Holy People Every child has heroes. Some "heroes" are better examples than others. "Heroes" can also differ in their longevity. The Saints, on the other hand, are great examples, and they have staying power. Children can relate to Saints because they are real people who lived the Catholic life in their own time and situation. In order to fully take advantage of the great examples Saints can be, it's important that kids have an opportunity to learn not only of their extraordinary virtue, but also the ways in which the Saints' daily lives were ordinary. This helps us to relate and connect with the Saints as real human beings.

CONSIDER THIS >>>

How does your child feel when he or she is chosen to do something special?

When a teacher or coach gives your child an opportunity to let his/her gifts or talents shine, it is a real moment of joy. How different our lives would be if we were more conscious that God has called each of us to use the gifts and talents he has given us to transform the world. "God calls all the members of the Church to fidelity to the union with him begun at Baptism and continued in the other Sacraments" (*USCCA, p. 146*). We are indeed chosen and it should give us joy.

LET'S TALK >>>

- Talk about your favorite Saints. Who were they and what did they do?
- Ask your child to think of some ways he or she can live a holy life.

LET'S PRAY >>>

 Saint Dominic, pray for us that we may be good listeners when people tell us about God. Amen.

For a multimedia glossary of Catholic Faith Words, Sunday readings, seasonal and Saint resources, and chapter activities go to **aliveinchrist.osv.com**.

Capítulo 12 Repaso

A **Trabaja con palabras** Encierra en un círculo la respuesta correcta.

1. La Santa más importante es _____.

Santa Rosa de Lima   (María)

2. Ser una persona santa significa estar apartado para _____.

(Dios)   María

3. Tú eres _____.

Padre de Dios   (amigo de Dios)

B **Confirma lo que aprendiste** Traza las palabras para responder a las preguntas.

4. ¿Cómo llamamos a los héroes de la Iglesia que amaron a Dios, llevaron una vida santa y ahora están con Dios en el Cielo?

Santos

5. ¿Cómo llamamos a los seres espirituales que hacen la obra de Dios?

ángeles

Chapter 12 Review

A **Work with Words** Circle the correct answer.

1. The greatest Saint is ____.

   Saint Rose of Lima   (Mary)

2. To be holy means to be set apart for ____.

   (God)   Mary

3. You are ____.

   God's Father   (God's friend)

B **Check Understanding** Trace the words to answer the questions.

4. What do we call heroes of the Church who loved God, lived holy lives, and are now with God in Heaven?

   Saints

5. What do we call the spiritual beings that do God's work?

   angels

A **Trabaja con palabras** Traza las palabras para responder a las preguntas.

1. El ~~Reino~~ de Dios es el mundo de amor, paz y justicia que está en el Cielo y se sigue construyendo en la Tierra.

2. El ~~Espíritu Santo~~ guía a la Iglesia.

3. Los ~~Santos~~ son personas que amaron mucho a Dios, que llevaron una vida santa y que ahora están con Dios en el Cielo.

Traza una línea que una la Columna A con el mejor final de la Columna B.

Columna A

4. El signo de la promesa de Dios a Noé fue

5. La Iglesia comparte el mensaje de Jesús sobre

6. Puedes mostrar que eres amigo de Dios al

Columna B

tratar a todos con bondad.

un arcoíris.

el Reino de Dios.

A **Work with Words** Trace the words to answer the questions.

1. The ⎯Kingdom⎯ of God is the world of love, peace, and justice that is in Heaven and is still being built on Earth.

2. The ⎯Holy Spirit⎯ guides the Church.

3. ⎯Saints⎯ are people who loved God very much, led holy lives, and are now with God in Heaven.

Draw a line from Column A to the best ending in Column B.

Column A	Column B
4. The sign of God's promise to Noah was	treating everyone with kindness.
5. The Church shares Jesus' message about	a rainbow.
6. You can show you are God's friend by	God's Kingdom.

Repaso de la Unidad

B **Confirma lo que aprendiste** Traza las palabras para responder a las preguntas.

7. ¿Qué prometió Jesús a sus seguidores?

El enviará al Espíritu Santo.

8. ¿Cómo le dijo Noé "sí" a Dios?

Construyó el arca.

9. ¿Cómo te ayuda el Espíritu Santo?

El Espíritu Santo me guía.

10. ¿Por qué se dice que los Santos son personas santas?

Ellos sirven a Dios con amor.

B **Check Understanding** Trace the words to answer the questions.

7. What did Jesus promise his followers?

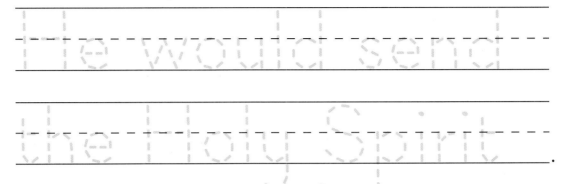

He would send
the Holy Spirit.

8. How did Noah say "yes" to God?

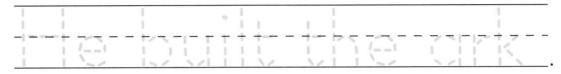

He built the ark.

9. How does the Holy Spirit help you?

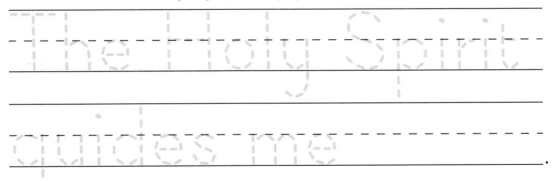

The Holy Spirit
guides me.

10. Why are Saints called holy?

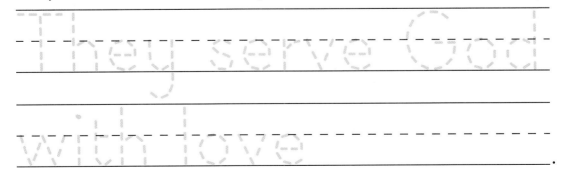

They serve God
with love.

C **Relaciona** Dibuja una manera de mostrar un corazón acogedor.

11.

C **Make Connections** Draw one way to show a
welcoming heart.

11.

Moralidad

Nuestra Tradición Católica

- Las palabras y acciones de Jesús nos enseñan que debemos amar y servir a Dios y a los demás. (CIC, 1721)

- Los Diez Mandamientos son leyes de Dios que nos dicen cómo amar a Dios y a los demás. (CIC, 2067)

- A veces pecamos, pero Dios siempre nos perdona cuando nos arrepentimos de verdad. (CIC, 605, 982)

- Dios quiere que perdonemos a los demás y a nosotros mismos. (CIC, 1968)

¿Por qué Dios nos da los Mandamientos?

Morality

Our Catholic Tradition

- Jesus' words and actions teach us that we are to love and serve God and others. (CCC, 1721)

- The Ten Commandments are laws from God that tell us how to love God and others. (CCC, 2067)

- Sometimes we sin, but God always offers forgiveness when we are truly sorry. (CCC, 605, 982)

- God wants us to forgive others and forgive ourselves. (CCC, 1968)

Why does God give us Commandments?

Los discípulos sirven

 **Oremos**

Líder: Oh Señor, enséñame a ayudar a los demás.

"Quiero cantar lo que es bueno y justo;
para ti, Señor, será mi salmo". Salmo 101, 1

Todos: Oh Señor, enséñame a ayudar a los demás. Amén.

La Palabra de Dios

El más grande entre ustedes se hará el servidor de todos. El que piense que es más importante que otro está equivocado. El que piense que todos son importantes tiene razón. Basado en Mateo 23, 11-12

¿Qué piensas?

- ¿Cómo sirves a tus amigos?
- ¿Qué haces para servir a tu familia?

Disciples Serve

 Let Us Pray

Leader: O Lord, teach me how to help others.

"I sing of mercy and justice;
to you, LORD, I sing praise." Psalm 101:1

All: O Lord, teach me how to help others.
Amen.

God's Word

The greatest among you must be your servant. Whoever thinks they are more important than someone else is wrong. Whoever thinks everyone is important is right. Based on Matthew 23:11–12

What Do You Wonder?

• How do you serve your friends?

• What do you do to serve your family?

Jesús, el Siervo

¿Qué significa servir a los demás?

Jesús enseñó a las personas a **servir** ayudando a otros amorosamente. Esto las sorprendía.

servir ayudar o dar a los demás lo que necesitan, de una manera amorosa

Subraya lo que Jesús hizo para enseñar a sus seguidores.

 La Palabra de Dios

Jesús lava los pies a sus discípulos

Una noche Jesús compartió una comida especial con sus seguidores. Durante la cena, Jesús se levantó y ató una toalla a su cintura. Puso agua en una vasija. Jesús lavó y secó los pies de sus discípulos. Sus seguidores se sorprendieron al ver a su maestro hacer el trabajo de un siervo.

Jesus the Servant

What does it mean to serve others?

Jesus taught people to **serve** by helping others in a loving way. This surprised them.

 ## God's Word

The Washing of the Disciples' Feet

One night Jesus shared a special meal with his followers. During supper, Jesus got up and tied a towel around his waist. He poured water into a basin. Jesus washed and dried his disciples' feet. His followers were surprised to see their teacher do the work of a servant.

Catholic Faith Words

serve to help or give others what they need in a loving way

 Underline what Jesus did to teach his followers.

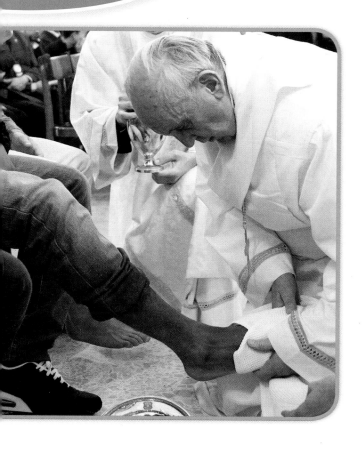

Jesús les dijo que así como Él les lavaba los pies, ellos debían lavárselos a otros. Les pidió servir a los demás. **Basado en Juan 13, 2-17**

Servir como Jesús

Jesús sirvió a sus seguidores. Él les enseñó cómo servir a los demás. Los buenos ayudantes sirven con amor en su corazón. Tú puedes servir a los demás de muchas maneras.

Comparte tu fe

Piensa Haz un dibujo de algo que puedas hacer para ayudar, o servir, a las personas de tu vecindario.

Comparte tu idea con un compañero.

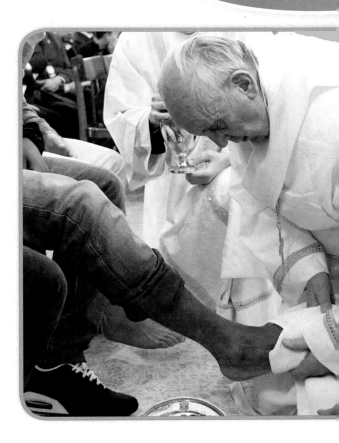

Jesus told them that if he would wash their feet that they should do the same and wash another's feet. He told them to serve others.
Based on John 13:2–17

Serve Like Jesus

Jesus served his followers. He taught them to serve others. Good helpers serve with love in their hearts. You can serve others in many ways.

Share Your Faith

Think Draw a picture of something you can do to help, or serve, people in your neighborhood.

Share your idea with a partner.

Discípulos de Jesús

¿Cómo puedes ser seguidor de Jesús?

Jesús usó más que palabras para enseñar acerca del amor de Dios y de cómo servir a los demás. También usó acciones. Él mostró a las personas cómo confiar en su Padre y ayudar a los demás.

Tú eres un **discípulo** de Jesús. Esto significa que crees en Él y sigues su ejemplo. Jesús ayudó a los demás.

➜ ¿Cómo puedes ayudar a quienes te rodean?

Palabras católicas

discípulo un seguidor de Jesús que cree en Él y vive según sus enseñanzas

Haz un dibujo de alguna forma en la que alguien te haya ayudado.

Disciples of Jesus

How can you be a follower of Jesus?

Jesus used more than words to teach about God's love and how to serve others. He used actions, too. He showed people how to trust in his Father and help others.

You are a **disciple** of Jesus. This means you believe in him and follow his example. Jesus helped others.

➔ **How can you be a helper to those around you?**

Catholic Faith Words

disciple a follower of Jesus who believes in him and lives by his teachings

Draw one way someone else has helped you.

Servir a Dios y a los demás

Servir a otros hizo feliz a Jesús. Él sirvió otros con un corazón bondadoso. Puedes servir dejando que otros elijan primero o pasen delante de ti en la fila. Puedes servir escuchando a alguien que necesita un amigo. Cuando sirves, puedes mostrar el amor de Dios.

Dios Padre te pide que sirvas con un corazón bondadoso y feliz. Al servir a otros le sirves a Él. Él quiere que seas lo mejor que puedas ser. Al formar buenos hábitos, tus acciones pueden hacer felices a otros.

Practica tu fe

Búsqueda de palabras Usa el Vocabulario para encontrar las palabras en la Búsqueda de palabras. Encierra en un círculo cada palabra que encuentres.

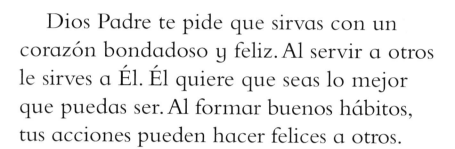

T	D	I	O	S	T	O	A
S	O	N	R	E	I	R	C
E	G	S	E	R	V	I	R
R	A	M	A	R	E	Y	O
A	Y	U	D	A	R	L	P

Vocabulario

ayudar

sonreír

amar

servir

Dios

Serve God and Others

Serving others made Jesus happy. Jesus served others with a kind heart. You can serve by letting others choose first or go ahead of you in line. You can serve by listening when someone needs a friend. When you serve, you can show God's love.

God the Father asks you to serve with a kind, happy heart. By serving others, you serve him. He wants you to be the best you can be. By developing good habits, your actions can make others happy.

Connect Your Faith

Word Search Use the Word List to find the words in the Word Search. Circle each word when you find it.

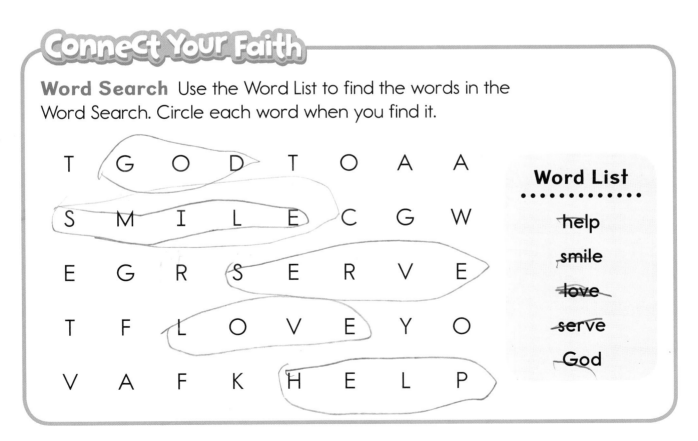

T	G	O	D	T	O	A	A
S	M	I	L	E	C	G	W
E	G	R	S	E	R	V	E
T	F	L	O	V	E	Y	O
V	A	F	K	H	E	L	P

Word List

help
smile
love
serve
God

Nuestra vida católica

¿Cómo puedes seguir a Jesús y servir a los demás?

Jesús les dio a sus amigos un ejemplo de cómo servir a los demás. Dijo: "Síganme. Hagan lo que yo hago".

Seguir a Jesús no solo significa lavar los pies de las personas. Hay muchas maneras de seguir a Jesús y servir a los demás con amor. Estas son algunas ideas.

Coloca una marca junto a las cosas que te gustaría hacer.

Sigue a Jesús y sirve a los demás

✓ Abraza a alguien que esté solo.

✓ Comparte comida con alguien que tenga hambre.

✓ Dale un abrigo a alguien que tenga frío.

✓ Alegra a alguien que esté triste.

✓ Ayuda a levantarse a alguien que se haya caído.

Our Catholic Life

How can you follow Jesus and serve others?

Jesus gave his friends an example of how to serve others. He said, "Follow me. Do what I do."

Following Jesus doesn't just mean washing people's feet. There are many ways to follow Jesus and serve others with love. Here are some ideas.

Place a check mark next to the things you would like to do.

Follow Jesus and Serve Others

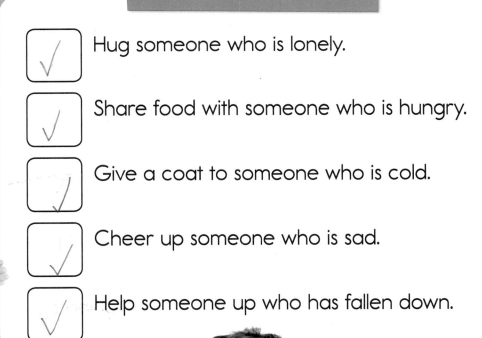

- ✓ Hug someone who is lonely.

- ✓ Share food with someone who is hungry.

- ✓ Give a coat to someone who is cold.

- ✓ Cheer up someone who is sad.

- ✓ Help someone up who has fallen down.

Gente de fe

Venerable Padre Solanus Casey, 1870–1957

Solanus Casey quería ser sacerdote, pero no podía ser un sacerdote regular porque no había obtenido buenas calificaciones en la escuela. Le pidió a Dios que le mostrara cómo podía servir mejor a los demás. El Padre Solanus escuchaba a las personas y los ayudaba con sus problemas. Muchas personas se curaron de enfermedades cuando el Padre Solanus rezó por ellas.

Comenta: ¿Qué puedes hacer hoy para ayudar a uno de tus amigos?

Aprende más sobre el Padre Solanus Casey en **vivosencristo.osv.com**

Vive tu fe

Une las acciones Une una manera en la que puedes ayudar a las personas en las imágenes.

Sé amable con alguien que está solo

Ayuda a recoger

People of Faith

Venerable Father Solanus Casey, 1870–1957

Solanus Casey wanted to be a priest, but he couldn't be a regular priest because he didn't get good grades in school. He asked God to show him how he could best serve others. Father Solanus listened to people and helped them with their problems. Many people were cured of sickness when Father Solanus prayed for them.

Discuss: What can you do to help one of your friends today?

 Learn more about Father Solanus Casey at **aliveinchrist.osv.com**

Live Your Faith

Match the Actions Match one way that you could help the people in the pictures.

Be kind to someone who is lonely

Help pick up

 Oremos

Oración de promesa

Reúnanse y comiencen con la Señal de la Cruz.

Líder: Jesús dijo: "Yo estoy entre ustedes como el que sirve".   Lucas 22, 27

Sigan los pasos de Jesús. Oren para ser de los que sirven.

Líder: Cuando alguien necesite un amigo,

Todos: Yo seguiré a Jesús y serviré.

Líder: Cuando se necesite una tarea doméstica.

Todos: Yo seguiré a Jesús y serviré.

Líder: Cuando alguien necesite ánimo,

Todos: Yo seguiré a Jesús y serviré.

Líder: Cuando alguien necesite ayuda,

Todos: Yo seguiré a Jesús y serviré.

Todos: Canten "Cristo Está Conmigo"

Cristo está conmigo,
junto a mí va el Señor,
me acompaña siempre
en mi vida hasta el fin.

 **Let Us Pray**

A Promise Prayer

Gather and begin with the Sign of the Cross.

Leader: Jesus said, "I am among you as the one who serves." Luke 22:27

Follow in Jesus' footsteps. Pray to be one who serves.

Leader: When someone needs a friend,

All: I will follow Jesus and serve.

Leader: When a job at home needs doing,

All: I will follow Jesus and serve.

Leader: When someone needs cheering up,

All: I will follow Jesus and serve.

Leader: When anyone needs help,

All: I will follow Jesus and serve.

 All: Sing "Jesus in the Morning"

Jesus, Jesus,
Jesus in the morning,
Jesus at the noontime;
Jesus, Jesus, Jesus when
the sun goes down!

FAMILIA + FE

VIVIR Y APRENDER JUNTOS

SUS HIJOS APRENDIERON >>>

Este capítulo identifica a un discípulo como un seguidor de Jesús que cree en Él, vive su enseñanza y relaciona servir a los demás con servir a Dios.

La Palabra de Dios

Lean **Mateo 23, 11–12** para saber quién es realmente el más grande ante los ojos de Dios, el que está sentado en la mesa o quien le sirve.

Lo que creemos

• Las palabras y las acciones de Jesús nos enseñan cómo amar y servir a Dios. Cuando sirven a los demás, sirven a Dios.

Para aprender más, vayan al *Catecismo de la Iglesia Católica* #1822–1827 en **usccb.org**.

Gente de fe

Esta semana, su hijo conoció al Venerable Padre Solanus Casey. Él fue un hombre humilde que dedicó su vida a servir a los demás.

LOS NIÑOS DE ESTA EDAD >>>

Cómo comprenden servir a los demás Debido a que por naturaleza están más enfocados en sus propias necesidades que en las de los demás, los niños de esta edad a veces no se dan cuenta de las maneras en que pueden ser útiles. Pueden ayudar a su hijo con esto, señalándole las ocasiones en que alguien necesite ayuda o apoyo y animándolo a pensar en maneras de dar servicio. También puede ser útil darle sugerencias, si no se le ocurren ideas propias.

CONSIDEREMOS ESTO >>>

¿Qué los motiva a ayudar a los demás?

Todos tenemos diferentes razones para actuar con caridad. Como cristianos, sin embargo, estamos unidos por el entendimiento de que nos servimos unos a otros porque hemos sido unidos a Cristo en el Bautismo y actuamos en su nombre. "En esta comunión de la Iglesia, los miembros están llamados a amar a Dios, a los demás y a sí mismos, y de esta manera a ser testigo comunitario del amor por el cual Cristo salvó al mundo. Por el amor divino nos unimos en comunión con el Padre, el Hijo y el Espíritu Santo" (*CCEUA, p. 129*).

HABLEMOS >>>

• Hablen de cómo Jesús lavó los pies de sus amigos y de cómo se habrían sentido al recibir su bondad.

• Pidan a su hijo que piense en alguien de su vecindario que pudiera necesitar ayuda. ¿Qué cosas pueden hacer usted y su familia para ayudar a esta persona?

OREMOS >>>

 Querido Dios, ayúdanos a realizar nuestras tareas domésticas sin protestar. Amén.

Visiten **vivosencristo.osv.com** para encontrar un glosario multimedia de Palabras católicas, lecturas dominicales, y recursos de Santos y tiempos festivos.

FAMILY+FAITH
LIVING AND LEARNING TOGETHER

YOUR CHILD LEARNED >>>

This chapter identifies a disciple as a follower of Jesus who believes in him, lives by his teaching, and connects serving others with serving God. ·

God's Word

 Read **Matthew 23:11–12** to learn who is truly greatest in God's eyes, the one seated at the table or the one who serves.

Catholics Believe

- Jesus' words and actions teach us how to love and serve God.
- When you serve others, you are serving God.

To learn more, go to the *Catechism of the Catholic Church* #1822–1827 at **usccb.org**.

People of Faith

This week, your child met Venerable Father Solanus Casey. He was a humble man who spent his life serving others.

CHILDREN AT THIS AGE >>>

How They Understand Serving Others Because they are naturally more focused on their own needs than on the needs of others, children at this age might sometimes fail to notice the ways in which they might be of help to another person. You can help your child with this by pointing out times when someone needs help or support and encouraging your child to think of some ways to be of service. It might also help to offer a few suggestions if he or she is unable to come up with ideas on his or her own.

CONSIDER THIS >>>

What motivates you to help others?

We all have different reasons for acting with charity. As Christians, however, we are united by the understanding that we are of service to one another because we have been united to Christ in Baptism and we act in his name. "In this communion of the Church, the members are called to love God, others, and self, and so to be a communal witness of the love by which Christ saved the world. By divine love we are joined to the communion of the Father, Son, and Holy Spirit" (*USCCA, p. 119*).

LET'S TALK >>>

- Talk about how Jesus washed his friends' feet and how they might have felt to have received his kindness.
- Ask your child to think of someone in your neighborhood who could use help. What kinds of things can you and your family do to help this person?

LET'S PRAY >>>

 Dear God, help us do our chores without complaining. Amen.

 For a multimedia glossary of Catholic Faith Words, Sunday readings, seasonal and Saint resources, and chapter activities go to **aliveinchrist.osv.com**.

Capítulo 13 Repaso

A **Trabaja con palabras** Dibuja un corazón junto a cada oración que dice algo acerca de una persona que sirve.

1. ☐ Elena ve que su maestro está cargando muchos libros. Elena se aleja.

2. ☐ Un niño se lastima en el patio. Trevor lleva al niño que llora con su maestro.

3. ☐ Alison pone la mesa para la cena.

B **Confirma lo que aprendiste** Encierra en un círculo la mejor respuesta.

4. Jesús lavó los pies de sus amigos como señal de ____.

   servir   jugar

5. Cuando sirves a los demás, muestras tu ____ por Dios.

   esperanza   amor

6. Dios Padre quiere que seas ____ de Jesús.

   líder   discípulo

7. Nombra una manera de servir a Dios y a los demás.

   _____

   _____

   _____

   _____

Chapter 13 Review

A **Work with Words** Draw a heart next to each
sentence that tells about a person who is serving.

1. [ ] Elena sees her teacher carrying a big
stack of books. Elena walks away.

2. [♡] A child is hurt on the playground. Trevor
leads the crying child to a teacher.

3. [♡] Alison sets the table for supper.

B **Check Understanding** Circle the best answer.

4. Jesus washed his friends' feet as a sign of ____.

(serving)   playing

5. When you serve others, you show your ____ for God.

hope   (love)

6. God the Father wants you to be a ____ of Jesus.

(leader)   (disciple)

7. Name one way to serve God and others.

_____

- -

_____

_____

- -

_____

Tomar decisiones

 Oremos

Líder: Dios, ayúdanos a elegir lo correcto.

"Sé bueno con tu servidor y viviré,
pues yo quisiera guardar tu palabra".
Salmo 119, 17

Todos: Dios, ayúdanos a elegir lo correcto. Amén.

La Palabra de Dios

Un hombre le preguntó a Jesús: "Maestro, ¿qué debo hacer para tener vida eterna?"

Jesús le dijo: "¿Qué está escrito en la Escritura?"

El hombre contestó: "Amarás al Señor tu Dios con todo tu corazón, toda tu alma, todas tus fuerzas y toda tu mente; y amarás a tu prójimo como a ti mismo."

"¡Excelente respuesta!" dijo Jesús. "Haz eso y vivirás."
Basado en Lucas 10, 25-28

¿Qué piensas?

- ¿Por qué llaman "Maestro" a Jesús?
- ¿Por qué a veces es difícil tomar buenas decisiones?

Making Choices

 Let Us Pray

Leader: God, please help us make good choices.

"Be kind to your servant that I may live,
that I may keep your word."
Psalm 119:17

All: God, help us make good choices. Amen.

 God's Word

A man asked Jesus, "Teacher, what must I do to receive eternal life?"

Jesus replied, "What is written in the law?"

The man answered, "Love the Lord your God with all your heart, with all your being with all your strength, and with all your mind and your neighbor as yourself."

"You have answered correctly" Jesus said. "Do this and you will live."
Based on Luke 10:25–28

What Do You Wonder?

- Why is Jesus called "Teacher"?
- Why is it sometimes hard to make good choices?

Tipos de decisiones

¿Cómo nos ayuda Dios a tomar decisiones?

Encierra en un círculo cómo tus decisiones afectan a los demás.

Algunas decisiones son fáciles de tomar. Si eliges entre dos clases de alimentos saludables, ambas decisiones son buenas. Tomar este tipo de decisiones no hará daño ni a ti ni a nadie más.

Otras decisiones son difíciles de tomar. A veces puede ser difícil elegir entre el bien y el mal. Las decisiones que tomes pueden ayudar o herir a los demás.

➤ ¿Qué decisiones toman los niños de tu edad?

Types of Choices

How does God help us make choices?

Some choices are easy to make. If you are choosing between two kinds of healthful foods, both choices are good ones. Making this kind of choice will not hurt you or anyone else.

Other choices are hard to make. Sometimes it can be difficult to choose between right and wrong. The choices you make can help others or hurt them.

Circle how your choices can affect others.

➤ **What are some choices children your age make?**

389

Un don de Dios

Hace mucho tiempo, Dios quiso ayudar a su Pueblo a saber cómo vivir. Él le dio los **Diez Mandamientos** a un hombre especial llamado Moisés. Moisés ayudó a las personas a entender las leyes de Dios. Estas leyes todavía nos ayudan a tomar buenas decisiones. Los Diez Mandamientos están en la página 628 de tu libro.

Palabras católicas

Diez Mandamientos
leyes de Dios que le dicen a las personas cómo amarlo a Él y a los demás

 ## La Palabra de Dios

Los Mandamientos de Dios

Moisés dijo: "¿Qué es lo que pide el Señor, tu Dios? Dios quiere que lo respetes y lo sigas. El Señor, tu Dios, quiere que lo ames y lo sirvas con todo tu corazón y toda tu alma. Dios quiere que obedezcas sus mandamientos y enseñanzas."

Basado en Deuteronomio 10, 12-13

Comparte tu fe

Piensa ¿Cuáles son algunas enseñanzas de Dios?

Comparte Hablen en grupo acerca de lo que Dios nos pide que hagamos.

A Gift from God

Long ago, God wanted to help his People know how to live. He gave the **Ten Commandments** to a special man named Moses. Moses helped the people understand God's laws. These laws still help us make good choices. The Ten Commandments are listed on page 629 of your book.

The Ten Commandments are listed on page 629 of your book.

Catholic Faith Words

Ten Commandments God's laws that tell people how to love him and others

 ## God's Word

God's Commandments

Moses said, "What does the Lord, your God, ask of you? God wants you to respect him and to follow him. The Lord your God wants you to love and serve him with all your heart and all your soul. God wants you to obey his commandments and teachings."
Based on Deuteronomy 10:12–13

Share Your Faith

Think What are some of God's teachings?

Share In groups, talk about what God asks us to do.

Buenas decisiones

¿Cómo afectan tus decisiones a ti y a los demás?

Dios te creó para ser libre. Puedes elegir **obedecer** a Dios. Cuando haces lo que Dios te pide, puedes elegir lo que está bien y acercarte más a Dios. Las malas decisiones te alejan de Dios.

Poder elegir entre obedecer o desobedecer a Dios se llama **libre albedrío**. Dios nos creó con libre albedrío porque quiere que tomemos buenas decisiones.

Los Diez Mandamientos te ayudan a usar tu libre albedrío para tomar decisiones amorosas.

Palabras católicas

obedecer hacer cosas o actuar de cierta manera según lo pidan quienes tienen autoridad

libre albedrío poder elegir entre obedecer o desobedecer a Dios. Dios nos creó con libre albedrío porque quiere que tomemos buenas decisiones

Pasos para tomar buenas decisiones

1. Piensa si tu decisión muestra amor por Dios y por los demás.

2. Pregúntate y pregunta a los demás si tu decisión sigue los Diez Mandamientos y las cosas que Jesús haría.

3. Pide al Espíritu Santo que te guíe.

Good Choices

How do your choices affect you and others?

God created you to be free. You can choose to **obey** God. When you do what God asks, you choose what is good and you grow closer to God. Bad choices make you turn away from God.

Being able to choose whether to obey God or disobey God is called **free will**. God created us with free will because he wants us to choose good.

The Ten Commandments can help you use your free will to make loving choices.

Catholic Faith Words

obey to do things or act in certain ways that are requested by those in authority

free will being able to choose whether to obey God or disobey God. God created us with free will because he wants us to make good choices.

Steps to Good Choices

1. Think about whether your choice shows love for God and others.

2. Ask yourself and others if your choice follows the Ten Commandments and things Jesus would do.

3. Pray to the Holy Spirit to guide you.

Las buenas decisiones
dan buenos resultados
para ti y otros.

Consecuencias

Todas las decisiones
tienen consecuencias, o
resultados. Las malas, tienen
consecuencias que pueden
lastimarte a ti o a otros.
Las buenas, tienen buenas
consecuencias. Te ayudan a
mostrar amor y respeto por ti
mismo, por otros y por Dios.

Practica tu fe

¿Buena o mala? Encierra en un círculo la
imagen que muestra la buena decisión.

Consequences

All choices have consequences, or results. Bad choices have consequences that can hurt you or others. Good choices have good consequences. They help you show love and respect for yourself, others, and God.

Good choices have good results for you and others.

Connect Your Faith

Good or Bad? Circle the picture that shows the good choice.

Nuestra vida católica

¿Cómo puedes cumplir los Diez Mandamientos?

Los Diez Mandamientos te ayudan a saber cómo mostrar amor por Dios y por los demás. Estas son algunas maneras de cumplir los Mandamientos.

Vivir los Diez Mandamientos

1. Encierra en un círculo los Mandamientos que se centran en el amor a Dios.

2. Subraya los que se centran en amar a los demás y a ti mismo.

1. Ama a Dios más que a nada ni nadie.

2. Usa el nombre de Dios con respeto.

3. Dedica tiempo para orar. Ve a Misa con tu familia los domingos o los sábados en la tarde.

4. Ama a tu familia. Trata con bondad a todos los miembros de tu familia. Obedece las reglas.

5. Evita las peleas. Busca maneras pacíficas de resolver los problemas.

6. Respeta tu cuerpo y el cuerpo de los demás. Piensa en la manera en la que hablas y actúas.

7. Cuida las cosas de otras personas. Cuida lo que tienes.

8. Sé honesto. Di solo cosas buenas sobre otros.

9. Sé sincero con tu familia y tus amigos.

10. Sé agradecido por lo que tienes.

Our Catholic Life

How can you keep the Ten Commandments?

The Ten Commandments help you know how to show love for God and for others. Here are some ways you can keep the Commandments.

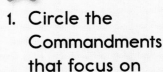

Living The Ten Commandments

1. Love God more than anyone or anything.

2. Use God's name with respect.

3. Take time to pray. Go to Mass with your family on Sundays, or Saturday evenings.

4. Love your family. Treat everyone in your family kindly. Obey the rules.

5. Stay away from fighting. Find peaceful ways to solve problems.

6. Respect your body and the bodies of others. Think about the way you speak and act.

7. Care for other people's things. Take care of what you have.

8. Be honest. Say only good things about people.

9. Be true to family members and friends.

10. Be thankful for what you have.

1. Circle the Commandments that focus on loving God.

2. Underline the ones that focus on loving others and yourself.

Gente de fe

Santa Francisca Cabrini, 1850–1917

Santa Francisca Cabrini vivió en Italia. Ella quería ir a China a enseñar a las personas de allá acerca de Dios. El Papa León XIII, en cambio, le pidió que fuera a Estados Unidos. La Madre Francisca tomó una decisión. Ella decidió obedecer al Papa. Dejó Italia y fue a Estados Unidos donde construyó escuelas, orfanatos y hospitales.

13 de noviembre

Comenta: Habla acerca de una decisión difícil que hayas tomado.

 Aprende más sobre Santa Francisca en **vivosencristo.osv.com**

Vive tu fe

Elige Lee los Diez Mandamientos en la página 628. Elige un Mandamiento y haz un dibujo de una manera en la que puedas cumplirlo esta semana.

People of Faith

Saint Frances Cabrini, 1850–1917

Saint Frances Cabrini lived in Italy. She wanted to go to China to teach the people there about God. Pope Leo XIII asked her to go the United States instead. Mother Frances had a choice. She decided to obey the Pope. She left Italy and went to the United States where she built schools, orphanages, and hospitals.

November 13

Discuss: Talk about a hard choice you had to make.

Learn more about Saint Frances at **aliveinchrist.osv.com**

Live Your Faith

Choose Read the Ten Commandments on page 629. Pick one Commandment and draw a picture of one way you can follow it this week.

 **Oremos**

Oración de ayuda

Reúnanse y comiencen con la Señal de la Cruz.

Líder: Pidan ayuda al Espíritu Santo para tomar decisiones sabias y amorosas.

Lector 1: Cuando olvide poner a Dios en primer lugar,

Todos: Espíritu Santo, ayúdame a elegir amar.

Lector 2: Cuando tenga pereza y no quiera orar,

Todos: Espíritu Santo, ayúdame a elegir amar.

Lector 3: Cuando no quiera escuchar a mis padres,

Todos: Espíritu Santo, ayúdame a elegir amar.

Lector 4: Cuando esté enojado y quiera decir o hacer algo hiriente,

Todos: Espíritu Santo, ayúdame a elegir amar.

Lector 5: Cuando quiera tomar algo que no me pertenece,

Todos: Espíritu Santo, ayúdame a elegir amar.

Lector 6: Cuando piense en mentir,

Todos: Espíritu Santo, ayúdame a elegir amar.

 Canten "Ven, Llena Mi Vida"

 **Let Us Pray**

A Helping Prayer

Gather and begin with the Sign of the Cross.

Leader: Ask the Holy Spirit for help to make wise and loving choices.

Reader 1: When I forget to put God first,

All: Holy Spirit, help me choose to love.

Reader 2: When I am lazy and do not want to pray,

All: Holy Spirit, help me choose to love.

Reader 3: When I don't feel like listening to my parents,

All: Holy Spirit, help me choose to love.

Reader 4: When I am angry and want to say or do something hurtful,

All: Holy Spirit, help me choose to love.

Reader 5: When I want to take something that doesn't belong to me,

All: Holy Spirit, help me choose to love.

Reader 6: When I think about telling a lie,

All: Holy Spirit, help me choose to love.

 Sing "C-H-O-I-C-E-S"

FAMILIA + FE

VIVIR Y APRENDER JUNTOS

SUS HIJOS APRENDIERON >>>

Este capítulo explica el libre albedrío como un don de Dios y los Diez Mandamientos como las leyes de Dios que nos dicen cómo debemos amar a Dios y a los demás.

La Palabra de Dios

 Lean **Lucas 10, 25–28** para saber cuál es el Mandamiento más importante según Jesús.

Lo que creemos

- Los Diez Mandamientos son las leyes de Dios para ayudar a las personas a amarlo y amar a los demás.
- Dios le da a las personas la libertad de elegir.

Para aprender más, vayan al *Catecismo de la Iglesia Católica* #2056–2060 en **usccb.org**.

Gente de fe

Esta semana, sus hijos conocieron a Santa Francisca Cabrini, la primera ciudadana estadounidense en ser canonizada. Santa Francisca quería ser misionera en China pero, en vez de eso, vino a los EE. UU.

LOS NIÑOS DE ESTA EDAD >>>

Cómo comprenden el tomar decisiones Las reglas son muy importantes para los niños de esta edad. Apenas comienzan a aprender la relación entre causa y efecto, la idea de que el mundo funciona según ciertas reglas, así que tienden a formarse ideas acerca de diversos lugares y situaciones según sean las reglas. También se angustian cuando alguien no está siguiendo las reglas, aun cuando no les afecte directamente. Pueden ayudar a su hijo a tomar decisiones correctas dándole normas de comportamiento claras, consistentes y adecuadas a su edad de desarrollo.

CONSIDEREMOS ESTO >>>

¿Qué los mueve a hacer lo correcto, a elegir lo que es bueno?

A veces sabemos qué es lo correcto, pero no tenemos suficiente valor o motivación para hacerlo. Vivir una relación correcta con Dios nos ayuda a vivir una relación correcta con los demás. El Espíritu Santo les dará la gracia para hacer la voluntad de Dios. "La vida moral requiere de la gracia… La gracia que recibimos de Cristo en el Espíritu es tan esencial como el amor y las reglas y, de hecho, hace posible el amor y el obedecer las reglas" (*CCEUA, p. 338*).

HABLEMOS >>>

- Pidan a su hijo que hable de decisiones que haya tomado recientemente.
- Hablen de hacer algo que no querían hacer al principio, pero que luego resultó ser lo correcto.

OREMOS >>>

 Santa Francisca Cabrini, ruega por nosotros para que tomemos las decisiones correctas y siempre obedezcamos a nuestra madre y nuestro padre. Amén.

 Visiten **vivosencristo.osv.com** para encontrar un glosario multimedia de Palabras católicas, lecturas dominicales, y recursos de Santos y tiempos festivos.

FAMILY+FAITH
LIVING AND LEARNING TOGETHER

YOUR CHILD LEARNED >>>

This chapter explains free will as a gift from God and the Ten Commandments as God's laws that tell us how to love God and others.

God's Word

 Read **Luke 10:25–28** to find out what Jesus said is the most important Commandment.

Catholics Believe

- The Ten Commandments are God's laws to help people love him and others.
- God gives people the freedom to choose.

To learn more, go to the *Catechism of the Catholic Church* #2056–2060 at **usccb.org**.

People of Faith

This week, your child met Saint Frances Cabrini, the first American citizen to be canonized. Saint Frances wanted to be a missionary to China, but came to the U.S. instead.

CHILDREN AT THIS AGE >>>

How They Understand Making Choices Rules are very important to children at this age. They are just beginning to understand cause and effect, the idea that the world works according to certain rules, so they tend to form their ideas about various places and situations based on what the rules are. They also become distressed when someone else is not following the rules, even when it does not directly impact them. You can help your child make good choices by providing him or her with clear, developmentally appropriate, and consistent guidelines for behavior.

CONSIDER THIS >>>

What moves you to do the right thing, to choose what is good?

Sometimes we know the right thing to do, but we aren't brave enough or motivated enough to do so. Living in right relationship with God helps us to live in right relationship with others. The Holy Spirit will give you the grace to do God's will. "The moral life requires grace…the grace that comes to us from Christ in The Spirit is as essential as love and rules and, in fact, makes love and keeping the rules possible" (*USCCA*, p. 318).

LET'S TALK >>>

- Ask your child to talk about some choices he or she has made recently.
- Talk about doing something you didn't want to do at first, but that later turned out to be the right thing to do.

LET'S PRAY >>>

 Saint Frances Cabrini, pray for us that we may make the right choices and always obey our mothers and fathers. Amen.

For a multimedia glossary of Catholic Faith Words, Sunday readings, seasonal and Saint resources, and chapter activities go to **aliveinchrist.osv.com**.

Capítulo 14 Repaso

A **Trabaja con palabras** Encierra en un círculo la palabra correcta para completar cada oración.

1. Los Diez Mandamientos son las ____ de Dios.

    leyes   historias

2. Dios le dio a ____ los Diez Mandamientos.

    Jesús   Moisés

3. Yo muestro amor por Dios cuando elijo lo que es ____.

    fácil   bueno

4. Una mala decisión nos ____ a nosotros y a los demás.

    hiere   ayuda

5. ____ decisiones tienen consecuencias.

    Algunas   Todas las

6. ____ a Dios cuando hacemos lo que nos pide.

    Obedecemos   Desobedecemos

B **Confirma lo que aprendiste** Escribe tu respuesta en el espacio a continuación.

7. ¿Cómo se llama poder elegir entre obedecer o desobedecer a Dios?

_____

- -

_____

Chapter 14 Review

A **Work with Words** Circle the correct word to complete each sentence.

1. The Ten Commandments are God's ____.

   laws   stories

2. God gave ____ the Ten Commandments.

   Jesus   Moses

3. I show love for God when I choose what is ____.

   easy   good

4. A bad choice can ____ us and others.

   hurt   help

5. ____ choices have consequences.

   Some   All

6. We ____ God when we do what he asks.

   obey   disobey

B **Check Understanding** Write your answer on the space below.

7. What is being able to choose whether to obey or disobey God called?

   _____

   -

   _____

Mostrar arrepentimiento

 Oremos

Líder: Que aprendamos que Dios nos perdona siempre y para siempre. Amén.

Crea en mí, oh, Dios, un corazón puro, renueva en mí un espíritu firme.
Basado en el Salmo 51, 12

Todos: Gracias, Dios, por enseñarnos a perdonar.

La Palabra de Dios

Pedro se acercó a Jesús y le preguntó: "¿Cuántas veces debo perdonar a alguien que me hizo algo malo? ¿Es suficiente siete veces?" Jesús le contestó: "¡No solo siete, sino setenta y siete veces!" Basado en Mateo 18, 21-22

? ¿Qué piensas?

- ¿A quién perdonas?
- ¿Cuándo dices "lo siento"?

Showing Sorrow

 Let Us Pray

Leader: May we learn that God forgives us always and forever. Amen.

Create a clean heart for me, O God; renew in me a strong spirit.
Based on Psalm 51:12

All: Thank you, God, for teaching us how to forgive.

God's Word

Peter went up to Jesus and asked, "How many times should I forgive someone who does something wrong to me? Is seven times enough?" Jesus answered: "Not just seven times, but seventy-seven times!" Based on Matthew 18:21–22

? What Do You Wonder?

- Who do you forgive?
- When do you say "I'm

Es importante tomar tiempo para pensar sobre nuestras decisiones.

Obedecer a Dios

¿Cómo puedes fortalecer tu amistad con Dios?

Cuando decides hacer algo que sabes que está mal, desobedeces a Dios. Cuando desobedeces a Dios, cometes un **pecado**. Los accidentes y los errores no son pecados. No los hacemos a propósito.

Cuando pecas, hieres tu amistad con Dios. También te hieres a ti mismo y a los demás cuando no decides hacer el bien.

Dios quiere que lo obedezcas. Él te pide que lo ames y ames a otros con todo tu corazón. Cuando lo haces, tu amistad con Dios se fortalece.

Palabras católicas

pecado la decisión de una persona de desobedecer a Dios a propósito y de hacer algo que sabe que está mal. Los accidentes y los errores no son pecados.

It is important to take time to think about our choices.

Obeying God

How can you help your friendship with God stay strong?

When you choose to do something you know is wrong, you disobey God. When you disobey God, you commit a **sin**. Accidents or mistakes are not sins. We do not do them on purpose.

When you sin, it hurts your friendship with God. You also hurt yourself and others when you do not choose to do good.

God wants you to obey him. He asks you to love him and others with your whole heart. When you do this, your friendship with God grows stronger.

Arrepentirse

Jesús contó un relato acerca de la forma en la que Dios quiere que actúes cuando te arrepientes.

 ## La Palabra de Dios

El Padre que Perdona

Había un hombre que tenía dos hijos. El menor quería la mitad del dinero de su padre para irse de la casa. El padre, muy triste, le dio el dinero a su hijo menor.

El hijo se fue y gastó todo el dinero. Consiguió un trabajo cuidando cerdos. Estaba triste y solo, y tenía frío. Comenzó a caminar de regreso a su casa. Esperaba que su padre le diera un trabajo mejor.

Cuando regresó, le dijo a su padre, llorando: "Estoy arrepentido de haber pecado. Ya no merezco ser tu hijo." El padre abrazó a su hijo e hizo una gran fiesta.

El hijo mayor se enojó porque su padre lo había perdonado. Pero el padre le dijo: "Él ha vuelto a casa. Debemos darle la bienvenida." **Basado en Lucas 15, 11-32**

Comparte tu fe

Piensa en momentos en los que las personas son egoístas.

Comparte un ejemplo con tu compañero.

Being Sorry

Jesus told a story about how God wants you to act when you are sorry.

 God's Word

The Forgiving Father

Once a father had two sons. The younger son wanted half of his father's money so he could leave home. The father sadly gave the younger son the money.

The son left and wasted all his money. He got a job feeding pigs. He was sad and cold and all alone. The son started to walk home. He hoped that his father would give him a better job.

When the son returned, he cried, "I am sorry I have sinned. I am not good enough to be your son." The father hugged his son and threw a big party.

The older son was angry that his father forgave him. But the father said, "He has come home. We must welcome him."

Based on Luke 15:11–32

Share Your Faith

Think about some times when people are selfish.

Share one example with your partner.

Pide perdón

¿Cómo sabe Dios si te arrepientes de no obedecerlo?

Subraya lo que Dios quiere que hagas.

Jesús enseñó que su Padre perdona a los pecadores. Dios nos perdona cuando estamos verdaderamente arrepentidos y pedimos su perdón a través de la Iglesia.

Dios quiere que tú también perdones. Dios quiere que todos sean amigos.

Cuando las personas perdonan, muestran amor por Dios y por los demás. Cuando le pides a alguien que te perdone, esperas que esa persona diga "¡Sí!".

No siempre es fácil perdonar a alguien que te ha lastimado o hecho enojar. Dios quiere que le des a esa persona otra oportunidad de remediar las cosas.

Ask for Forgiveness

How does God know if you are sorry for not obeying him?

Jesus taught that his Father forgives sinners. God forgives us when we are truly sorry and ask his forgiveness through the Church.

God wants you to forgive, too. God wants all people to be friends.

When people forgive, they show love for God and others. When you ask someone to forgive you, you hope the person will say "Yes!"

It's not always easy to forgive someone who has hurt you or made you mad. God wants you to give that person another chance to make things better.

Underline what God wants you to do.

Remediar las cosas

Dios quiere que estés cerca de Él. Cuando pecas, puedes decir "Lo siento. Perdóname. Trataré de tomar mejores decisiones".

Dios siempre dirá "¡Te perdono!" Dios siempre está dispuesto a perdonarte. El amor de Dios por ti no tiene fin.

➤ **¿Cuándo has sentido el amor de Dios?**

Practica tu fe

Dibuja un final Trabaja con un compañero. Imagina que has herido los sentimientos de alguna persona. Dibuja una manera de remediar las cosas.

Make Things Better

God wants you to be close to him. When you sin, you can say "I'm sorry. Please forgive me. I will try to make better choices."

God will always say "I forgive you!" God is always ready to forgive you. God's love for you never ends.

➡ **When have you felt God's love?**

Connect Your Faith

Draw an Ending Work with a partner. Imagine that you have hurt someone's feelings. Draw a way to make things better.

Nuestra vida católica

¿Cómo puedes remediar algo que hiciste mal?

Cuando tomas una mala decisión, lastimas a los demás y a ti mismo. Quizá te parezca difícil remediar las cosas. El Espíritu Santo te ayudará. Estos son algunos pasos que puedes seguir.

Remediar las cosas

1 Piensa en lo que has hecho. Dile a Dios que te arrepientes.

2 Dile a quien lastimaste que te arrepientes y pídele perdón.

3 Haz todo lo posible para remediar lo que hiciste mal.

4 Pide al Espíritu Santo que te ayude a ser mejor.

Our Catholic Life

How can you make up for doing something wrong?

When you make a bad choice, you hurt others and yourself. It might seem hard to make things better. The Holy Spirit will help you. Here are some steps to follow.

Making Things Better

1 Think about what you have done. Tell God you are sorry.

2 Tell the person you hurt that you are sorry and ask for forgiveness.

3 Do whatever you can to make up for what you did wrong.

4 Ask the Holy Spirit to help you do better in the future.

Gente de fe

San Dimas, siglo I

San Dimas fue crucificado al mismo tiempo que Jesús. Él sabía que había hecho cosas malas. Pidió perdón por todo lo que había robado. Después le pidió a Jesús que lo recordara en el Cielo. Jesús le dijo a San Dimas que estaría con Dios en el Paraíso. San Dimas descubrió que cuando nos arrepentimos de nuestros pecados, Dios siempre nos perdona.

25 de marzo

Comenta: ¿Cuál es la mejor manera de decirle a alguien que te arrepientes?

 Aprende más sobre San Dimas en **vivosencristo.osv.com**

Vive tu fe

Pulgar arriba, pulgar abajo Encierra en un círculo el pulgar hacia arriba si las palabras o acciones muestran perdón. Encierra el pulgar hacia abajo si no lo muestran.

   Decir que te arrepientes.

   Decir "no" cuando alguien te pide perdón.

   Pedir perdón a la persona que heriste.

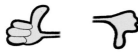 Pedir al Espíritu Santo que te ayude a ser mejor en adelante.

People of Faith

Saint Dismas, first century

Saint Dismas was crucified at the same time as Jesus. He knew that he had done bad things. He asked forgiveness for all the things he stole. Then he asked Jesus to remember him in Heaven. Jesus told Saint Dismas that he would be with God in Paradise. Saint Dismas discovered that when we are sorry for our sins, God will always forgive us.

March 25

Discuss: What is the best way to let someone know you are sorry?

Learn more about Saint Dismas at **aliveinchrist.osv.com**

Thumbs Up or Down Circle the thumbs up if the words or actions show forgiveness. Circle the thumbs down if they do not.

   Saying you are sorry.

   Saying "no" when someone asks you for forgiveness.

   Asking the person you've hurt for forgiveness.

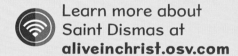 Asking the Holy Spirit to help you do better in the future.

 **Oremos**

Oración para pedir perdón

Reúnanse y comiencen con la Señal de la Cruz.

Líder: Juntos, digamos a Dios que nos arrepentimos y que trataremos de hacer mejor las cosas. Repitan después de mí: Dios mío, me arrepiento de mis pecados con todo el corazón.

Todos: (Repitan)

Líder: Cuando elijo hacer el mal y no hago el bien,

Todos: (Repitan)

Líder: He pecado contra ti.

Todos: (Repitan)

Líder: No quiero pecar porque te amo.

Todos: (Repitan)

Líder: Prometo que con tu ayuda

Todos: (Repitan)

Líder: trataré de mejorar. Amén.

Todos: (Repitan)

▶ Canta "Toma Mi Pecado"

 **Let Us Pray**

Prayer for Forgiveness

Gather and begin with the Sign of the Cross.

Leader: Together, let us tell God we are sorry and we will try to do better.
Repeat after me: My God, I am sorry for my sins with all my heart.

All: (Echo)

Leader: In choosing to do wrong and failing to do good,

All: (Echo)

Leader: I have sinned against you.

All: (Echo)

Leader: I do not want to sin because I love you.

All: (Echo)

Leader: I promise that with your help

All: (Echo)

Leader: I will try to do better. Amen.

All: (Echo)

 Sing "Children of God"

FAMILIA + FE

VIVIR Y APRENDER JUNTOS

SUS HIJOS APRENDIERON >>>

Este capítulo explica las consecuencias del pecado y nuestra necesidad del perdón de Dios.

La Palabra de Dios

 Lean **Mateo 18, 21–22**, para saber qué dijo Jesús sobre cuántas veces debemos perdonar a alguien.

Lo que creemos

- Dios siempre perdona a quienes están verdaderamente arrepentidos y le piden perdón.
- Dios nos pide que perdonemos a los demás y a nosotros mismos.

Para aprender más, vayan al *Catecismo de la Iglesia Católica* #1846–1850 en **usccb.org**.

Gente de fe

Esta semana, su hijo conoció a San Dimas, el nombre que recibió el buen ladrón que fue crucificado con Jesús.

LOS NIÑOS DE ESTA EDAD >>>

Cómo comprenden el decir "Perdón" Muchos niños son obligados a disculparse cuando han hecho algo incorrecto, aunque no estén plenamente conscientes del efecto de su comportamiento en la otra persona. Pueden ayudar a su hijo a disculparse sinceramente ayudándolo a comprender lo que sintió la otra persona a causa de ese comportamiento. A veces es útil escuchar a la otra persona decir cómo se sintió. Además, a veces es mejor una acción concreta para remediar el daño que solo palabras.

CONSIDEREMOS ESTO >>>

¿Les cuesta admitir que han hecho algo incorrecto?

Para muchas personas, admitir que están equivocados es un reto difícil. Se pueden sentir disminuidos o confundir lo que hicieron con quiénes son. Como adultos, sin embargo, reconocemos que es necesario ser honestos acerca de nuestros errores o nunca podremos crecer. "La confesión nos libera del pecado que molesta nuestros corazones y hace que sea posible que nos reconciliemos con Dios y con los demás. Se nos pide que miremos el interior de nuestras almas y que, con una mirada honesta y sin parpadear, identifiquemos nuestros pecados. Esto abre nuestras mentes y corazones a Dios, nos lleva hacia la comunión con la Iglesia y no ofrece un nuevo futuro" (*CCEUA, p. 252*).

HABLEMOS >>>

- Hablen de ocasiones en las que ha sido difícil obedecer a Dios.
- Pidan a su hijo que hable de los pasos que debe seguir si toma una decisión incorrecta.

OREMOS >>>

 Querido Dios, ayúdanos a arrepentirnos siempre que te desobedezcamos. Amén.

 Visiten **vivosencristo.osv.com** para encontrar un glosario multimedia de Palabras católicas, lecturas dominicales, y recursos de Santos y tiempos festivos.

FAMILY+FAITH
LIVING AND LEARNING TOGETHER

YOUR CHILD LEARNED >>>

This chapter explains the consequences of sin and our need for God's forgiveness.

God's Word

 Read **Matthew 18:21–22** to find out how many times Jesus tells us we need to forgive someone.

Catholics Believe

- God always forgives those who are truly sorry and ask his forgiveness.
- God asks that we forgive others and ourselves.

To learn more, go to the *Catechism of the Catholic Church* #1846–1850 at **usccb.org**.

People of Faith

This week, your child met Saint Dismas, the name given to the good thief who was crucified with Jesus.

CHILDREN AT THIS AGE >>>

How They Understand Saying "I'm Sorry" Many young children are forced to apologize when they have done something wrong even though they may not fully realize the impact their behavior had on the other person. You can help your child make amends sincerely by helping him or her understand what the behavior felt like for the other person. Sometimes it helps to hear from the other person how they felt. Also, a concrete action to help make up for the wrong is often better than words alone.

CONSIDER THIS >>>

Do you find it hard to admit that you've done something wrong?

For many people admitting they are wrong is a serious challenge. They may feel diminished or they may confuse what they did with who they are. As adults, however, we recognize that it is necessary to be honest about our failings or we will never be able to grow. "Confession liberates us from sins that trouble our hearts and makes it possible to be reconciled to God and others. We are asked to look into our souls and, with an honest and unblinking gaze, identify our sins. This opens our minds and hearts to God, moves us toward communion with the Church, and offers us a new future" (*USCCA, p. 238*).

LET'S TALK >>>

- Talk about times when it's been hard to obey God.
- Ask your child to talk about the steps to follow if they make a wrong choice.

LET'S PRAY >>>

 Dear God, help us to always be sorry when we disobey you. Amen.

 For a multimedia glossary of Catholic Faith Words, Sunday readings, seasonal and Saint resources, and chapter activities go to **aliveinchrist.osv.com**.

Capítulo 15 Repaso

A **Trabaja con palabras** Escribe la letra de la palabra correcta del Vocabulario que completa cada oración.

Vocabulario
· · · · · · · · · · · · ·

a. amas

b. pecar

c. amistad

d. arrepentido

e. perdona

1. Desobedecer la ley de Dios se llama ☐.

2. Cuando ☐ a Dios, muestras tu amor.

3. Puedes empezar de nuevo con Dios

diciendo que estás ☐.

4. Cuando pecas, lastimas tu ☐ con Dios.

5. Dios siempre te ☐.

B **Confirma lo que aprendiste** Enumera los pasos para remediar las cosas.

6. ☐ Pide al Espíritu Santo que te ayude a ser mejor en adelante.

☐ Piensa en lo que has hecho.

☐ Pide perdón a la persona que lastimaste.

☐ Haz algo para remediarlo.

Chapter 15 Review

A **Work with Words** Write the letter of the word from the Word Bank that completes each sentence.

Word Bank

a. love
b. sin
c. friendship
d. sorry
e. forgive

1. Disobeying God's law is called [b].

2. When you [e] God, you show your love.

3. You can start over with God by saying I'm [d].

4. When you sin, you hurt your [c] with God.

5. God will always [a] you.

B **Check Understanding** Number the steps to make things better.

6. [4] Ask the Holy Spirit to help you do better in the future.

[1] Think about what you have done.

[2] Ask the person you hurt to forgive you.

[3] Do something to make up for it.

A **Trabaja con palabras** Encierra en un círculo la palabra correcta para completar cada oración.

1. Jesús enseñó a sus seguidores a ____ a los demás.

   servir   **divertir**

2. Los ____ Mandamientos dicen cómo amar a Dios y a los demás.

   Cinco   **Diez**

3. Las ____ decisiones te ayudan a mostrar amor y respeto por Dios y por los demás.

   malas   **buenas**

4. Cuando ____ a Dios, cometes un pecado.

   desobedeces   **obedeces**

5. Jesús enseñó que Dios ____.

   olvida   **perdona**

 **A** **Work with Words** Circle the correct word to complete each sentence.

1. Jesus taught his followers to ____ others.

(serve)   have fun with

2. The ____ Commandments tell how to love God and others.

Five   (Ten)

3. ____ choices help you show love and respect for God and others.

Bad   (Good)

4. When you ____ God, you commit a sin.

(disobey)   obey

5. Jesus taught that God ____.

forgets   (forgives)

B **Confirma lo que aprendiste** Escribe tu respuesta en los espacios a continuación.

6. Nombra una manera de servir a los demás.

_____

_____

_____

_____

_____

7. Habla acerca de un Mandamiento.

_____

_____

_____

_____

_____

8. ¿Quién te perdona cuando dices "lo siento"?

_____

_____

_____

_____

_____

B **Check Understanding** Write your answers on the spaces below.

6. Name one way to serve others.

_____

- -

_____

_____

- -

_____

7. Tell about one Commandment.

_____

- -

_____

_____

- -

_____

8. Who forgives you when you say, "I'm sorry"?

_____

- -

_____

_____

- -

_____

C **Relaciona** Encierra en un círculo las imágenes que muestran cómo seguir a Jesús.

9.

10. Dibuja una manera en la que puedes seguir a Jesús.

C **Make Connections** Circle the pictures that show how to follow Jesus.

9.

10. Draw one way you can follow Jesus.

Sacramentos

Nuestra Tradición Católica

- En la Biblia, Dios nos habla acerca de su gran amor por nosotros. (CIC, 231)

- Los Siete Sacramentos son signos y celebraciones especiales que Jesús dio a su Iglesia. Los Sacramentos nos permiten participar de la vida y la obra de Dios. (CIC, 1131)

- La Iglesia celebra los Siete Sacramentos como signos del amor y la vida de Dios. (CIC, 1116)

- La gracia significa participar de la ayuda y la vida de Dios para poder crecer como sus hijos. (CIC, 1996)

¿Cómo la gracia que recibimos de los Siete Sacramentos nos ayuda a acercarnos más a Jesús?

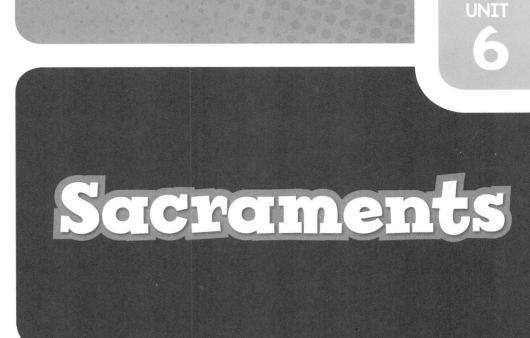

Sacraments

Our Catholic Tradition

- In the Bible, God tells us about his great love for us. (CCC, 231)

- The Seven Sacraments are special signs and celebrations that Jesus gave his Church. The Sacraments allow us to share in the life and work of God. (CCC, 1131)

- The Church celebrates the Seven Sacraments as signs of God's love and life. (CCC, 1116)

- Grace means sharing in God's help and life so that we may grow as his children. (CCC, 1996)

How does the grace we receive from the Seven Sacraments help us to grow closer to Jesus?

Jesús Salvador

 Oremos

Líder: Gracias por salvarnos, Jesús.

"Señor, te llamo, ven a mí sin demora,
escucha mi voz cuando a ti grito".
Salmo 141, 1

Todos: Gracias por salvarnos, Jesús. Amén.

 La Palabra de Dios

"El ángel dijo a las mujeres: 'Ustedes no tienen por qué temer. Yo sé que buscan a Jesús, que fue crucificado. No está aquí, pues ha resucitado, tal como lo había anunciado. Vengan a ver el lugar donde lo habían puesto.'" Mateo 28, 5-6

 **¿Qué piensas?**

- ¿Dónde está Jesús?
- ¿Cuándo hablarás con Jesús?

Jesus the Savior

 Let Us Pray

Leader: Thank you for saving us, Jesus.

> "LORD, I call to you; hasten to me;
>   listen to my plea when I call." Psalm 141:1

All: Thank you for saving us, Jesus. Amen.

 God's Word

"Then the angel said to the women in reply, 'Do not be afraid! I know that you are seeking Jesus the crucified. He is not here, for he has been raised just as he said. Come and see the place where he lay.'" Matthew 28:5–6

❓ What Do You Wonder?

- Where is Jesus?
- When will you talk with Jesus?

Adán y Eva

¿Por qué el pueblo de Dios necesita salvarse?

Dios creó a las primeras personas para que fueran igual a Él. Las hizo felices y les dio un jardín para cuidar. Entonces Adán y Eva tomaron una mala decisión. Desobedecieron a Dios y trajeron el pecado al mundo. Esto se llama el **Pecado Original**.

Dios ama

Adán y Eva no fueron más el tipo de personas que Dios quería que fueran.

Ellos rompieron su amistad con Él. Ellos sufrieron y extrañaron a Dios.

Pero Dios no dejó de amarlos. Él quería que ellos lo amaran.

Subraya lo que Dios quería que Adán y Eva hicieran

Adam and Eve

Why did God's people need to be saved?

God created the first people to be like him. He made them happy and gave them a garden to care for. Then Adam and Eve made a bad choice. They disobeyed God and brought sin into the world. This is called **Original Sin**.

God Loves

Adam and Eve were no longer the kind of people God wanted them to be.

They broke their friendship with him. They suffered, and they missed God.

But God did not stop loving them. He wanted them to love him.

Catholic Faith Words

Original Sin the first sin committed by Adam and Eve and passed down to everyone

Underline what God wanted Adam and Eve to do.

La promesa de Dios

Dios dijo: "Siempre los amaré. Les mostraré cuánto los amo. Enviaré a un Salvador para que los traiga de regreso a mí". Dios mantuvo esta promesa. Él nos envió a su Hijo, Jesús. Jesús salva a todos del pecado. Es nuestro Salvador.

Comparte tu fe

Piensa Traza el nombre del Salvador que Dios Padre nos envió.

Jesús

Comparte Habla con un compañero acerca de por qué Dios envió a un Salvador.

God's Promise

God said, "I love you always. I will show you how much I love you. I will send a Savior to bring you back to me." God kept this promise. He sent his Son, Jesus, to us. Jesus saves all people from sin. He is our Savior.

Share Your Faith

Think Trace the name of the Savior whom God the Father sent to us.

Jesus

Share Talk with a partner about why God sent a Savior.

Vida nueva con Dios

¿Cómo nos salvó Jesús del pecado?

Jesús salvó a las personas del poder del pecado. También las llevó de regreso a Dios. Jesús es el Salvador.

Subraya lo que dijeron los dos ángeles.

 La Palabra de Dios

Jesús vive

Algunos no creyeron que Jesús era Hijo de Dios. Fue arrestado y clavado en una Cruz, donde murió. Sus amigos tendieron su cuerpo en una cueva y la taparon con una gran piedra.

Algunas mujeres santas fueron a visitar la cueva. La piedra había sido movida. La cueva estaba vacía. Dos ángeles dijeron: "Jesús no está aquí. Resucitó de entre los muertos."

Luego Jesús se les apareció a sus seguidores.   Basado en Lucas 23–24

New Life with God

How did Jesus save us from sin?

Jesus saved people from the power of sin. He also brought them back to God. Jesus is the Savior.

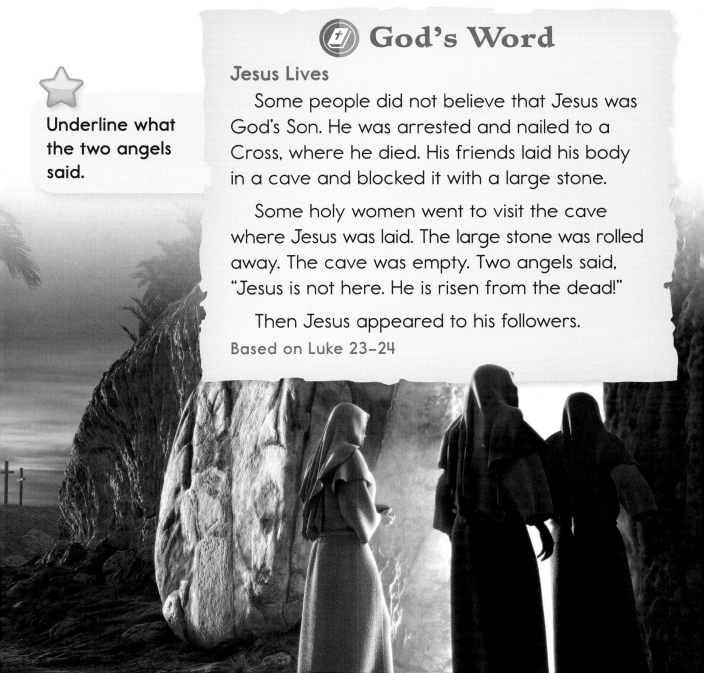

⭐ Underline what the two angels said.

📖 God's Word

Jesus Lives

Some people did not believe that Jesus was God's Son. He was arrested and nailed to a Cross, where he died. His friends laid his body in a cave and blocked it with a large stone.

Some holy women went to visit the cave where Jesus was laid. The large stone was rolled away. The cave was empty. Two angels said, "Jesus is not here. He is risen from the dead!"

Then Jesus appeared to his followers.

Based on Luke 23–24

Resurrección el acto en el que Dios Padre, por el poder del Espíritu Santo, hace que Jesús pase de la Muerte a una nueva vida

Jesús salva

El nombre de Jesús significa "Dios salva". Él murió por las personas para salvarlas de sus pecados. Jesús dio su vida para que pudieran tener una vida nueva Dios.

El paso de Jesús de la Muerte a una vida nueva se llama **Resurrección**. Dios Padre lo resucitó por el poder del Espíritu Santo.

La resurrección de Jesús es un misterio sagrado. La Iglesia celebra la Resurrección de forma especial en la Pascua.

➜ **¿Cómo celebras la Pascua?**

Practica tu fe

Hacer vitrales Colorea las letras de azul, y las formas que las rodean de otros colores y halla quién murió para salvarnos de nuestros pecados.

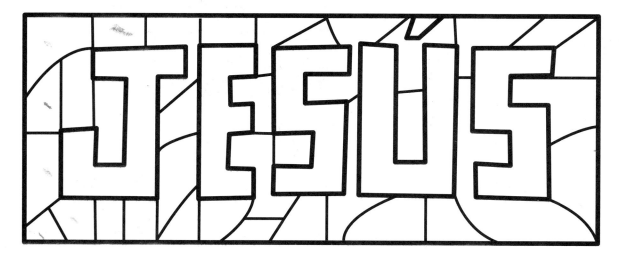

Jesus Saves

Jesus' name means, "God saves." He died for all people to save them from their sins. Jesus gave his life so that people could have new life with God.

The passing of Jesus from Death to new life is called the **Resurrection**. He was raised to new life by God the Father through the power of the Holy Spirit.

Jesus being raised to new life is a holy mystery. The Church celebrates the Resurrection in a special way on Easter.

➤ **How do you celebrate Easter?**

Catholic Faith Words

Resurrection the event of Jesus being raised from Death to new life by God the Father through the power of the Holy Spirit

Connect Your Faith

Make Stained Glass Color the letters blue and the surrounding shapes different colors to find who died to save us from our sins.

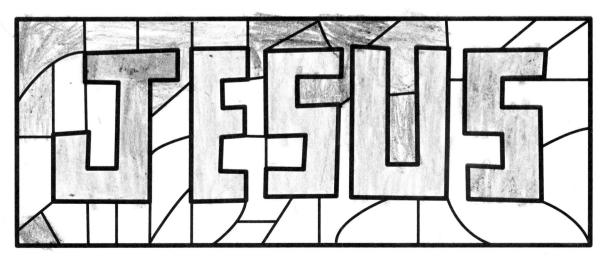

Nuestra vida católica

¿Cómo puedes compartir la Buena Nueva del amor de Dios?

Después de que Jesús resucitó de entre los muertos, envió a sus amigos a contarle a todos la Buena Nueva del amor de Dios.

Jesús quiere que tú también compartas la Buena Nueva. Puedes compartir la Buena Nueva con lo que dices y haces.

Estas son algunas maneras de compartir la Buena Nueva.

Pon una "T" junto a las cosas que tratarás de hacer esta semana.

Compartir la Buena Nueva

- ☐ Hablar a alguien sobre Jesús.

- ☐ Invitar a un amigo a ir a la Misa o a una actividad en la iglesia.

- ☐ Hacer un dibujo para alegrar a alguien que esté triste.

- ☐ Tratar a todos con bondad.

- ☐ Ayudar a que alguien tome una buena decisión.

- ☐ Perdonar a alguien que se arrepiente de haberte lastimado.

Our Catholic Life

How can you share the Good News of God's love?

After Jesus rose from the dead, he sent his friends to tell everyone the Good News of God's love.

Jesus wants you to share the Good News, too. You can share the Good News by what you say and how you act.

Here are some ways you can share Good News.

⭐ Add a "T" next to the things you will try to do this week.

Share the Good News

T | Tell someone about Jesus.

T | Invite a friend to come to Mass or a church event with you.

T | Draw a picture to cheer up someone who is sad.

T | Treat all people with kindness.

T | Help someone make a good choice.

T | Forgive someone who is sorry for hurting you.

Gente de fe

Santa Josefina Bakhita, 1869–1947

Josefina (Giuseppina) Bakhita nació en África. A los 12 años, fue raptada y hecha esclava. Fue esclava durante muchos años. Cuando creció, se quedó en un convento en Italia. Allí aprendió sobre Jesús. Descubrió que Dios nos ama tanto que murió por nosotros y quiso ayudar a otros a aprender también sobre Jesús. Se hizo hermana religiosa y ayudó a preparar misioneros para ir a África.

8 de febrero

Comenta: ¿Qué puedes hacer para que alguien sepa más sobre Jesús?

Aprende más sobre Santa Josefina Bakhita en **vivosencristo.osv.com**

Vive tu fe

Cuenta la Buena Nueva Traza las letras que cuentan la Buena Nueva.

Jesús ha

resucitado!

People of Faith

Saint Josephine Bakhita, 1869–1947

Josephine (Giuseppina) Bakhita was born in Africa. At twelve, she was kidnapped and made a slave. She was a slave for many years. When she grew up, she stayed in a convent in Italy. She learned about Jesus there. She discovered that God loves us so much he died for us and wanted to help other people learn about Jesus, too. She became a religious sister and helped prepare missionaries to go to Africa.

February 8

Discuss: How can you let someone know more about Jesus?

Learn more about
Saint Josephine Bakhita
at **aliveinchrist.osv.com**

Live Your Faith

Tell the Good News Trace the words that tell the Good News.

Jesus

is risen!

 **Oremos**

Oración de alabanza

Reúnanse y comiencen con la Señal de la Cruz.

Todos: Jesús es Salvador. ¡Aleluya!

Líder: Sálvanos, Salvador del mundo,
porque por tu Cruz
y Resurrección
nos has liberado.
Misterio de la Fe

Todos: Jesús es Salvador. ¡Aleluya!

Canten y hagan las señales de su Aleluya preferido.

Todos: Jesús es Salvador. Nuestros corazones están
llenos de agradecimiento.

 Canten "Nueva Vida"
Una nueva vida.
Tu misma vida.
Una nueva familia.
Tu misma familia.
Hijos tuyos
para siempre.

 **Let Us Pray**

Prayer of Praise

Gather and begin with the Sign of the Cross.

All: Jesus is Savior. Alleluia!

Leader: Save us, Savior of the world,
for by your Cross
and Resurrection,
you have set us free.
Mystery of Faith

All: Jesus is Savior. Alleluia!

Sing and sign a favorite Alleluia.

All: Jesus is Savior. Our hearts are filled
with thanks.

▶ Sing "Savior of the World"
Save us, Lord, for you are
the savior of the world.

FAMILIA + FE
VIVIR Y APRENDER JUNTOS

SUS HIJOS APRENDIERON >>>

Este capítulo explica el Pecado Original y la necesidad de un Salvador. Trata sobre la Muerte y Resurrección de Jesús y explica el sacrificio de Jesús como un don de amor.

La Palabra de Dios

 Lean **Mateo 28, 5–6** para saber qué le dijo el ángel a quienes buscaban a Jesús.

Lo que creemos

- A pesar de que los humanos pecaron, Dios siguió amándonos y envió su Hijo a salvarnos.
- Jesús murió y resucitó a la nueva vida, llevándonos de regreso a su Padre.

Para aprender más, vayan al *Catecismo de la Iglesia Católica* #639–642 en **usccb.org**.

Gente de fe

Esta semana, su hijo conoció a Santa Josefina Bakhita, una ex esclava africana que se convirtió en una hermana religiosa en Italia.

LOS NIÑOS DE ESTA EDAD >>>

Cómo comprenden a Jesús como el Salvador A los niños de esta edad se les hará difícil comprender la idea de que Jesús dio su vida como un sacrificio por nosotros. Sin embargo, ellos pueden comprender que Jesús nos amó tanto que quería enseñarnos cómo debemos vivir aunque Él tuviera que morir. Los niños de esta edad apenas están comenzando a captar la permanencia de la muerte, lo que los hace más receptivos al mensaje del Evangelio que dice que la muerte no pudo retener a Jesús y que Él resucitó.

CONSIDEREMOS ESTO >>>

¿Alguna vez han pensado cómo se relaciona la manera en que viven su vida diaria con el sacrificio de Jesús?

Comprender la importancia de lo que hizo Cristo por nosotros puede ser difícil, incluso para los adultos. Puede parecerles imposible vivir de manera que su vida esté a la altura del sacrificio de Jesús. Con nuestra vida, nuestros sufrimientos, nuestras oraciones y nuestro trabajo, nos unimos a Cristo. En nuestra vida individual, los sacrificios que hacemos mutuamente y por Dios nos recuerdan la importancia de Su sacrificio. "En una cultura egocéntrica, donde se enseña a la gente a ir más allá de sí misma cuando pueden recibir algo a cambio, los sacrificios que cada uno de nosotros hacemos, siguiendo el ejemplo de Jesús, quien sacrificó libremente su vida por su amor a todos, indican la realidad y el poder del amor de Dios por nosotros" (*CCEUA*, p. 234).

HABLEMOS >>>

- Hablen de las maneras en que celebramos la Resurrección de Jesús.
- Pregunten a su hijo qué piensa del sacrificio de Jesús por nosotros.

OREMOS >>>

 Querido Dios, ayúdanos a compartir tu amor con cada persona que encontremos, como lo hizo Santa Josefina. Amén.

Visiten **vivosencristo.osv.com** para encontrar más recursos y actividades.

FAMILY+FAITH
LIVING AND LEARNING TOGETHER

YOUR CHILD LEARNED >>>

This chapter explains Original Sin and the need for a Savior. It covers Jesus' Death and Resurrection and explains Jesus' sacrifice as a gift of love.

God's Word

 Read **Matthew 28:5–6** to find out what the angel said to those looking for Jesus.

Catholics Believe

- Even though humans sinned, God continued to love us and sent his Son to save us.

- Jesus died and rose to new life, bringing us back to his Father.

To learn more, go to the *Catechism of the Catholic Church* #639–642 at **usccb.org**.

People of Faith

This week, your child met Saint Josephine Bakhita, a former slave from Africa who became a religious sister in Italy.

CHILDREN AT THIS AGE >>>

How They Understand Jesus as Savior Children at this age will have difficulty understanding the idea that Jesus gave his life as a sacrifice for us. However, they can understand that Jesus loved us so much that he wanted to show us how to live even though it meant he would die. Children at this age are just beginning to grasp the permanence of death, making them particularly open to the Gospel message, which says that death could not hold Jesus, and he is risen.

CONSIDER THIS >>>

Have you ever thought about how the way you live your daily life is connected to Jesus' sacrifice?

It can be hard to grasp the importance of what Christ did for us, even for adults. It may seem impossible to live your life in a way that lives up to Jesus' sacrifice. Through our lives, our sufferings, our prayer and work, we are united with Christ. The important sacrifices that we make for each other and for God in our individual lives remind us of the importance of his sacrifice. "In a self-centered culture where people are taught to extend themselves only for something in return, the sacrifices each of us make, following the example of Jesus, who freely sacrificed his life in love for all, point to the reality and power of God's love for us" (*USCCA, p. 221*).

LET'S TALK >>>

- Talk about the ways we celebrate Jesus' Resurrection.

- Ask your child what he or she thinks about Jesus' sacrifice for us.

LET'S PRAY >>>

 Dear God, help us to share your love with everyone we meet, like Saint Josephine did. Amen.

 Visit **aliveinchrist.osv.com** for additional resources and activities.

Capítulo 16 Repaso

A **Trabaja con palabras** Completa cada oración con la letra de la palabra correcta del Vocabulario.

Vocabulario

a. ama

b. Salvador

c. desobedecieron

d. felices

e. Resurrección

1. Adán y Eva [c] a Dios.

2. Dios siempre [a] a su Pueblo.

3. Jesús es el [b].

4. Dios hizo que las personas fueran [d] con Él.

5. La [e] es el nombre del paso de Jesús de la Muerte a una vida nueva.

B **Confirma lo que aprendiste** Encierra la respuesta correcta en un círculo.

6. Adán y Eva desobedecieron a Dios y cometieron _____.

un acto de bondad   el Pecado Original

7. Jesús quiere que compartas _____.

la Buena Nueva   el pecado

8. Jesús salva a las personas del _____.

trabajo   poder del pecado

Chapter 16 Review

A **Work with Words** Complete each sentence with the letter of the correct word or words from the Word Bank.

Word Bank

a. loves
b. Savior
c. disobeyed
d. happy
e. Resurrection

1. Adam and Eve [C] God.

2. God always [a] his People.

3. Jesus is the [b].

4. God made people to be [d] with him.

5. The [e] is the name for Jesus' passing from Death to new life.

B **Check Understanding** Circle the correct answers.

6. Adam and Eve disobeyed God and committed ____.

   a kind act   (Original Sin)

7. Jesus wants you to share ____.

   (the Good News)   sin

8. Jesus saves people from ____.

   work   (the power of sin)

Los signos sagrados

 Oremos

Líder: Dios, te damos gracias por el don del amor.

"Que los pueblos te den gracias, oh Dios,
que todos los pueblos te den gracias".
Salmo 67, 6

Todos: Dios, te damos gracias por el don del amor.
Amén.

 La Palabra de Dios

"... comprenderán que yo estoy en mi Padre y ustedes están en mí y yo en ustedes."
Juan 14, 20

¿Qué piensas?

- ¿Cómo puedes estar cerca de Jesús?
- ¿Sabe Jesús lo que hay en tu corazón y en tu mente?

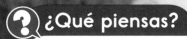

Holy Signs

 Let Us Pray

Leader: God, we thank you for the gift of love.

"May the peoples praise you, God;
may all the peoples praise you!"
Psalm 67:6

All: God, we thank you for the gift of love.
Amen.

God's Word

"You will realize that I am in my Father and you are in me and I in you." John 14:20

 What Do You Wonder?

- How can you stay close to Jesus?
- Does Jesus know what is in your heart and in your mind?

Signos de amor

¿Cómo muestra y celebra la Iglesia el amor de Dios?

Lees en la Biblia sobre el amor de Dios. Aprendes de Jesús sobre el amor de Dios. Jesús sanó a todos como un signo del amor de su Padre.

Encierra en un círculo lo que Jesús dijo a sus seguidores.

📖 La Palabra de Dios

El Protector

Jesús quería permanecer con sus seguidores aun cuando había regresado a Dios Padre. Esto es lo que les dijo:

"No los dejaré huérfanos, sino que volveré a ustedes. Dentro de poco el mundo ya no me verá, pero ustedes me verán, porque yo vivo y ustedes también vivirán." Juan 14, 18-19

Signs of Love

How does the Church show and celebrate God's love?

You read about God's love in the Bible. You learn about God's love from Jesus. Jesus healed people as a sign of his Father's love.

Circle what Jesus said to his followers.

 **God's Word**

The Advocate

Jesus wanted to remain with his followers even when he returned to God the Father. This is what he said to them:

"I will not leave you orphans; I will come to you. In a little while the world will no longer see me, but you will see me, because I live and you will live." John 14:18–19

Los Sacramentos

El amor de Dios es para celebrar. ¡Jesús enseña que Dios siempre está contigo!

El Espíritu Santo te llena del amor de Dios. Cuando muestras el amor de Dios a otras personas, el Espíritu Santo está en ti.

Jesús dio a la Iglesia signos especiales para ayudar a las personas a celebrar que Él todavía está aquí. Estos signos se llaman los **Siete Sacramentos**.

Palabras católicas

Siete Sacramentos
signos y celebraciones especiales que Jesús dio a su Iglesia. Los Sacramentos nos permiten participar de la vida y la obra de Dios.

Comparte tu fe

Piensa ¿Qué imágenes u objetos te recuerdan a Dios?

Comparte tu respuesta con un compañero.

The Sacraments

God's love is something to celebrate. Jesus teaches that God is always with you!

The Holy Spirit fills you with God's love. When you show God's love to other people, the Holy Spirit is in you.

Jesus gave the Church special signs to help people celebrate that he is still here. These signs are called the **Seven Sacraments**.

Catholic Faith Words

Seven Sacraments special signs and celebrations that Jesus gave his Church. The Sacraments allow us to share in the life and work of God.

Share Your Faith

Think What are some pictures or items that remind you of God?

Share your answer with a partner.

Signos y celebraciones

¿Cómo está hoy Jesús con nosotros?

Jesús nos da los Sacramentos para que sepamos siempre de su amor y cuidado.

Los Sacramentos son signos y celebraciones especiales. Cada uno tiene palabras y acciones que hacemos y cosas que Dios hace que no podemos ver. Cuando celebramos los Siete Sacramentos, Jesús está con nosotros. El Espíritu Santo nos lo hace presente.

Signs and Celebrations

How is Jesus with us today?

Jesus gives us Sacraments so that we can always know his love and care.

The Sacraments are special signs and celebrations. Every Sacrament has words and actions we do and things God does that we can't see. When we celebrate the Seven Sacraments, Jesus is with us. The Holy Spirit makes him present to us.

Sacramentos de la Iniciación

- Bautismo
- Confirmación
- Eucaristía

Sacramentos de Curación

- Penitencia y Reconciliación
- Unción de los Enfermos

Sacramentos al Servicio de la Comunidad

- Matrimonio
- Orden Sagrado

Practica tu fe

Dibuja un Sacramento en el que hayas participado o que hayas visto.

Sacraments of Initiation

- Baptism
- Confirmation
- Eucharist

Sacraments of Healing

- Penance and Reconciliation
- Anointing of the Sick

Sacraments at the Service of Communion

- Matrimony
- Holy Orders

Connect Your Faith

Draw a Sacrament you have taken part in or have seen.

Nuestra vida católica

¿Qué signos se usan para celebrar los Siete Sacramentos?

La Iglesia celebra Siete Sacramentos. Cada Sacramento usa palabras y signos que muestran el amor de Dios.

Encierra en un círculo los Sacramentos y signos que hayas visto.

Sacramentos	Signos	
Bautismo	Agua	Dios da una vida nueva en Jesús.
Confirmación	Óleo Sagrado (Crisma)	Se dan los dones del Espíritu Santo.
Eucaristía	Pan y vino	Cuerpo y Sangre de Cristo presentes.
Penitencia y Reconciliación	Mano extendida	Dios perdona a los que se arrepienten.
Unción de los Enfermos	Óleo Sagrado de los Enfermos	Dios sana nuestro cuerpo y espíritu.
Matrimonio	Anillos de boda	Dios bendice el amor de un hombre y una mujer.
Orden Sagrado	Óleo Sagrado (Crisma)	Dios llama a los hombres a guiar y servir a la Iglesia.

Our Catholic Life

What signs are used to celebrate the Seven Sacraments?

The Church celebrates Seven Sacraments. Each Sacrament uses words and signs that show God's love.

Circle the Sacraments and signs you have seen.

Sacraments	Signs	
Baptism	**Water**	God gives new life in Jesus.
Confirmation	**Holy Oil (Chrism)**	The gifts of the Holy Spirit are given.
Eucharist	**Bread and Wine**	The Body and Blood of Christ are present.
Penance and Reconciliation	**Outstretched Hand**	God forgives those who are sorry.
Anointing of the Sick	**Holy Oil of the Sick**	God helps heal our bodies and spirits.
Matrimony	**Wedding Rings**	God blesses the love of a man and woman.
Holy Orders	**Holy Oil (Chrism)**	God calls men to lead and serve the Church.

Gente de fe

María, siglo I

María es la Madre de Jesús. Ella es la Santa más importante. Un día un ángel le dio a María un mensaje: "Tendrás un hijo llamado Jesús". María estaba confundida. Ella preguntó: "¿Cómo puede ser?" El ángel dijo: "El Espíritu Santo vendrá sobre ti. Tu hijo será el Hijo de Dios". El Espíritu Santo estaba con María. El Espíritu Santo también está con nosotros en los Sacramentos.

1 de enero

Comenta: ¿Qué Sacramentos has recibido?

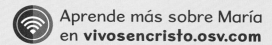 Aprende más sobre María en **vivosencristo.osv.com**

Vive tu fe

Une los signos Une los Sacramentos que están a la izquierda con los símbolos correctos de la derecha.

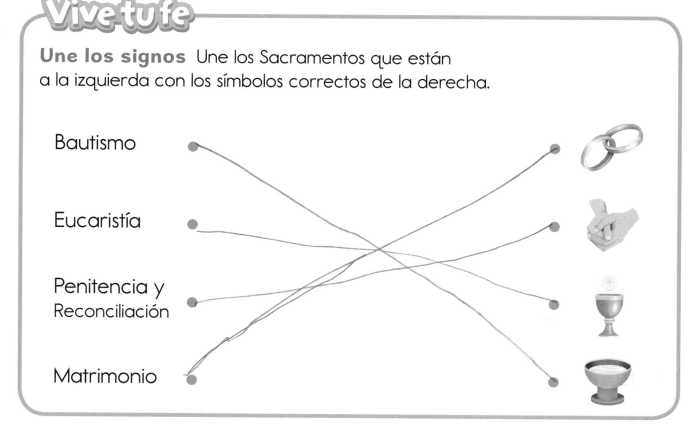

Bautismo

Eucaristía

Penitencia y Reconciliación

Matrimonio

People of Faith

Mary, first century

Mary is the Mother of Jesus. She is the greatest of all Saints. One day an angel gave Mary a message: "You will have a son named Jesus." Mary was confused. She asked, "How can this be done?" The angel said, "The Holy Spirit will come upon you. Your son will be the Son of God." The Holy Spirit was with Mary. The Spirit is with us, too, in the Sacraments.

January 1

Discuss: What Sacraments have you received?

 Learn more about Mary at **aliveinchrist.osv.com**

Live Your Faith

Match the Signs Match the Sacraments on the left with the correct symbols on the right.

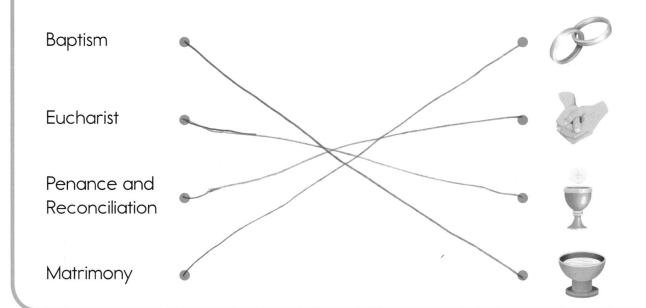

Baptism

Eucharist

Penance and Reconciliation

Matrimony

 **Oremos**

Oración de agradecimiento

Reúnanse y comiencen con la Señal de la Cruz.

Líder: Por el agua del Bautismo que da vida,

Todos: Gracias, Jesús.

Líder: Por el óleo sagrado que bendice,

Todos: Gracias, Jesús.

Líder: Por el don de tu vida en la Eucaristía,

Todos: Gracias, Jesús.

 Canten "El Señor Nos Invita"

El Señor nos invita junto a su mesa.
Como hermanos venimos
   para la cena.
Como hermanos venimos
   para la cena.
Haya paz y alegría
   que hoy es su fiesta.

 **Let Us Pray**

Prayer of Thanks

Gather and begin with the Sign of the Cross.

Leader: For Baptism's life-giving water,

All: Thank you, Jesus.

Leader: For holy oil that blesses,

All: Thank you, Jesus.

Leader: For the gift of your life in the Eucharist,

All: Thank you, Jesus.

▶ Sing "The Seven Sacraments"

The Sacraments,
the Seven Sacraments.
Signs that come from Jesus
and give us grace.
The Sacraments,
the Seven Sacraments.
Signs that God is with us
in a special way.

FAMILIA + FE

VIVIR Y APRENDER JUNTOS

SUS HIJOS APRENDIERON >>>

Este capítulo identifica los Siete Sacramentos como signos y celebraciones especiales que Jesús le dio a su Iglesia.

La Palabra de Dios

 Lean **Juan 14, 20** para saber qué dice Jesús sobre ser uno con Él y con Dios Padre.

Lo que creemos

- La Iglesia tiene Siete Sacramentos. Son signos y celebraciones que Jesús le dio a su Iglesia.
- Los Sacramentos nos permiten participar de la vida y la obra de Dios.

Para aprender más, vayan al *Catecismo de la Iglesia Católica* #1131–1134 en **usccb.org**.

Gente de fe

Esta semana, su hijo conoció a María y aprendió un poco sobre la Anunciación. María confió en el Espíritu Santo, aunque no entendía por completo.

LOS NIÑOS DE ESTA EDAD >>>

Cómo comprenden los Sacramentos Como realidades espirituales, signos visibles de lo invisible, los Siete Sacramentos son algo difícil de comprender para los niños de esta edad. Sin embargo, el aprendizaje de los Sacramentos es una parte tan vital de la vida de la Iglesia que queremos que los niños estén expuestos a ellos desde temprana edad. A medida que pasa el tiempo, su hijo comprenderá mejor. Mientras tanto, pueden explicarle que un Sacramento es algo que podemos ver que nos ayuda a comprender algo que no podemos ver. Las personas que realizan los signos visibles y la comunidad reunida obran junto con Dios para hacer presente la realidad espiritual e invisible.

CONSIDEREMOS ESTO >>>

¿Qué signos reconocen cuando su hijo está enfermo?

¿Son las orejas enrojecidas o los ojos llorosos? ¿O tal vez sea cuando quiere que lo carguen? Vemos estos signos como indicaciones de algo más. En los Siete Sacramentos, vemos signos que indican algo más: el amor y la presencia de Dios. "A medida que entendemos los sacramentos, es importante reconocer que los sacramentos tienen una realidad tanto visible como invisible, una realidad abierta a todos los sentidos humanos pero que cuya profundidad divina se comprende con los ojos de la fe" (*CCEUA*, p. 180).

HABLEMOS >>>

- En Misa, pidan a su hijo que señale algunos objetos o acciones que ayudan a las personas a celebrar los Sacramentos.
- Busquen fotos familiares de Bautismos, Primeras Comuniones o bodas. Hablen de los Sacramentos que se celebraron en esos días.

OREMOS >>>

 Santa María, Madre de Dios, ruega por nosotros ahora y siempre. Amén.

 Visiten **vivosencristo.osv.com** para encontrar un glosario multimedia de Palabras católicas, lecturas dominicales, y recursos de Santos y tiempos festivos.

FAMILY+FAITH
LIVING AND LEARNING TOGETHER

YOUR CHILD LEARNED >>>

This chapter identifies the Seven Sacraments as special signs and celebrations that Jesus gave his Church.

God's Word

 Read **John 14:20** to learn what Jesus says about being one with him and God the Father.

Catholics Believe

- The Church has Seven Sacraments. They are signs and celebrations that Jesus gave his Church.
- The Sacraments allow us to share in the life and work of God.

To learn more, go to the *Catechism of the Catholic Church* #1131–1134 at **usccb.org**.

People of Faith

This week, your child met Mary and learned a little about the Annunciation. Mary trusted the Holy Spirit, even when she didn't fully understand.

CHILDREN AT THIS AGE >>>

How They Understand the Sacraments As visible signs of invisible, spiritual realities, the Seven Sacraments are difficult for children at this age to understand. Still, they are such a vital part of the life of the Church that we want children to be exposed to learning about the Sacraments very early. As time goes by, your child will understand more fully. In the meantime, you can explain that a Sacrament is something we can see that helps us understand something that we can't see. The people performing the visible sign and the community gathered work together with God making present the invisible, spiritual reality.

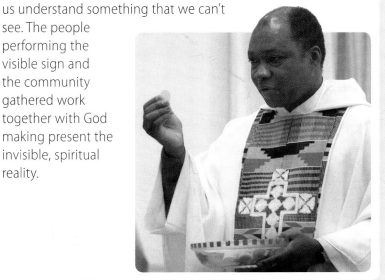

CONSIDER THIS >>>

What are some signs you recognize when your child is sick?

Is it flushed ears, or watery eyes? Or perhaps it is when he or she just wants to be held? We see these signs as indicators of something more. In the Seven Sacraments, we see signs that indicate something more—God's love and presence. "As we come to understand the Sacraments, it is important to recognize that the Sacraments have a visible and invisible reality, a reality open to all the human senses but grasped in its God-given depths with the eyes of faith" (*USCCA, p.168*).

LET'S TALK >>>

- At Mass, ask your child to point out some objects or actions that help people celebrate the Sacraments.
- Get out pictures from family Baptisms, First Communions, or weddings. Talk about the Sacraments that were celebrated on those days.

LET'S PRAY >>>

 Holy Mary, Mother of God, pray for us now and always. Amen.

 For a multimedia glossary of Catholic Faith Words, Sunday readings, seasonal and Saint resources, and chapter activities go to **aliveinchrist.osv.com**.

Capítulo 17 Repaso

A **Trabaja con palabras** Completa cada oración con la letra de la palabra correcta del Vocabulario.

Vocabulario

a. agua

b. Siete

c. amor

1. El signo del Bautismo es el ☐ .

2. Los Sacramentos son signos del ☐ de Dios.

3. La Iglesia Católica tiene ☐ Sacramentos.

B **Confirma lo que aprendiste** Rellena el círculo que está junto a la respuesta correcta.

4. ¿Qué signos y acciones especiales nos dio Jesús?

　○ Mandamientos　　　○ Sacramentos

5. ¿Qué Sacramento tiene el Cuerpo y la Sangre de Cristo?

　○ Eucaristía　　　○ Bautismo

6. ¿Qué hizo Jesús por las personas?

　○ las lastimó　　　○ las sanó

7. ¿Qué son los Sacramentos?

　○ celebraciones　　　○ relatos

8. ¿Qué tienen todos los Sacramentos?

　○ pan　　　○ palabras y acciones

Chapter 17 Review

A **Work with Words** Complete each sentence with the letter of the correct word or words from the Word Bank.

Word Bank

a. water

b. Seven

c. love

1. A sign of Baptism is ⬚ a .

2. Sacraments are signs of God's ⬚ c .

3. The Catholic Church has ⬚ b Sacraments.

B **Check Understanding** Fill in the circle beside the correct answer.

4. What special signs and actions did Jesus give us?

   ○ Commandments   ● Sacraments

5. What Sacrament has the Body and Blood of Christ?

   ● Eucharist   ○ Baptism

6. What did Jesus do for people?

   ○ hurt them   ● healed them

7. What are the Sacraments?

   ● celebrations   ○ stories

8. What do all Sacraments have?

   ○ bread   ● words and actions

Somos bienvenidos

 **Oremos**

Líder: Dios, Tú nos has dado agua para refrescarnos.

Haces brotar vertientes en las quebradas, que corren por en medio de los montes.

Basado en el Salmo 104, 10

Todos: Gracias, Dios, por el agua viva que nos da la vida. Amén.

La Palabra de Dios

"Vayan por todo el mundo y anuncien la Buena Nueva a toda la creación. El que crea y se bautice, se salvará..." Marcos 16, 15-16

¿Qué piensas?

- ¿Cómo es bautizarse?
- ¿Cuándo fuiste bautizado?

We Are Welcomed

 ## Let Us Pray

Leader: God, you have given us water to refresh us.

You made springs flow in valleys that wind among the mountains.
Based on Psalm 104:10

All: Thank you, God, for living water that gives us life. Amen.

 ## God's Word

"Go into the whole world and proclaim the gospel to every creature. Whoever believes and is baptized will be saved." Mark 16:15–16

What Do You Wonder?

- What is being baptized like?
- When were you baptized?

¡Bienvenido!

¿Qué Sacramento te da la bienvenida a la Iglesia?

El **Bautismo** te convierte en hijo de Dios y en miembro de la Iglesia. Es tu bienvenida a la Iglesia. Dios te elige para que seas parte de la familia de la Iglesia.

Con el Bautismo, viene el Espíritu Santo. Dios te hace su hijo. Recibes una parte de su vida. La vida y el amor de Dios en ti se llaman **gracia**.

Después de que Jesús regresó con su Padre al Cielo, los seguidores de Jesús les dieron la bienvenida a todos para que formaran parte de la Iglesia.

Palabras católicas

Bautismo el Sacramento en el que la persona es sumergida en agua o se le derrama agua sobre la cabeza. El Bautismo quita el Pecado Original y todos los pecados personales y convierte a la persona en hijo de Dios y miembro de la Iglesia.

gracia el don de Dios que nos hace participar de su vida y su ayuda

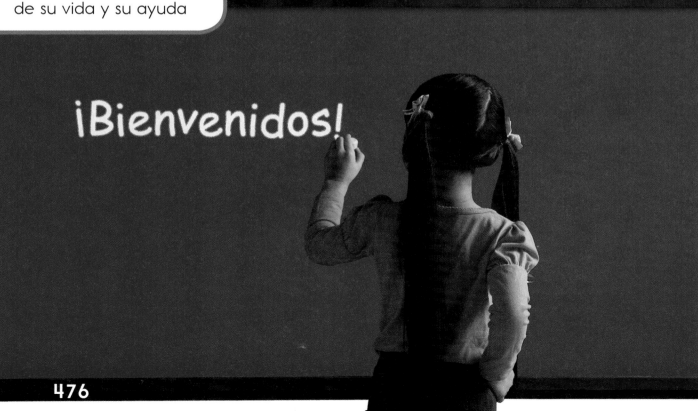

Welcome!

What Sacrament welcomes you into the Church?

Baptism makes you a child of God and member of the Church. It is your welcome into the Church. God chooses you to be in the Church family.

With Baptism, the Holy Spirit comes. God makes you his own child. You receive a share in his life. God's life and love in you is called **grace**.

After Jesus went back to his Father in Heaven, the followers of Jesus welcomed everyone to be part of the Church.

Catholic Faith Words

Baptism the Sacrament in which a person is immersed in water or has water poured on him or her. Baptism takes away Original Sin and all personal sin, and makes a person a child of God and member of the Church.

grace God's gift of a share in his life and help

La Palabra de Dios

Las personas de todas partes creen

Felipe viajó a diferentes ciudades para contarles a otros la Buena Nueva sobre Jesús. Él compartió el mensaje de Jesús y su amor. En el nombre de Jesús, incluso, sanó a enfermos. Muchos comenzaron a creer en Jesús y fueron bautizados. **Basado en Hechos 8, 4-12**

Las personas bautizadas que siguen a Jesús se llaman cristianos. El Bautismo te ayuda a hacer el trabajo de Jesús.

Puedes ser amable con los demás y obedecer a tus padres. Puedes hablar a otros sobre Jesús y su amor. Compartiendo puedes mostrar a otros que te importan.

➤ **¿De qué otras maneras pueden los niños hacer la obra de Jesús?**

Comparte tu fe

Piensa Escribe una forma como puedes hablar a otros de Jesús.

Yo prometo
_____

- -

_____.

Comparte En grupo, hagan una lista de diferentes maneras de hablar a los demás acerca de Jesús.

God's Word

People Everywhere Believe

Philip traveled to different towns to tell others the Good News about Jesus. He shared Jesus' message and his love. In the name of Jesus, he even healed people who were sick. Many people began to believe in Jesus and were baptized. **Based on Acts 8:4–12**

People who are baptized and who follow Jesus are called Christians. Baptism helps you do Jesus' work.

You can be kind to others and obey your parents. You can tell others about Jesus and his love. You can show others you care by sharing.

➤ **What are other ways children can do Jesus' work?**

Share Your Faith

Think Write one way you can tell others about Jesus.

I, promise to

_____

– –

_____.

Share As a group, make a list of different ways to tell others about Jesus.

Hacerse miembros de la Iglesia

¿Qué sucede en el Bautismo?

1

Se derrama Agua Bendita sobre ti tres veces mientras se oran estas palabras: "[Tu nombre], yo te bautizo en el nombre del Padre, y del Hijo, y del Espíritu Santo" (**Ritual para el Bautismo de los niños**).

2

Luego el sacerdote dice que serás miembro de Cristo por siempre y con el Santo Crisma hace una cruz en tu cabeza. Este gesto es signo de que eres elegido por Dios para ser miembro de la Iglesia.

3

Recibes ropa blanca. Es un signo de tu vida nueva en Cristo y tu membresía en la Iglesia.

4

Tus padres o padrinos reciben una vela encendida. La luz es signo de Jesús. Él te pide que seas como una luz y muestres tu amor a otros.

Becoming Church Members

What happens in Baptism?

1

Holy Water is poured over you three times while these words are prayed: "[Your name], I baptize you in the name of the Father, and of the Son, and of the Holy Spirit" **(Rite of Baptism)**.

2

The priest then says that you will remain a member of Christ forever and uses Sacred Chrism to make a cross on your head. This gesture is a sign that you are chosen by God to be a member of the Church.

3

You receive a white garment. It is a sign of your new life in Christ and your membership in the Church.

4

Your parents or godparents are given a lit candle. Light is a sign of Jesus. Jesus asks you to be like a light and show his love to others.

padrinos dos personas elegidas por tus padres para ayudarte a seguir a Jesús. Generalmente están presentes en tu Bautismo.

Tus padres y tus **padrinos** también son signos del amor de Dios. Ellos prometen que te ayudarán a vivir como hijo de Dios. Toda la comunidad te ayudará a seguir a Jesús. Ellos serán un ejemplo para ti y te ayudarán a aprender acerca de la Iglesia.

Practica tu fe

Juego de unir Traza líneas para unir palabras e imágenes.

Padrinos   •

Vela   •

Agua bendita   •

Ropa blanca   •

Your parents and **godparents** are also signs of God's love. They promise that they will help you live as a child of God. The whole community will help you follow Jesus. They will be examples to you and will help you learn about the Church.

Catholic Faith Words

godparents two people chosen by your parents to help you follow Jesus. They are usually present at your Baptism.

Connect Your Faith

Match Game Draw lines to match the words and the pictures.

Godparents   ●

Candle   ●

Holy water   ●

White garment   ●

Nuestra vida católica

¿Cómo te ayuda tu Bautismo a seguir a Jesús?

Con el Bautismo, Dios te llamó a ser un signo de su vida y amor. Estas son algunas cosas que Dios quiere que hagas.

Marca lo que puedes hacer esta semana para ser un signo de la vida y el amor de Dios.

Responder al llamado de Dios

Muestra que crees

Muestra que crees en Dios Padre, Dios Hijo y Dios Espíritu Santo.

☐ Reza todos los días.

☐ Haz la Señal de la Cruz.

Sé como una luz

Sé una luz y comparte tu bondad.

☐ Da la bienvenida a todos.

☐ Sé un buen ejemplo para los más chicos.

Vive una vida nueva

Vive una vida nueva en la Iglesia.

☐ Asiste a la iglesia con tu familia.

☐ Deja los malos hábitos que llevan al pecado.

Ama y sirve

Ama y sirve a Dios.

☐ Haz tus tareas con alegría.

☐ Comparte lo que tienes.

Our Catholic Life

How does your Baptism help you follow Jesus?

With Baptism, God called you to be a sign of his life and love. Here are some things God calls you to do.

Answering God's Call

Check off the things you can do this week to be a sign of God's life and love.

Show You Believe

Show that you believe in God the Father, God the Son, and God the Holy Spirit.

☐ Pray every day.

☐ Make the Sign of the Cross.

Be Like a Light

Be a light and share your goodness.

☐ Welcome everyone.

☐ Be a good example for younger children.

Live a New Life

Live a new life in the Church.

☐ Go to church with your family.

☐ Give up bad habits that lead to sin.

Love and Serve

Love and serve God.

☐ Do your chores cheerfully.

☐ Share what you have.

Gente de fe

San Moisés Etíope, siglo IV

San Moisés era ladrón cuando joven. Muchos le temían porque era muy alto y cruel, y él se sentía a disgusto con su vida. Un monje le habló sobre Dios y el amor de Dios por él. Moisés fue bautizado y aprendió a amar a Jesús. Más tarde se volvió sacerdote. Les enseñó a otros sobre el amor de Dios y los animó a que se bautizaran.

28 de agosto

Comenta: ¿Has estado en un Bautismo? ¿Qué viste?

Aprende más sobre San Moisés Etíope en **vivosencristo.osv.com**

Vive tu fe

Recuerdos del Bautismo
Colorea el marco y las palabras. Dentro del marco, haz un dibujo o pega una foto de tu Bautismo.

SOMOS HIJOS DE DIOS

People of Faith

Saint Moses the Black, fourth century

Saint Moses was a robber when he was a young man. Many people were frightened of him because he was very tall and very mean and he became unhappy with his life. A monk told Moses about God and God's love for him. Moses was baptized and learned to love Jesus. Later he became a priest. He taught others about God's love and encouraged them to be baptized.

August 28

Discuss: Have you been at a Baptism? What did you see?

Learn more about Saint Moses the Black at **aliveinchrist.osv.com**

Live Your Faith

Baptism Memories Color the frame and the words. In the frame, draw or glue a picture of your Baptism.

I AM A CHILD OF GOD

 Oremos

Oración de bendición

Reúnanse y comiencen con la Señal de la Cruz.

Líder: Gloria al Padre y al Hijo y al Espíritu Santo:

Todos: como era en el principio,
ahora y siempre,
por los siglos de los siglos. Amén.

Líder: Hoy celebramos el don de nuestro Bautismo.
Y así recordamos ese día al decir lo que
creemos:

 **Todos:** Canten "Creo, Señor"

Creo, Señor, pero aumenta mi fe.
Creo, Señor, pero aumenta mi fe.
Creo en Dios Padre todopoderoso
creador del cielo y de la tierra.

Letra y música © 1984 Cesáreo Gabaráin. Obra publicada por OCP. Derechos
reservados. Con las debidas licencias.

Let Us Pray

Blessing Prayer

Gather and begin with the Sign of the Cross.

Leader: Glory be to the Father, and to the Son, and to the Holy Spirit:

All: as it was in the beginning is now, and ever shall be world without end. Amen.

Leader: Today we celebrate the gift of our Baptism. And so we remember that day by saying what we believe:

 **All:** Sing "Yes, Lord, I Believe"

I believe in God the Father,
I believe in God the Son,
I believe in the Holy Spirit,
And the strength that makes us one.
I believe that Mother Mary
Is the Mother of God's Son.
I believe, I do believe.

FAMILIA + FE

VIVIR Y APRENDER JUNTOS

SUS HIJOS APRENDIERON >>>

Este capítulo examina los signos y símbolos del Bautismo y explica que las personas bautizadas son hijos de Dios y miembros de la Iglesia.

La Palabra de Dios

Lean **Marcos 16, 15–16** para saber sobre quién se salva por Jesucristo.

Lo que creemos

- La gracia es el don de participar de la vida y de la ayuda de Dios.

- El Bautismo es el Sacramento en el que se sumerge a una persona en agua o se derrama agua sobre ella. El Bautismo le da una nueva vida en Dios y la hace miembro de la Iglesia.

Para aprender más, vayan al *Catecismo de la Iglesia Católica* #1277–1282 en **usccb.org**.

Gente de fe

Esta semana, su hijo conoció a San Moisés Etíope, un ex ladrón que vivió en lo que es hoy Egipto y que se convirtió en un devoto monje y sacerdote.

LOS NIÑOS DE ESTA EDAD >>>

Cómo comprenden el Bautismo Los niños de esta edad sienten mucha curiosidad por los Bautismos. Siempre se entusiasman cuando se les permite acercarse a la pila bautismal cuando alguien es bautizado. Les intriga el agua que se derrama. Además, pueden comprender que, por medio de los actos rituales y las palabras del rito, algo más profundo está ocurriendo. Hablen de sus recuerdos del Bautismo de su hijo y muéstrenle fotos de ese día especial.

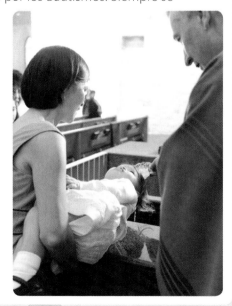

CONSIDEREMOS ESTO >>>

¿Es cierto que cuando se casan con su cónyuge, se casan con su familia?

Una de las grandes alegrías y retos del primer año de matrimonio es darse cuenta de que forman parte de "otra" familia entera. Se casan con una persona, pero reciben una familia completa. En el Bautismo, cuando entramos en la vida divina, al volvernos uno con Cristo, también recibimos una familia completa: la Iglesia. "Una persona es iniciada en el pueblo de Dios no por su nacimiento físico, sino mediante su nacimiento espiritual mediante su fe en Cristo y el Bautismo" (*CCEUA*, p. 127).

HABLEMOS >>>

- Pidan a su hijo que mencione maneras de dar la bienvenida a las personas en su hogar.

- Comenten maneras en que Dios los ha llamado y mencionen qué han hecho para responder al llamado de Dios.

OREMOS >>>

Querido Jesús, gracias por hacernos parte de tu familia a través del Bautismo. Amén.

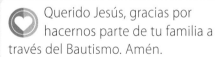
Visiten **vivosencristo.osv.com** para encontrar un glosario multimedia de Palabras católicas, lecturas dominicales, y recursos de Santos y tiempos festivos.

FAMILY+FAITH
LIVING AND LEARNING TOGETHER

YOUR CHILD LEARNED >>>

This chapter examines the signs and symbols of Baptism and explains that baptized people are children of God and members of the Church.

God's Word

 Read **Mark 16:15–16** to learn about who is saved by Jesus Christ.

Catholics Believe

- Grace is God's gift of a share in his life and help.
- Baptism is the Sacrament in which a person is immersed in water or has water poured on him or her. Baptism brings new life in God and makes the person a member of the Church.

To learn more, go to the *Catechism of the Catholic Church* #1277–1282 at **usccb.org**.

People of Faith

This week, your child met Saint Moses the Black, a former robber in what is now Egypt, who became a dedicated monk and priest.

CHILDREN AT THIS AGE >>>

How They Understand Baptism Children at this age are very curious about Baptisms. There is always excitement when children this age are permitted to come near the baptismal font as someone is being baptized. They are intrigued by the pouring of the water. They are also able to understand that through the ritual actions and words of the rite, something deeper is occurring. Talk about your memories of your child's Baptism, and show him or her photos from that special day.

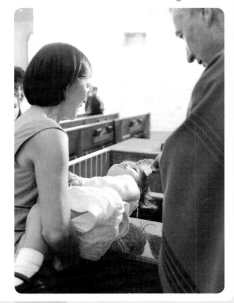

CONSIDER THIS >>>

How true is it for you that when you married your spouse you married his or her family?

One of the great joys and challenges of the first year of marriage is realizing that you are part of an entire "other" family. You married one person, but received a whole family. In Baptism, when we enter into divine life, by becoming one with Christ, we also received a whole family— the Church. "A person is initiated into God's people not by physical birth, but by a spiritual birth through faith in Christ and Baptism" *(USCCA, p. 116).*

LET'S TALK >>>

- Ask your child to name some ways he or she welcomes people at home.
- Talk about some ways God has called you and name some things you've done to answer God's call.

LET'S PRAY >>>

 Dear Jesus, thank you for making us a part of your family through Baptism. Amen.

 For a multimedia glossary of Catholic Faith Words, Sunday readings, seasonal and Saint resources, and chapter activities go to **aliveinchrist.osv.com**.

Capítulo 18 Repaso

A **Trabaja con palabras** Encierra en un círculo la respuesta correcta.

1. El ____ te convierte en hijo de Dios y en miembro de la Iglesia.

   trabajo   Bautismo

2. Las personas que siguen a Jesús se llaman ____.

   cristianos   familia

3. Participar de la vida y la ayuda de Dios se llama ____.

   creación   gracia

B **Confirma lo que aprendiste** Numera los pasos del Bautismo en orden de 1 a 4.

4. ☐ Recibes una vela encendida.

   ☐ Tu cabeza es marcada con el Santo Crisma.

   ☐ Se derrama agua sobre ti tres veces.

   ☐ Recibes ropa blanca.

Chapter 18 Review

A **Work with Words** Circle the correct answer.

1. ____ makes a person a child of God and member of the Church.

   Working   Baptism

2. People who follow Jesus are called ____.

   Christians   family

3. Sharing in God's life and help is called ____.

   creation   grace

B **Check Understanding** Number the steps of Baptism in order from 1–4.

4. ☐ You receive a lit candle.

   ☐ Your head is marked with Sacred Chrism.

   ☐ Water is poured over you three times.

   ☐ You are given a white garment.

A **Trabaja con palabras** Completa cada oración con la letra de la palabra correcta del Vocabulario.

Vocabulario

. . . .

a. Gracia

b. Salvador

c. Jesús

d. Bautismo

e. Sacramentos

1. La Resurrección es el nombre del

paso de ☐ de la Muerte a una

vida nueva.

2. Jesús es el ☐ .

3. Los ☐ son signos y celebraciones especiales que

Jesús dio a su Iglesia.

4. El ☐ quita el pecado y te hace miembro de la

Iglesia.

5. La ☐ es participar de la vida y la ayuda de Dios.

A **Work with Words** Complete each sentence with the letter of the correct word or words from the Word Bank.

1. The Resurrection is the name for [ ] passing from Death to new life.

2. Jesus is the [ ].

3. [ ] are special signs and celebrations that Jesus gave his Church.

4. [ ] takes away sin and makes you a member of the Church.

5. [ ] is a sharing in God's life and help.

B **Confirma lo que aprendiste** Encierra en un círculo la palabra que responde la pregunta.

6. ¿A quién envió Dios para salvar a las personas?

María　　　　　Misa　　　　　Jesús

7. ¿Por qué Jesús nos da los Sacramentos?

Para mostrar amor　　　Para contar relatos　　　Para comprar cosas

8. ¿Qué te pide el Bautismo que seas?

Bueno en los deportes　　　Alto　　　Un signo de amor

C **Relaciona** Traza las palabras que significan un signo del amor de Dios.

9. Los Siete

Sacramentos

B **Check Understanding** Circle the word or words that answer the question.

6. Who did God send to save people?

   Mary   Mass   Jesus

7. Why does Jesus give us the Sacraments?

   To show love   To tell stories   To buy things

8. What does Baptism call you to be?

   Good at sports   Tall   A sign of love

C **Make Connections** Trace the words that mean a sign of God's love.

9.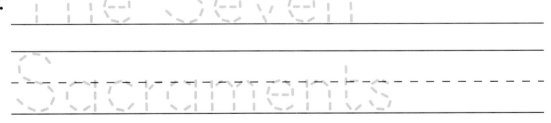
The Seven Sacraments

Repaso de la Unidad

Dibuja un signo de los Sacramentos que están abajo.

10. Bautismo

11. Eucaristía

12. Matrimonio

Draw a sign for the Sacraments listed below.

10. Baptism

11. Eucharist

12. Matrimony

El Reino de Dios

Nuestra Tradición Católica

- Jesús siempre está con nosotros en la Eucaristía. (CIC, 1377)

- Dios quiere que seamos felices con él para siempre, en este mundo y en el Cielo. (CIC, 1023)

- Todas las personas que siguen a Jesús y obedecen las leyes de Dios finalmente estarán con Dios en el Cielo para siempre. (CIC, 1053, 1054)

- Tenemos una tarea importante en la Tierra que es ser un signo del Reino de Dios para otros. (CIC, 546)

¿Cómo conocemos el amor de Dios, todos los días, en la Misa y en el Cielo?

Kingdom of God

Our Catholic Tradition

- Jesus is always with us in the Eucharist. (CCC, 1377)

- God wants us to be happy with him forever, in this world and in Heaven. (CCC, 1023)

- All people who follow Jesus and obey God's laws will eventually be with God in Heaven forever. (CCC, 1053, 1054)

- We have an important job on Earth to be a sign of God's Kingdom to others. (CCC, 546)

How do we know God's love— every day, at Mass, and in Heaven?

Damos gracias

 Oremos

Líder: Dios, te adoramos con alegría.

"... partamos a su encuentro dando
gracias;
aclamémosle con cánticos".
Salmo 95, 2

Todos: Dios, te adoramos con alegría. Amén.

📖 La Palabra de Dios

Mientras comían, Jesús tomó pan, pronunció la bendición, lo partió y lo dio a sus discípulos, diciendo: "Tomen y coman; esto es mi cuerpo." Después tomó una copa, dio gracias y se la pasó diciendo: "Beban todos de ella: esto es mi sangre, la sangre de la Alianza, que es derramada por una muchedumbre, para el perdón de sus pecados." Mateo 26, 26-28

❓ ¿Qué piensas?

- ¿A quiénes invitó Jesús a su cena?
- ¿Por qué es importante compartir comidas con los que amamos?

We Give Thanks

 Let Us Pray

Leader: God, we worship you with joy.

"Let us come before him with a song
     of praise,
        joyfully sing out our psalms."
Psalm 95:2

All: God, we worship you with joy. Amen.

God's Word

While they were eating, Jesus took bread, said the blessing, broke it, and giving it to his disciples said, "Take and eat; this is my body." Then he took a cup, gave thanks, and gave it to [his disciples] saying, "Drink from it, all of you, for this is my blood of the covenant, which shall be shed on behalf of many for the forgiveness of sins." Matthew 26:26–28

What Do You Wonder?

- Who did Jesus invite to his meal?
- Why is eating a meal with people we love so important?

La Eucaristía

¿Quién está presente en la Eucaristía?

En la Misa, la Iglesia recuerda una noche importante con Jesús. Él compartió una comida especial con sus seguidores. Esta comida es llamada la **Última Cena**.

Palabras católicas

Última Cena la comida que Jesús compartió con sus discípulos la noche antes de morir. En la Última Cena, Jesús se dio a sí mismo en la Eucaristía.

 La Palabra de Dios

La Última Cena

La noche antes de morir, Jesús compartió una comida especial con sus amigos.

Tomó el pan, dio gracias, y lo partió diciendo: "Esto es mi cuerpo que es entregado por ustedes; hagan esto en memoria mía."

Jesús tomó la copa y dijo: "Esta copa es la Nueva Alianza en mi sangre. Todas las veces que la beban háganlo en memoria mía."
Basado en 1 Corintios 11, 23-25

➜ **¿Cuándo escuchas estas palabras?**

The Eucharist

Who is present in the Eucharist?

At Mass, the Church remembers an important night with Jesus. He shared a special meal with his followers. This meal is called the **Last Supper**.

 God's Word

The Last Supper

On the night before he died, Jesus shared a special meal with his friends.

He took the bread, gave thanks and broke
it, and said, "This is my body that is for you. Do this in remembrance of me."

Jesus took the cup and said, "This cup is the new covenant in my blood. Do this, as often as you drink it, in remembrance of me."
Based on 1 Corinthians 11:23–25

➤ **When do you hear these words?**

Dar gracias

Durante la Misa, celebramos el Sacramento de la **Eucaristía**. La palabra Eucaristía significa dar gracias. Los católicos agradecen todos los dones de Dios Padre, en especial por su Hijo. Agradecemos que Jesús esté realmente presente en la Eucaristía.¡La Misa se celebra en nuestra parroquia y en las iglesias católicas del mundo!

Palabras católicas

Eucaristía el Sacramento en el que Jesús se da a sí mismo, y el pan y el vino se convierten en su Cuerpo y su Sangre

Comparte tu fe

Piensa Mira la fotografía en esta página.

Comparte En grupo, hablen sobre lo que sucede en la fotografía.

Giving Thanks

At Mass, we celebrate the Sacrament of the **Eucharist**. The word Eucharist means thanksgiving. Catholics are thankful for all of God the Father's gifts, most especially his Son. We are thankful that Jesus is truly present in the Eucharist. Mass is celebrated in our parish church and in Catholic churches all over the world!

> ## Catholic Faith Words
>
> **Eucharist** the Sacrament in which Jesus shares himself, and the bread and wine become his Body and Blood

Share Your Faith

Think Look at the picture on this page.

Share As a group talk about what is happening in the picture.

Durante la Misa

¿Qué celebramos en la Misa?

Muchas familias celebran su amor a Dios con relatos, cantos, regalos y comida.

En la **Misa**, la Iglesia se reúne para adorar a Dios. La Misa incluye lecturas de la Biblia, recordar que Jesús dio su vida por nosotros y recibir la **Sagrada Comunión**, o sea el Cuerpo y la Sangre de Jesús, en la celebración de la Eucaristía.

➜ **¿Qué sabes sobre la Misa?**

1 Te reúnes a cantar y orar.

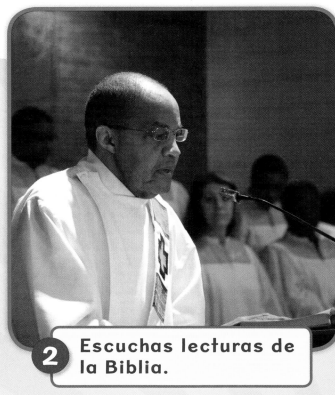

2 Escuchas lecturas de la Biblia.

During Mass

What do we celebrate at Mass?

Many families celebrate their love for God with stories, songs, gifts, and food.

At **Mass**, the Church gathers to worship God. The Mass includes readings from the Bible, remembering that Jesus gave his life for us, and receiving **Holy Communion** —Jesus' Body and Blood in the celebration of the Eucharist.

➡ **What do you know about the Mass?**

Catholic Faith Words

Mass the gathering of Catholics to worship God. It includes readings from the Bible and the celebration of Holy Communion.

Holy Communion receiving Jesus' Body and Blood in the celebration of the Eucharist

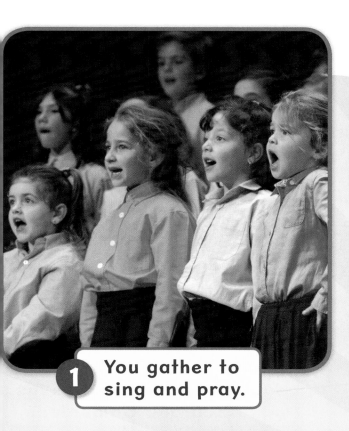

1 You gather to sing and pray.

2 You listen to readings from the Bible.

Practica tu fe

Sopa de letras Ordena las letras para hallar las palabras que dicen qué hace la Iglesia durante la Misa. Traza las palabras.

nctaa ___canta___

rzae ___reza___

graedace ___agradece___

3 El pan y el vino se convierten en el Cuerpo y la Sangre de Jesús.

4 Los que tienen edad suficiente reciben a Jesús en la Sagrada Comunión.

Connect Your Faith

Word Scramble Unscramble the letters to find words that tell what the Church does during Mass. Trace the words.

ngsi

sing

ayrp

pray

ksthan

thanks

3 The bread and the wine become the Body and Blood of Jesus.

4 Those who are old enough receive Jesus in Holy Communion.

Nuestra vida católica

¿Qué ves y haces en la Misa?

Cuando vas a Misa, ves muchas cosas y personas. También haces muchas cosas.

➜ **¿Qué más has visto o hecho en la Misa?**

Encierra en un círculo las personas y las cosas que has visto o hecho en Misa.

En la Misa

Personas que podrías ver	Cosas que podrías ver	Cosas que podrías hacer
• Sacerdote	• Altar	• Hacer la Señal de la Cruz.
• Monaguillos	• Velas	• Cantar y orar.
• Director de cantos	• Evangeliario	• Darse la paz.
• Lector	• Cáliz	• Recibir la Sagrada Comunión.
• Ministro extraordinario de la Sagrada Comunión	• Crucifijo	

Our Catholic Life

What do you see and do at Mass?

When you go to Mass, you see many people and things. You do many things, too.

➤ What else have you seen or done at Mass?

Circle the people and things you have seen or the things you have done at Mass.

At Mass

People You Might See	Things You Might See	Things You Might Do
• Priest	• Altar	• Make the Sign of the Cross.
• Altar server	• Candles	• Sing and pray.
• Song leader	• Book of Gospels	• Share a sign of peace.
• Reader	• Chalice	• Receive Holy Communion.
• Extraordinary Minister of Holy Communion	• Crucifix	

Gente de fe

**Papa San Juan XXIII
(Angelo Roncalli), 1881–1963**

El Papa San Juan XXIII fue conocido por su bondad y generosidad. Fue nombrado Papa cuando era muy anciano. Él no lo esperaba. Muchos se sorprendieron cuando convocó un concilio especial de obispos para tratar temas importantes, tales como la manera en la que los católicos alaban en la Misa y viven en el mundo. Muchos lo llamaban "El Papa Bueno".

11 de octubre

Comenta: ¿Qué puedes decir a otros sobre la Misa?

Aprende más sobre el Papa San Juan XXIII en **vivosencristo.osv.com**

Vive tu fe

Dibújate en la Misa Haz un dibujo de ti y de tu familia en la Misa.

People of Faith

Pope Saint John XXIII
(Angelo Roncalli), 1881–1963

Pope Saint John XXIII was known for his kindness and generosity. He was named Pope when he was much older. He hadn't expected it. Many were surprised when he called together a special council of Bishops to talk about important things, like how Catholics worship at Mass and live in the world. Many people called him "Good Pope John."

October 11

Discuss: What can you tell others about the Mass?

 Learn more about Pope Saint John XXIII at **aliveinchrist.osv.com**

Live Your Faith

Draw Yourself at Mass Draw a picture of yourself and your family at Mass.

♥ Oremos

Oración de reflexión

Reúnanse y comiencen con la Señal de la Cruz.

Líder : Jesús, te pedimos que abras nuestros corazones
mientras recordamos una vez más
el don de tu vida y tu amor en
la Sagrada Comunión.

Líder: Lectura de la Biblia sobre
la Última Cena.

Lea la adaptación de
Corintios 11, 23-25. (Ver página 504).

Palabra de Dios.

Todos: Te alabamos, Señor.

Líder: Dirija la oración de reflexión.

Todos: Oren juntos el Gloria al Padre.
(Ver página 632).

Let Us Pray

Reflection Prayer

Gather and begin with the Sign of the Cross.

Leader: Jesus, we ask you to open our hearts
as we remember once again
the gift of your life and love in
Holy Communion.

Leader: A reading about the Last Supper
from the Bible.

Read the adaptation of
1 Corinthians 11:23–25. (See page 505)

The word of the Lord.

All: Thanks be to God.

Leader: Lead the reflection prayer.

All: Pray the Glory Be together.
(See page 633)

FAMILIA + FE
VIVIR Y APRENDER JUNTOS

SUS HIJOS APRENDIERON >>>

Este capítulo identifica a la Misa como el Sacramento de la Eucaristía, la celebración de alabanza y acción de gracias más importante de la Iglesia.

La Palabra de Dios

 Lean **Mateo 26, 26–28** para saber cómo Jesús compartió una cena con sus amigos.

Lo que creemos

- En la Misa, nos reunimos para adorar a Dios leyendo la Biblia, dando gracias y recibiendo la Sagrada Comunión.
- Jesús comparte Su Cuerpo y Su Sangre con nosotros en la Eucaristía.

Para aprender más, vayan al *Catecismo de la Iglesia Católica* #1322–1327 en **usccb.org**.

Gente de fe

Esta semana, su hijo conoció al Papa San Juan XXIII. Él ayudó a cambiar la manera en que los católicos de todo el mundo celebran la Misa.

LOS NIÑOS DE ESTA EDAD >>>

Cómo comprenden la Misa A algunos niños de esta edad les cuesta participar en la Misa, tal vez porque muchas veces el lenguaje de la Misa, los himnos y la homilía están dirigidos a los adultos en la parroquia. Al ayudar a su hijo a familiarizarse con lo que sucede en la Misa, la palabras que se dicen y su significado, él podrá comenzar a decodificar lo que de otra manera pareciera ser un evento para adultos. Al mismo tiempo, necesitamos mantener nuestro sentimiento de veneración y misterio ante el milagro del amor de Dios revelándose ante nosotros.

CONSIDEREMOS ESTO >>>

¿Por qué es tan importante reunirse para las comidas?

Comer juntos nos ayuda a crecer y a adquirir un mayor sentido de pertenencia y un verdadero sentido de nosotros mismos. Esos mismos anhelos humanos nos guían a la Misa. Aquí se fortalece nuestra identidad como miembros del Cuerpo de Cristo y crecemos en una comunión más profunda entre nosotros. "La Sagrada Comunión aumenta nuestra unión con Cristo. Al igual que la comida sustenta nuestra vida física, la Sagrada Comunión alimenta nuestra vida espiritual. Esta Comunión nos aleja del pecado, fortalece nuestra firmeza moral para evitar el mal y dirigirnos con más fuerza hacia Dios" (*CCEUA*, p. 235).

HABLEMOS >>>

- Pidan a su hijo que recuerde cosas que hace durante la Misa.
- Hablen de su parte preferida de la Misa y cómo se familiarizaron por primera vez con lo que sucede en la Misa.

OREMOS >>>

 Querido Dios, ayuda a nuestra familia a dar siempre gracias por las cosas buenas que has hecho por nosotros y a compartir esos relatos con los demás. Amén.

 Visiten **vivosencristo.osv.com** para encontrar un glosario multimedia de Palabras católicas, lecturas dominicales, y recursos de Santos y tiempos festivos.

FAMILY+FAITH
LIVING AND LEARNING TOGETHER

YOUR CHILD LEARNED >>>

This chapter identifies the Mass as the Sacrament of the Eucharist, the Church's great celebration of praise and thanksgiving.

God's Word

 Read **Matthew 26:26–28** to learn how Jesus shared a meal with his friends.

Catholics Believe

- At Mass, we gather to worship God by reading from the Bible, giving thanks, and receiving Holy Communion.
- Jesus shares his Body and Blood with us in the Eucharist.

To learn more, go to the *Catechism of the Catholic Church* #1322–1327 at **usccb.org**.

People of Faith

This week, your child met Pope Saint John XXIII. He helped to change the way Catholics all over the world celebrate the Mass.

CHILDREN AT THIS AGE >>>

How They Understand the Mass Some children at this age have difficulty engaging in the Mass, perhaps because the language of the Mass, hymns, and homily often feel very much directed toward the adults in the parish. Helping your child become familiar with what happens at Mass, the words that are said and their meanings can help him or her to begin to decode what may otherwise feel like a very adult event. At the same time, we need to retain our sense of awe and mystery at the miracle of God's love unfolding before us.

CONSIDER THIS >>>

Why is it so important to gather together for meals?

Eating together helps us grow and gain a greater sense of belonging and a true sense of ourselves. Those same human longings guide us to Mass. Here we are strengthened in our identity as members of the Body of Christ and grow in deeper communion with one another. "Holy Communion increases our union with Christ. Just as bodily food sustains our physical life, so Holy Communion nourishes our spiritual life. This Communion moves us away from sin, strengthening our moral resolve to avoid evil and turn ever more powerfully toward God" (*USCCA, p. 223*).

LET'S TALK >>>

- Ask your child to recall some things that he or she does during Mass.
- Talk about your favorite part of the Mass and how you first became familiar with what happens at Mass.

LET'S PRAY >>>

 Dear God, help our family always give thanks for the good things you have done for us and to share those stories with others. Amen.

For a multimedia glossary of Catholic Faith Words, Sunday readings, seasonal and Saint resources, and chapter activities go to **aliveinchrist.osv.com**.

Capítulo 19 Repaso

A **Trabaja con palabras** Completa el espacio en blanco con la letra de la palabra o las palabras correctas del Vocabulario.

Vocabulario

. . . .

a. Eucaristía

b. Última Cena

c. Biblia

d. pan y vino

e. Misa

1. Jesús compartió la ☐ con sus discípulos la noche antes de morir.

2. El ☐ se convierten en el Cuerpo y la Sangre de Jesús.

3. La ☐ es la reunión de católicos para adorar a Dios.

4. Jesús se da a sí mismo en el sacramento de la ☐.

5. Oyes lecturas de la ☐ en la Misa.

B **Confirma lo que aprendiste** Encierra en un círculo la respuesta correcta.

6. La palabra Eucaristía significa ____.

   Dar gracias   Biblia

7. La Misa incluye la celebración de ____.

   los cumpleaños   la Sagrada Comunión

Chapter 19 Review

A **Work with Words** Fill in the blank with the letter of the correct word or words from the Word Bank.

Word Bank

a. Eucharist

b. Last Supper

c. Bible

d. bread and wine

e. Mass

1. Jesus shared the [b] with his disciples the night before he died.

2. The [d] become the Body and Blood of Christ.

3. The [e] is the gathering of Catholics to worship God.

4. Jesus shares himself in the Sacrament of the [a].

5. You hear readings from the [c] at Mass.

B **Check Understanding** Circle the correct answer.

6. The word Eucharist means ____.

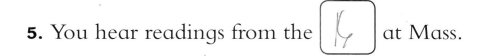

   (thanksgiving)   Bible

7. The Mass includes the celebration of ____.

   birthdays   (Holy Communion)

Con Dios para siempre

 Oremos

Líder: Dios, guíanos y ámanos cada día.

"Enséñame, Señor, tus caminos,
y guíame por sendero llano.
Líbrame del afán de mis
contrarios…"   Salmo 27, 11

Todos: Dios, guíanos y ámanos cada día.
Amén.

📖 La Palabra de Dios

Algunas personas le preguntaron a Jesús cuándo llegaría el Reino de Dios. Jesús contestó: "La venida del Reino de Dios no es cosa que se pueda verificar. No van a decir: 'Está aquí, o está allá'. Y sepan que el Reino de Dios está en medio de ustedes."

Basado en Lucas 17, 20-21

 ¿Qué piensas?

- ¿Cómo es el Reino de Dios?

- ¿En qué momento hoy compartirás el amor de Dios con alguien?

Forever with God

 Let Us Pray

Leader: God, guide us and love us every day.

> "LORD, show me your way;
> lead me on a level path
> because of my enemies."
> Psalm 27:11

All: God, guide us and love us every day. Amen.

 God's Word

Some people asked Jesus when God's Kingdom would come. Jesus answered, "The coming of the kingdom of God cannot be observed, and no one will announce, 'Look, here it is,' or, 'There it is.' For behold the kingdom of God is among you."
Based on Luke 17:20–21

? What Do You Wonder?

- What does God's Kingdom look like?
- When will you share God's love with someone today?

Vivir con Dios siempre

¿Qué es el Cielo?

Como las plantas y los animales, las personas tienen ciclos de vida. Las personas nacen, viven y luego mueren. Escucha la promesa que Jesús hizo sobre la vida después de la muerte.

 La Palabra de Dios

Siempre juntos

Jesús les dijo a sus seguidores: "No se turben. crean en Dios y crean también en mí. En la casa de mi Padre hay muchas habitaciones. De no ser así, no les habría dicho que voy a preparles un lugar". **Basado en Juan 14, 1-2**

➜ **¿Cómo piensas que será estar con Dios Padre?**

Life Forever with God

What is Heaven?

Like plants and animals, people have life cycles. People are born, they live, and then they die. Listen to the promise Jesus made about life after death.

ⓘ God's Word

Together Always

Jesus told his followers, "Do not let your hearts be troubled. You have faith in God; have faith also in me. In my Father's house there are many dwelling places. If there were not, would I have told you that I'm going to prepare a place for you?"

Based on John 14:1–2

 What do you think it is like with God the Father?

Felicidad para siempre

Jesús dijo que volvería a llevar a sus seguidores a la casa de su Padre. Jesús dijo que tendrían alegría eterna. Después de la muerte, los seguidores de Jesús pueden tener una vida nueva con Dios. Pueden estar plenos de felicidad. El **Cielo** es la alegría plena de vivir con Dios para siempre.

Palabras católicas

Cielo la felicidad plena de vivir con Dios para siempre

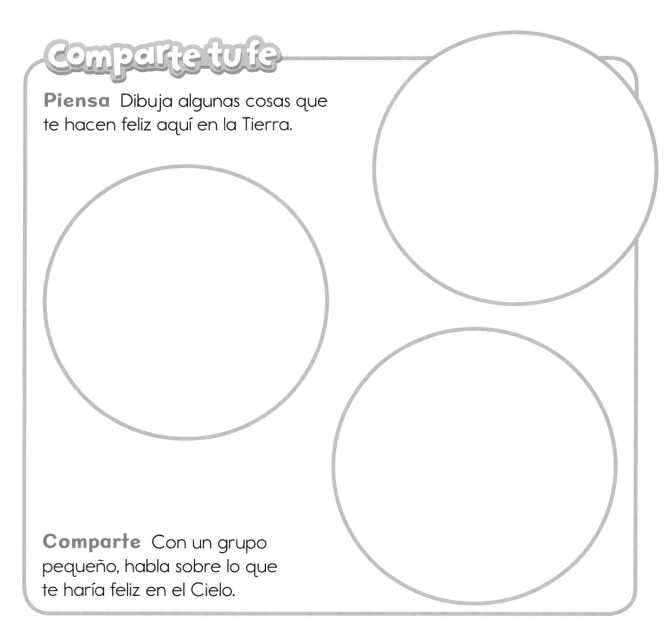

Comparte tu fe

Piensa Dibuja algunas cosas que te hacen feliz aquí en la Tierra.

Comparte Con un grupo pequeño, habla sobre lo que te haría feliz en el Cielo.

Happiness Forever

Jesus said that he will come back to bring his followers to his Father's house. Jesus said they will have joy that will never end. After death, Jesus' followers can have new life with God. They can be full of happiness. **Heaven** is the full joy of living with God forever.

Catholic Faith Words

Heaven the full joy of living with God forever

Share Your Faith

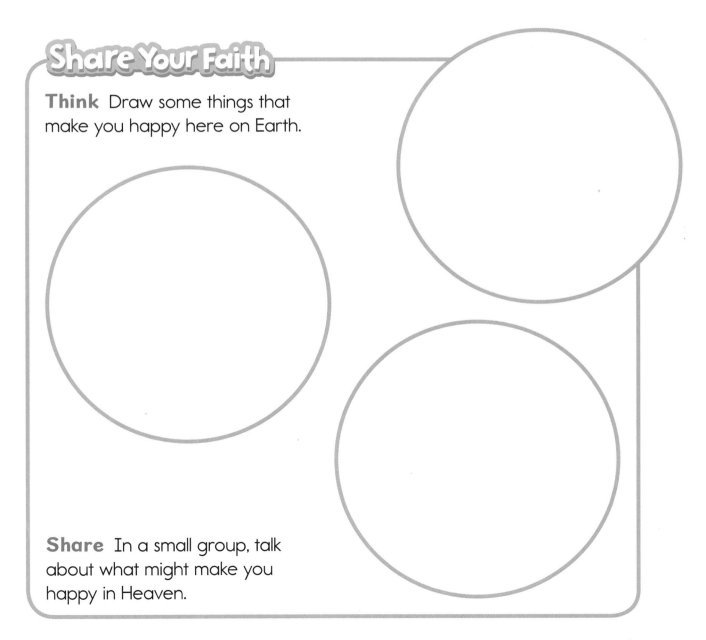

Think Draw some things that make you happy here on Earth.

Share In a small group, talk about what might make you happy in Heaven.

Felices para siempre

¿Qué necesitas hacer para ser feliz con Dios para siempre?

La Santísima Trinidad vive en amor por siempre. Todas las personas santas que han muerto viven en amor y felicidad por siempre con la Santísima Trinidad.

Santa Juana de Arco

San Francisco de Asís

San Judas Tadeo

San Martín de Porres

Happy Forever

What do you need to do to be happy with God forever?

The Holy Trinity lives in love forever. All holy people who have died are living in love and happiness forever with the Holy Trinity.

St. Joan of Arc

St. Francis of Assisi

St. Jude

St. Martin de Porres

El camino al Cielo

Dios quiere que todos sean felices para siempre, aún después de morir. Todos están invitados. Todos los que siguen a Jesús y las leyes de Dios estarán en el Cielo con Dios para siempre.

Santa Bernardette

Dibuja a alguien de tu familia que te ha ayudado a aprender más sobre seguir a Jesús.

Practica tu fe

Hacer lo que Jesús dice En la Biblia, Jesús nos dice cómo vivir. Escribe algo que Jesús quiere que hagamos.

_____

- - - - - - - - - - - - - - - - - - -

_____

The Way to Heaven

God wants everyone to be happy forever, even after they die. Everyone is invited. Everyone who follows Jesus and God's laws will be in Heaven with God forever.

St. Bernadette

Draw someone in your family who has helped you learn more about following Jesus.

Connect Your Faith

Doing What Jesus Says In the Bible, Jesus tells us how to live. Write one action that Jesus wants us to do.

_____

- -

_____

Nuestra vida católica

¿Qué hacemos cuando alguien muere?

Cuando alguien que amamos muere, estamos tristes. Sabemos que extrañaremos a esa persona. Como somos seguidores de Jesús, sabemos que la muerte no es realmente el final. Aunque extrañemos a la persona ahora, sabemos que la volveremos a encontrar en el Cielo.

Estas son algunas cosas que los seguidores de Jesús hacen cuando alguien muere.

Coloca una marca al lado de algo que tú o alguien de tu familia haya hecho.

Cuando alguien muere

☐ Nos permitimos estar tristes. Compartimos nuestros sentimientos con Dios y con otras personas que amamos.

☐ Nos reunimos para la Misa. Damos gracias a Dios por habernos dado a esa persona en nuestra vida.

☐ Compartimos recuerdos felices con familia y amigos. Contamos anécdotas de nuestro ser querido.

☐ Pedimos a Dios que cuide a quien ha muerto. Le pedimos que lo reciba en el Cielo.

Our Catholic Life

What do we do when someone dies?

When someone we love dies, we are sad. We know that we will miss the person. Because we are followers of Jesus, we know that death is not really the end. Even though we miss the person now, we know we will meet him or her again in Heaven.

Here are some things the followers of Jesus do when someone dies.

When Someone Dies

☐ We let ourselves feel sad. We share how we feel with God and with other people we love.

☐ We gather for Mass. We thank God for giving us this person to be in our lives.

☐ We share happy memories with family and friends. We tell stories about our loved one.

☐ We ask God to take care of the person who has died. We ask God to welcome him or her to Heaven.

Place a check mark next to one thing you or someone in your family has done.

Gente de fe

Santa Emilia de Vialar, 1797–1856

Santa Emilia nació en Francia. Cuando tenía quince años, su madre murió. Ella se hizo cargo de la casa de su padre. Dedicó su vida a la oración. Después de heredar algo de dinero, cuidó a niños enfermos y pobres. Santa Emilia les enseñó a los niños que siempre debemos amarnos los unos a los otros. También les enseñó que Jesús quiere que seamos felices y que vivamos con Dios para siempre en el Cielo.

17 de junio

Comenta: ¿Qué te hace feliz?

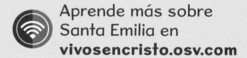

Aprende más sobre Santa Emilia en **vivosencristo.osv.com**

Vive tu fe

Reza una oración   ¿Conoces a alguien que haya muerto? Esta semana, reza una oración especial por esa persona.

Querido Dios:

Por favor cuida a todos los que han muerto,

_____

especialmente a _____

_____.

Amén.

People of Faith

Saint Emily de Vialar, 1797–1856

Saint Emily was born in France. When she was fifteen, her mother died. She took care of her father's house. She devoted her life to prayer. After inheriting some money, she cared for children who were sick and poor. Saint Emily taught the children that we should always love each other. She also taught them that Jesus wants us to be happy and live with God forever in Heaven.

June 17

Discuss: What makes you happy?

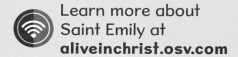

Learn more about Saint Emily at **aliveinchrist.osv.com**

Live Your Faith

Say a Prayer Do you know someone who has died? This week, say a special prayer for that person.

Dear God,

Please take care of all those who have died,

_____

especially _____

_____.

Amen.

 Oremos

Oración por los difuntos

Reúnanse y comiencen con la Señal de la Cruz.

Líder: Aquellos que murieron en la amistad de Dios son parte de nuestra familia de la Iglesia. Pedimos por ellos. Les rogamos que también pidan por nosotros.

Lado 1: Señor Dios nuestro, nos acordamos de los que ya murieron.

Lado 2: Llévalos a vivir en tu casa para siempre.

Lado 1: Reúnenos a todos en tu Reino.

Lado 2: Allí estaremos felices para siempre con María la Virgen, Madre de Dios y Madre nuestra.

Todos: Entonces, todos los amigos de Jesús, nuestro Señor, podremos cantarte sin fin.

De la *Plegaria Eucarística para las Misas con niños II*

Canten "A Ti Dios"

A ti, Dios, te alabamos;

A ti, Señor, te reconocemos;

A ti, eterno Padre, te venera la creación.

A ti, eterno Padre, te venera toda la creación.

Letra basada en *Te Deum*; tr. en español, Rosa María Icaza CCVI © 1999, Mexican American Catholic College. Derechos reservados. Con las debidas licencias.

 **Let Us Pray**

Prayer for the Dead

Gather and begin with the Sign of the Cross.

Leader: Those who have died as friends of God are part of our Church family. We pray for them. We ask them to pray for us, too.

Side 1: Lord, our God, we remember those who have died.

Side 2: Bring them home to be with you forever.

Side 1: Gather us all together into your Kingdom.

Side 2: There we will be happy forever with the Virgin Mary, Mother of God and our Mother.

All: There all the friends of the Lord Jesus will sing a song of joy.

From the *Eucharistic Prayer II for Children*

 Sing "Around Your Throne"

We gather around your throne O God.
You are worthy of our praise.
With the saints and all the angels,
in one voice we worship you.
Holy (Holy)
Holy (Holy)
Holy… are you!

© 2010, Banner Kidd. Published by Our Sunday Visitor.

FAMILIA + FE

VIVIR Y APRENDER JUNTOS

SUS HIJOS APRENDIERON >>>

Este capítulo explica el Cielo como el gozo pleno de vivir con Dios para siempre. Dios quiere que todos vivamos en amor y felicidad con Él.

La Palabra de Dios

 Vean **Lucas 17, 20–21** para leer qué dijo Jesús acerca de la venida del Reino de Dios.

Lo que creemos

- Jesús dijo que quienes mueren pueden tener una nueva vida con Él en el Cielo.

- Dios invita a todas las personas al Cielo. Todos los que siguen a Jesús y obedecen las leyes de Dios irán al Cielo.

Para aprender más, vayan al *Catecismo de la Iglesia Católica* #1023–1025 en **usccb.org**.

Gente de fe

Esta semana, su hijo conoció a Santa Emilia de Vialar. Santa Emilia sentía un amor especial por los niños enfermos y les enseñó que Jesús quiere que sean felices aquí y en el Cielo.

LOS NIÑOS DE ESTA EDAD >>>

Cómo comprenden la vida con Dios Los niños de esta edad todavía están formándose una idea del Cielo, mientras tratan de entender el concepto de que la muerte es un cambio permanente y es diferente de dormir. Si un abuelo u otro pariente de su hijo ha fallecido, es posible que le hayan dicho que esa persona "se fue al Cielo". Los niños de esta edad tienden a pensar en el Cielo como algún lugar arriba en el espacio. Esto puede hacerlos pensar en cómo es vivir sin padres o alguien que los cuide. Debido a esto, pueden sentir miedo de la muerte y, por tanto, del Cielo. La vida eterna, un concepto difícil incluso para los adultos, es bastante incomprensible para los niños pequeños. Sea cuidadoso cuando hable con los niños acerca del Cielo. Aunque suene como algo maravilloso, ¡pueden resistirse a la idea de ir!

CONSIDEREMOS ESTO >>>

Para ustedes, ¿qué significa siempre?

Cuando niños, pudo ser el tiempo que esperaban por la Navidad o un cumpleaños. Como adultos jóvenes, puede que nos concentremos en las cosas que parecen venir "para siempre": matrimonio, familia, retiro. A medida que envejecemos, nos damos mayor cuenta de que "para siempre" es más que esta vida. "Cada vez que participamos en una Misa funeral, vemos el cuerpo de un fallecido en un velatorio o pasamos por un cementerio, se nos recuerda este simple y profundo articulo del Credo, la creencia en la resurrección de la carne. Es una creencia que nos hace pensar, ya que nos recuerda que el juicio aún está por llegar, y a la vez es una creencia gozosa porque anuncia la vida eterna con Dios" (*CCEUA*, p. 167).

HABLEMOS >>>

- Pregunten a su hijo sobre la promesa de Jesús a sus seguidores.

- Hablen de seres queridos que han fallecido y qué significa para ustedes vivir para siempre con Dios.

OREMOS >>>

 Santa Emilia, ruega por nosotros para que seamos felices aquí en la Tierra y en el Cielo con Jesús. Amén.

 Visiten **vivosencristo.osv.com** para encontrar un glosario multimedia de Palabras católicas, lecturas dominicales, y recursos de Santos y tiempos festivos.

FAMILY+FAITH
LIVING AND LEARNING TOGETHER

YOUR CHILD LEARNED >>>

This chapter explains Heaven as the full joy of living with God forever. God wants everyone to live in love and happiness with him.

God's Word

 See **Luke 17:20–21** to read what Jesus said about the coming of the Kingdom of God.

Catholics Believe

- Jesus said those who die can have new life with him in Heaven.
- God invites all people to Heaven. All who follow Jesus and obey God's laws will go to Heaven.

To learn more, go to the *Catechism of the Catholic Church* #1023–1025 at **usccb.org**.

People of Faith

This week, your child met Saint Emily de Vialar. Saint Emily had a special love for sick children and taught them that Jesus wants them to be happy here and in Heaven.

CHILDREN AT THIS AGE >>>

How They Understand Life with God Children at this age are still forming a concept of Heaven as they struggle with the idea that death is a permanent change and is different from sleeping. If your child has had a grandparent or another family member who died, he or she might have been told that the person "went to Heaven." Children this age tend to think of Heaven as a place somewhere way up in the sky. This can make them also think about life without a parent or caregiver. Because of this, they can be afraid of death and therefore afraid of Heaven. Eternal life, a difficult concept even for us as adults, is fairly incomprehensible for young children. Be careful how you talk to children about Heaven. Even if it sounds marvelous, they may be reluctant in wanting to go!

CONSIDER THIS >>>

What does forever mean to you?

As a child it may have been the time we waited for Christmas or a birthday. As a young adult we may focus on the seeming "forever" of things to come—marriage, family, retirement. The older we get, the more we realize that forever is more than this life. "Every time we attend a funeral vigil or Mass, view a deceased body at a wake, or pass by a cemetery, we are reminded of this simple and profound article of the Creed, the belief in the resurrection of the body. It is a sobering belief, because it reminds us of the judgment yet to come, and at the same time it is a joyful belief that heralds life everlasting with God" (*USCCA, p. 156*).

LET'S TALK >>>

- Ask your child about Jesus' promise to his followers.
- Talk about loved ones who have passed away and what living forever with God means to you.

LET'S PRAY >>>

 Saint Emily, pray for us that we may be happy here on Earth and in Heaven with Jesus. Amen.

For a multimedia glossary of Catholic Faith Words, Sunday readings, seasonal and Saint resources, and chapter activities go to **aliveinchrist.osv.com**.

A **Trabaja con palabras** Completa cada oración.

1. Dios quiere que todos sean _____

_____ .

2. Jesús dijo que después de la muerte puedes _____

tener una _____ nueva.

3. Puedes ser feliz con Dios cuando _____

_____ a Jesús.

4. Puedes tener la plena alegría de vivir con Dios por

siempre en el _____

_____ .

B **Confirma lo que aprendiste** Ordena los sucesos.

5. ☐ Tenemos vida para siempre con Dios.

7. ☐ Nacemos.

6. ☐ Morimos.

8. ☐ Vivimos.

Chapter 20 Review

A **Work with Words** Complete each sentence.

Word Bank

follow

life

Heaven

happy

1. God wants everyone to be _____

_ _ _ _ _ _ _ _ _ _ _ _ _ _ _ _

_____ .

2. Jesus said that after death you can _____

have new _ _ _ _ _ _ _ _ _ _ _ _

_____ .

3. You can be happy with God when you _____

_ _ _ _ _ _ _ _ _ _ _ _ _ _ _ _ Jesus.

_____

4. You can have the full joy of living with God forever in _____

_ _ _ _ _ _ _ _ _ _ _ _ _ _ _ _ _

_____ .

B **Check Understanding** Put the events in order.

5. ☐ We have life forever with God.

6. ☐ We die.

7. ☐ We are born.

8. ☐ We live.

El Reino de Dios

 **Oremos**

Líder: Dios, enséñanos cómo vivir cada día.

"Tu reino es reino por todos los siglos,
   y tu imperio por todas las edades.
Fiel es el Señor en todas sus palabras
   y bondadoso en todas sus obras".
Salmo 145, 13-14

Todos: Dios, guíanos al trabajar por tu Reino.
Amén.

La Palabra de Dios

"Ya se te ha dicho [...] lo que el Señor te exige: tan sólo que practiques la justicia, que seas amigo de la bondad y te portes humildemente con tu Dios." Miqueas 6, 8

¿Qué piensas?

- ¿Cómo haces lo que es correcto?
- ¿Cuándo ofreces paz a otros?

God's Kingdom

 Let Us Pray

Leader: God, you teach us how to live every day.

"Your reign is a reign for all ages,
   your dominion for all generations.
The LORD is trustworthy in all his words,
   and loving in all his works." Psalm 145:13–14

All: God, guide us in working for your
Kingdom. Amen.

God's Word

"You have been told ... what the LORD requires of you: Only to do justice and to love goodness, and to walk humbly with your God." Micah 6:8

? What Do You Wonder?

- How do you do what is right?
- When do you bring peace to others?

Amor y paz

¿Cómo puedes trabajar con Dios mientras Él construye su Reino?

Subraya para qué Jesús nos enseñó a orar. ¿Dónde oyes estas palabras?

La Palabra de Dios en la Sagrada Escritura nos enseña cómo tener felicidad verdadera. En el Cielo, todos son felices porque están con Dios. Todos se llevan bien y se aman. Jesús nos enseñó a orar para que el Reino de Dios venga "en la Tierra como en el Cielo".

Cuando celebramos la bondad de Dios y tratamos a los demás con amor, estamos trabajando para traer la paz mientras Él construye su Reino.

- Jesús perdonó a las personas una y otra vez. Jesús trajo paz.

- Jesús trató a otros como le hubiera gustado que lo trataran. Jesús trajo justicia.

- Jesús alimentó a los hambrientos. Jesús mostró amor.

Love and Peace

How can you work together with God as he builds his Kingdom?

God's Word in Scripture teaches us how to have true happiness. In Heaven, everyone is happy because they are with God. Everyone gets along and loves each other. Jesus taught us to pray that God's Kingdom would come "on earth as it is in Heaven."

When we celebrate God's goodness and treat others with love, we are working to bring peace as he builds his Kingdom.

Underline what Jesus taught us to pray for. Where do you hear these words?

- Jesus forgave people over and over again. Jesus brought peace.
- Jesus treated others as he would like to be treated. Jesus brought justice.
- Jesus fed people who were hungry. Jesus showed love.

El Reino crece

Al amar a Dios y a otros y hacer cosas para mostrar nuestro amor, trabajamos con Dios para difundir la Buena Nueva de su Reino.

A diario, Dios nos da muchas formas de tomar decisiones pequeñas y amorosas. Las cosas buenas que hacemos a diario ayudan a que el Reino de Dios crezca.

➔ **¿Cómo puedes difundir la Buena Nueva?**

La Palabra de Dios

Comenzar por lo pequeño

Jesús dijo que el Reino de Dios es como un grano de mostaza. Es una semilla muy pequeña que se convierte en un árbol muy grande. Crece tanto que las aves vienen a posarse en sus ramas. **Basado en Mateo 13, 31-32**

Comparte tu fe

Piensa Escribe algo bueno que haces a diario para ayudar a que el Reino de Dios crezca.

____

____

____

Comparte lo que escribiste con un compañero.

The Kingdom Grows

When we love God and others and do things to show our love, we work with God to spread the Good News of his Kingdom.

Every day, God gives us many ways to make small, loving choices. The good things we do each day help God's Kingdom to grow.

➡ **How can you spread the Good News?**

 ## God's Word

Starting Small

Jesus said that God's Kingdom is like a mustard seed. It is a very tiny seed that grows to be a very big tree. It becomes so big that birds can sit in its branches.   Based on Matthew 13:31–32

Share Your Faith

Think Write one good thing that you do every day to help God's Kingdom grow.

_____

- -

_____

Share what you wrote with a partner.

Vivir para el Reino

¿Cómo puedes ayudar a que el Reino de Dios crezca?

Cuando los seguidores de Jesús actúan con **paz**, justicia y amor, ayudan a que el Reino crezca.

¿Cómo pueden los niños trabajar con Dios mientras construye su Reino? ¿Cómo pueden compartir el amor de Dios con otros?

1. Coloca una marca de cotejo junto a las cosas que construyen el Reino de Dios.

2. Pon una X al lado de las cosas que no construyen el Reino de Dios.

Algunos niños callados o tímidos no son elegidos como compañeros.

☐ Ignora a los niños que nunca son elegidos porque no deben ser buenos compañeros.

☐ Pídele cortésmente a uno ser tu compañero. Esto es difundir paz.

Living for the Kingdom

How can you help God's Kingdom grow?

When followers of Jesus act with **peace**, justice, and love, they help the Kingdom of God grow.

How can children work with God as he builds his Kingdom? How can they share God's love with others?

Catholic Faith Words

peace when things are calm and people get along with one another

1. Place a check mark next to the things that build up God's Kingdom.

2. Put an X next to the things that do not build up God's Kingdom.

Some quiet or shy children don't get picked as partners.

☐ Ignore the children who never get picked because they must not be good partners.

☐ Kindly ask one of them to be a partner. This is spreading peace.

Algunos niños no comparten.

☐ Quédate con tus juguetes y no compartas con los demás.

☐ Comparte y dale a los demás lo que necesitan. Esto es actuar con justicia.

Cuando el maestro no ve, unos niños molestan y se burlan de otros.

☐ Muestra que otros te importan, aunque sea difícil. Esto es amor.

☐ Molesta con ellos para que no se metan contigo.

Practica tu fe

Haz una tarjeta de membresía
Escribe tu nombre abajo. Habla sobre cómo puedes ayudar a que el Reino de Dios crezca.

Tarjeta de membresía
Reino de Dios
¡Tú!
Miembro
Fecha de vencimiento: Nunca

_____

- - - - - - - - - - - - - - -

_____

Some children don't want to share.

☐ Keep your toys to yourself and don't share them with others.

☐ Share and give others what they need. This is acting with justice.

When the teacher isn't looking, some children are teasing and calling others names.

☐ Show care for others, even if it's hard. This is love.

☐ Join in the teasing so you don't get picked on next.

Connect Your Faith

MEMBERSHIP CARD

God's Kingdom

You !

MEMBER

Expiration Date: Never

Make a Membership Card
Write your name below. Talk about ways you can help God's Kingdom grow.

_____

- - - - - - - - - - - - - - - - - -

_____

Nuestra vida católica

¿Cómo puedes vivir en el Reino de Dios?

El Reino de Dios crece cada vez que mostramos justicia, amor y paz. Aquí hay algunas maneras de vivir y mostrar a otros el Reino de Dios.

En la pieza vacía del rompecabezas, dibuja una manera en la que vives en el Reino de Dios.

Ofrece justicia

- Juega limpio.
- Comparte lo que tienes con los demás.
- No excluyas a nadie.
- Ayuda a las personas a obtener los alimentos y la ropa que necesitan.

Ofrece amor

- Muestra a los miembros de tu familia y a tus amigos que te importan.
- Alégrate cuando les suceden cosas buenas a los demás.
- Ayuda a los que se sienten heridos o solos.
- No digas chismes o insultes a los demás.

Ofrece paz

- Sé paciente.
- Trata de resolver discusiones de manera que todos ganen.
- No trates de salirte siempre con la tuya.
- Sé el primero en decir "Lo siento" y "Te perdono".

Our Catholic Life

How can you live in the Kingdom of God?

God's Kingdom grows whenever people show justice, love, and peace. Here are some ways you can live in and show others God's Kingdom.

In the empty puzzle piece, draw one way you live in God's Kingdom.

Bring justice

- Play fair.
- Share what you have with others.
- Don't leave anyone out.
- Help people get the food and clothing they need.

Bring love

- Show family members and friends that you care.
- Be happy when good things happen to others.
- Help those who are feeling hurt or lonely.
- Don't gossip or call people mean names.

Bring peace

- Be patient.
- Try to settle an argument so everyone wins.
- Don't always try to get your way.
- Be the first to say "I'm sorry" and "I forgive you."

Gente de fe

San Pedro Calungsod, 1654–1672

San Pedro Calungsod nació en Filipinas. A los catorce años se convirtió en misionero laico. Pedro fue pintor, cantante y catequista mientras trabajaba con los misioneros jesuitas. Su mayor deseo era difundir el mensaje de amor de Jesús. Él murió protegiendo a un sacerdote de hombres que odiaban el cristianismo. Pedro es el Santo patrón de los niños filipinos.

21 de abril

Comenta: ¿Cómo puedes usar tus talentos para difundir el mensaje de amor de Jesús?

Aprende más sobre San Pedro Calungsod en **vivosencristo.osv.com**

Vive tu fe

Imagina Haz un dibujo de cómo sería el mundo si todos trabajaran juntos para ayudar a construir el Reino de Dios.

People of Faith

Saint Pedro Calungsod, 1654–1672

Saint Pedro Calungsod was born in the Philippines. At fourteen he became a lay missionary. Pedro was a painter, singer, and catechist as he worked with the Jesuit missionaries. His greatest desire was to spread Jesus' message of love. He died while protecting a priest from men who hated Christianity. Pedro is the patron Saint of Filipino children.

April 21

Discuss: How can you use your talents to spread Jesus' message of love?

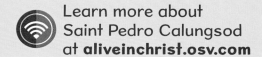

Learn more about Saint Pedro Calungsod at **aliveinchrist.osv.com**

Live Your Faith

Imagine Draw a picture of what the world would be like if everyone worked together to help build God's Kingdom.

 Oremos

Oración de petición

Reúnanse y comiencen con la Señal de la Cruz.

Líder: Dios, queremos hacer tu voluntad.

Todos: Ayúdanos a ofrecer paz

Líder: Dios Padre, queremos hacer tu voluntad.

Todos: Ayúdanos a ofrecer justicia

Líder: Dios, queremos hacer tu voluntad.

Todos: Ayúdanos a ofrecer amor.

Canten "Guíame, Señor"

Guíame, Señor, en mi caminar.
Tú me has consagrado,
seré profeta de los pueblos.
Envíame, Señor; adonde quieras Tú, iré
y proclamaré tu Palabra que da vida.

 **Let Us Pray**

Asking Prayer

Gather and begin with the Sign of the Cross.

Leader: God, we want to do your will.

All: Help us bring peace.

Leader: God the Father, we want to do your will.

All: Help us bring justice.

Leader: God, we want to do your will.

All: Help us bring love.

 Sing "Right and Just"

It is right—the proper thing to do.
It is just—giving God what's due.
When we come to praise our God,
It is right and just.

SUS HIJOS APRENDIERON >>>

Este capítulo explora qué es llevar felicidad a los demás y ayudar a que crezca el Reino de Dios.

La Palabra de Dios

 Lean **Miqueas 6, 8** para ver cómo quiere Dios que vivamos para poder estar con Él en el Cielo.

Lo que creemos

- Justicia, amor y paz son signos del Reino de Dios.
- Los católicos trabajan aquí y ahora con Dios para ayudar a que Su Reino siga creciendo.

Para aprender más, vayan al *Catecismo de la Iglesia Católica* #2816–2821 en **usccb.org**.

Gente de fe

Esta semana, su hijo conoció a San Pedro Calungsod, un catequista adolescente filipino que fue martirizado por su fe.

LOS NIÑOS DE ESTA EDAD >>>

Cómo comprenden el Reino de Dios Los niños de esta edad están familiarizados con relatos que tienen reyes y reinos, como los cuentos de hadas, y pueden pensar sobre las referencias de Jesús al Reino del Padre en estos términos. Pueden ayudar a su hijo a comprender que los cristianos cooperan con Dios para ayudar a que el Reino de Dios crezca "en la tierra como en el Cielo". Viviremos para siempre con Dios en su Reino en el Cielo, pero también trabajamos activamente para ayudar a que crezca el Reino de Dios demostrándonos amor mutuamente.

CONSIDEREMOS ESTO >>>

Sin usar palabras, ¿cómo les demostramos a nuestros hijos que los amamos?

Los hechos dicen más que mil palabras. Preparar una comida preferida, atrapar una pelota o secar las lágrimas mientras ponen un vendaje, todos son signos de su amor. Hacemos presente la vida y el amor de Dios con nuestras palabras, actitudes y obras; manifestamos el Reino de Dios. "La proclamación del Reino de Dios es fundamental en la predicación de Jesús. El Reino de Dios es su presencia entre los seres humanos, llamándolos a una nueva forma de vida, como individuos y como comunidad. Este es un Reino de Salvación del pecado y un compartir de la vida divina. Esta es la Buena Nueva que termina en amor, justicia y misericordia para todo el mundo" (*CCEUA, p. 86*).

HABLEMOS >>>

- Pregunten a su hijo qué cosas pequeñas puede hacer para ayudar a que crezca el Reino de Dios.
- Hablen de personas que ofrecen paz o comparten el amor de Dios en su vida diaria.

OREMOS >>>

 San Pedro, ruega por nosotros para que vivamos hoy la justicia, el amor y la paz en nuestra familia. Amén.

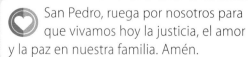 Visiten **vivosencristo.osv.com** para encontrar un glosario multimedia de Palabras católicas, lecturas dominicales, y recursos de Santos y tiempos festivos.

FAMILY+FAITH
LIVING AND LEARNING TOGETHER

YOUR CHILD LEARNED >>>

This chapter explores bringing happiness to others and helping God's Kingdom grow.

God's Word

 Read **Micah 6:8** to see how God wants us to live so that we can be with him in Heaven.

Catholics Believe

- Justice, love, and peace are signs of God's Kingdom.
- Catholics work here and now with God to help his Kingdom continue to grow.

To learn more, go to the *Catechism of the Catholic Church* #2816–2821 at **usccb.org**.

People of Faith

This week, your child met Saint Pedro Calungsod, a teenage Filipino catechist who was martyred for the faith.

CHILDREN AT THIS AGE >>>

How They Understand God's Kingdom Children at this age are familiar with stories, such as fairy tales, that involve kings and kingdoms, and they might think of Jesus' references to the Father's Kingdom in these terms. You can help your child understand that Christians cooperate with God to help God's Kingdom grow "on earth as it is in Heaven." We will live forever with God in his Kingdom in Heaven, but we also actively work to help God's Kingdom grow by showing love to one another.

CONSIDER THIS >>>

Without using words, how do we show our children that we love them?

Actions speak louder than words. Making a favorite meal, catching a ball, or wiping away tears as you put on a bandage are all signs of your love. We make God's life and love present with our words, attitudes, and actions—we manifest God's Kingdom. "The proclamation of the Kingdom of God was fundamental to Jesus' preaching. The Kingdom of God is his presence among human beings calling them to a new way of life as individuals and as a community… It is the Good News that results in love, justice and mercy for the whole world" (*USCCA, p. 79*).

LET'S TALK >>>

- Ask your child what small things he or she can do to help God's Kingdom grow.
- Talk about people who bring peace or share God's love in their daily lives.

LET'S PRAY >>>

 Saint Pedro, pray for us that we may live justice, love, and peace in our family today. Amen.

 For a multimedia glossary of Catholic Faith Words, Sunday readings, seasonal and Saint resources, and chapter activities go to **aliveinchrist.osv.com**.

A **Trabaja con palabras** Completa el espacio en blanco con la palabra correcta del Vocabulario.

1. Cuando resuelves los problemas con bondad, ofreces _____.

2. Cuando te preocupas, aunque sea difícil, ofreces _____.

3. Cuando le das a Dios lo que le corresponde y le das a los demás lo que necesitan, ofreces _____.

B **Confirma lo que aprendiste** Pon una X junto a las cosas que puedes hacer para ayudar a que el Reino de Dios crezca.

4. ☐ amar a tus padres   **7.** ☐ orar

5. ☐ ser un buen amigo   **8.** ☐ pelear

6. ☐ burlarte   **9.** ☐ ayudar a los demás

Chapter 21 Review

A **Work with Words** Fill in the blank with the correct word from the Word Bank.

Word Bank
· · · · · · · · · · · · ·

love

peace

justice

1. When you settle problems with kindness, _____

   you bring _____ .

2. When you care, even if it's hard, you bring _____

   _____ .

3. When you give God what he deserves and give others _____

   what they need, you bring _____ .

B **Check Understanding** Put an X by things you can do to help God's Kingdom grow.

4. ☐ love your parents   7. ☐ pray

5. ☐ be a good friend   8. ☐ fight

6. ☐ tease   9. ☐ help others

A **Trabaja con palabras** Completa el espacio en blanco con la palabra o palabras correctas del Vocabulario.

Vocabulario
....

Cielo

Última Cena

paz

Jesús

todos

1. Jesús compartió la _____ _____ _____ con sus

   discípulos la noche antes de morir.

2. En la Misa, el pan y el vino se convierten en _____

   el Cuerpo y la Sangre de _____.

3. El _____ es la alegría plena

   de vivir con Dios para siempre.

4. Dios quiere que _____

   sean felices con Él.

5. Jesús les pide a sus seguidores que actúen con

   _____.

A **Work with Words** Fill in the blanks with the correct word or words from the Word Bank.

Word Bank

Heaven

Last Supper

peace

Jesus

everyone

1. Jesus shared the _____ _____ _____ with his disciples the night before he died.

2. At Mass, the bread and wine become _____ the Body and Blood of _____.

3. _____ is the full joy of living with God forever.

4. God wants _____ to be happy with him.

5. Jesus asks his followers to act with _____ _____.

B **Confirma lo que aprendiste** Traza una línea para unir las palabras de la Columna A con la definición en la Columna B.

Columna A

Columna B

6. Eucaristía

vida después de la muerte

7. La promesa de Jesús

La Iglesia recuerda esta comida en la Misa

8. El Reino de Dios

Sacramento que se celebra en la Misa

9. Evangeliario y cáliz

vivir en paz, amor y justicia

10. La Última Cena

se usan en la Misa

B **Check Understanding** Draw a line to match the words in Column A with the definition in Column B.

Column A	Column B
6. Eucharist	life after death
7. Jesus' Promise	the Church remembers this meal at Mass
8. God's Kingdom	Sacrament celebrated at Mass
9. Book of Gospels and Chalice	living in peace, love, and justice
10. The Last Supper	used at Mass

C **Relaciona** Haz un dibujo de cómo puedes hacer felices a los demás.

11.

C **Make Connections** Draw a picture of how you can make others happy.

11.

La vida y la dignidad

En la Biblia leemos que Dios nos conoce desde antes de nacer "Antes de formarte en el seno de tu madre, ya te conocía" (Jeremías 1, 5). Dios nos creó a todos. Él tiene un plan para nuestras vidas.

Porque Dios hizo a cada persona, debemos ser bondadosos y justos con todos y cuidar el cuerpo y la mente que Dios nos dio, y usarlos para el bien.

Dios quiere que seamos amables con los demás y que hablemos sobre los problemas en vez de pelear. Si alguien es mezquino, debemos defendernos y buscar ayuda si es necesario. Debemos ayudar a proteger a los demás porque cada vida es importante para Dios.

Life and Dignity

We read in the Bible that God knew us before we were even born: "Before I formed you … I knew you" (Jeremiah 1:5). God created each one of us. He has a plan for our lives.

Because God made each person, we should be kind and fair to everyone and take care of the bodies and minds God gave us, using them for good.

God wants us to be nice to others, and talk about problems instead of fighting. If someone else is being mean, we should speak up, and get help if necessary. We should help to protect others because every life is important to God.

El don de la vida

Las personas viven en muchos países diferentes. Hablan diferentes idiomas. Tienen diferente color de piel, cabello y ojos.

Todas las personas son iguales de una manera importante. Dios hizo a cada uno de nosotros. Dios nos dio el don de su propia vida y de su amor. Dios quiere que respetemos su vida en los demás.

>> **¿Qué puedes hacer para cuidar a otros?**

Aprende acerca de los demás

Puedes aprender mucho de las personas que son diferentes a ti. Responde las siguientes preguntas.

1. ¿Qué puedes aprender de alguien que viene de otro país?

_____

- -

_____

2. ¿Qué puedes aprender de alguien que tiene problemas para ver u oír?

_____

- -

_____

The Gift of Life

People live in many different countries. They speak different languages. They have different colors of skin, hair, and eyes.

All people are the same in one important way. God made each one of us. God gave us the gift of his own life and love. God wants us to respect his life in others.

≫ **What can you do to take care of other people?**

Learn About Others

You can learn a lot from people who are different from you. Answer the questions below.

1. What could you learn from someone who comes from another country?

   _____

   -

   _____

2. What could you learn from someone who has trouble seeing or hearing?

   _____

   -

   _____

El llamado a la comunidad

Dios nos da familias y comunidades porque sabe que no es bueno que vivamos solos. La Biblia dice que por eso Dios creó a Eva, para que fuera compañera y amiga de Adán. (Ver Génesis 2, 18.)

La Iglesia enseña que Dios nos da familias para ayudarnos a aprender quién es Dios y cómo amarnos mutuamente. Nuestra comunidad parroquial también nos ayuda a aprender sobre Dios. En las familias y en las comunidades parroquiales trabajamos juntos para cuidarnos unos a otros y para covertirnos en las personas que Dios quiere que seamos.

Plantar un jardín comunitario

Call to Community

God gives us families and communities because he knows it would not be good for us to live our lives alone. In fact, the Bible says that this is why God created Eve to be a companion and friend to Adam. (See Genesis 2:18.)

The Church teaches that God gives us families to help us learn who God is and how to love one another. Our parish community also helps us to learn about God. In families and in parish communities, we work together to take care of one another and to become the people God made us to be.

Planting a community garden

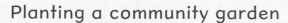

Tú eres necesario

¿Qué es una familia sin sus miembros? ¿Qué es una comunidad sin personas? ¿Qué es una parroquia sin feligreses? Todos los grupos deben tener miembros. Ningún grupo puede seguir viviendo y creciendo a menos que sus miembros trabajen juntos.

Tu familia, tu parroquia y tu comunidad no serían lo mismo sin ti. Tú eres necesario. Puedes usar los dones que Dios te dio para ayudar en muchos grupos de tu comunidad.

≫ **¿Cómo participas en tu familia?**

Haz un dibujo

Dibuja una manera en la que participas en tu comunidad.

You Are Needed

What is a family without family members? What is a community without people? What is a parish without parishioners? Every group must have members. No group can continue to live and grow unless its members work together.

Your family, your parish, and your community would not be the same without you. You are needed. You can use the gifts God gave you to help in many groups in your community.

> **How do you participate in your family?**

Draw a Picture

Draw one way you take part in your community.

Los derechos y las responsabilidades

Debido a que Dios creó a todas las personas, cada una tiene derechos y responsabilidades. Los derechos son las libertades o cosas que cada persona necesita y debería tener. Las responsabilidades son nuestros deberes, o las cosas que debemos hacer.

Jesús dijo: "Amarás a tu prójimo como a ti mismo" (Marcos 12, 31). Seguir este mandamiento significa asegurarnos de que los derechos de todos estén protegidos. También tenemos la responsabilidad de tratar bien a los demás y de trabajar juntos para el bien de todos.

Rights and Responsibilities

Because God made every person, everyone has rights and responsibilities. Rights are the freedoms or things every person needs and should have. Responsibilities are our duties, or the things we must do.

Jesus said, "You shall love your neighbor as yourself" (Mark 12:31). Following this command means making sure everyone's rights are protected. We also have a responsibility to treat others well and work together for the good of everyone.

Vivir en armonía

¿Has oído cantar un coro? Algunas personas cantan notas altas, otras notas bajas. Cuando cantan juntas, hacen armonía, una combinación de sonidos hermosos.

Cada persona tiene derechos, cosas que puede hacer libremente. Cada uno debe proteger los derechos de otros. Cuando los derechos de todos están protegidos, vivimos en paz. Hacemos la hermosa armonía del Reino de Dios.

≫ ¿Cuáles son algunas cosas que no nos permiten vivir en armonía?

Confirma lo que aprendiste

Traza una línea de los derechos en la Columna B a la palabra "Derechos" en la Columna A. Haz lo mismo para las responsabilidades.

Columna A	Columna B
	comida
Derechos	hacer la tarea
	refugio
	lavarse los dientes
Responsabilidades	quehaceres
	educación

578

Living in Harmony

Have you ever heard a choir sing? Some people sing high notes, some sing low notes. When they sing together, they make harmony, a blend of beautiful sounds.

Each person has rights, things that he or she can do freely. Each person also has to protect other people's rights. When everyone's rights are protected, we live in peace. We make the beautiful harmony of God's Kingdom.

≫ **What are some things that keep people from living in harmony?**

Check Your Understanding

Draw a line from the rights in Column B to the word "Rights" in Column A. Do the same for responsibilities.

Column A

Rights

Responsibilities

Column B

food

doing homework

shelter

brushing teeth

chores

education

La opción por los pobres

Jesús dice que lo que hacemos por los pobres o necesitados también lo hacemos por Él. (Ver Mateo 25, 40). Debemos tratar a todos como trataríamos a Jesús. Cuando otros necesitan comida, bebida, vestido, vivienda o atención médica, o cuando están solos, debemos ayudar.

Santa Rosa de Lima dijo: "Cuando servimos a los pobres y enfermos, servimos a Jesús". Nuestra Iglesia nos enseña a amar y cuidar a los pobres. Cuando lo hacemos Dios nos bendice.

Option for the Poor

Jesus says that whatever we have done for people who are poor or needy, we have also done for him. (See Matthew 25:40.) We should treat people the same way we would treat Jesus. When people need food, drink, clothing, housing, or medical care, or when they are lonely, we should help.

Saint Rose of Lima said, "When we serve the poor and the sick, we serve Jesus." Our Church teaches that we should have special love and care for the poor. When we do this, God will bless us.

Los necesitados

Un día Jesús enseñaba a una gran multitud sobre el amor de Dios. Más tarde, la gente empezó a tener hambre, pero no había comida. Los discípulos de Jesús no sabían qué hacer.

Jesús preguntó quién tenía comida. Un muchacho estaba dispuesto a compartir sus cinco panes pequeños y dos pescados. Jesús bendijo los alimentos. ¡Llenaron canastos con las sobras! (Ver Juan 6, 1-13)

Se nos llama a ser como Jesús y el muchacho. Debemos compartir lo que tenemos y dar a otros.

≫ **¿Qué necesita la gente de tu comunidad?**

Escribe una respuesta

Escribe algo que podrías hacer para ayudar.

1. Un amigo se siente solo. ¿Qué puedes hacer?

_____

_____

2. Un vecino nuevo no tiene amigos. ¿Qué puedes hacer?

_____

_____

People in Need

One day Jesus was teaching a big crowd about God's love. Late in the afternoon, people started getting hungry, but they had no food. Jesus' disciples weren't sure what to do.

Jesus asked who had food. One boy was willing to share his five small loaves of bread and two fish. Jesus blessed the food. There were baskets of leftovers! (See John 6:1-13.)

We are called to be like Jesus and the boy. We should try to share what we have and give to others.

≫ **What do the people in your community need?**

Write a Response

Write something you could do to help.

1. A friend is feeling lonely. What can you do?

_____

_____

2. A new neighbor has no friends. What can you do?

_____

_____

La dignidad del trabajo

Las personas tienen diferentes trabajos para ganar dinero y comprar lo que necesitan para vivir. Los trabajos también les permiten trabajar con Dios y su creación. Trabajar es parte del plan de Dios para las personas.

Todos los adultos deberían tener acceso a empleo. La Sagrada Escritura enseña que los trabajadores deben ser tratados justamente. (Ver Deuteronomio 24, 14). Deben recibir un pago justo. (Ver Levítico 19, 13 y Deuteronomio 24, 15). Si los trabajadores no están contentos, deben ser capaces de hallar una solución con sus jefes.

The Dignity of Work

The different jobs people have help them earn money to buy things they need to live. Jobs also allow people to work together with God and his creation. Work is part of God's plan for people.

All adults should be able to have a job. Scripture teaches that workers should be treated fairly. (See Deuteronomy 24:14.) They should be given fair pay. (See Leviticus 19:13 and Deuteronomy 24:15.) If workers are unhappy, they should be able to work things out with their bosses.

El respeto por los trabajadores

Las personas tienen toda clase de trabajos. Las personas trabajan para ganar dinero y para usar los dones y talentos que Dios les dio.

Algunos trabajadores no ganan lo suficiente. Otros, se enferman o se lastiman, y no pueden trabajar. La Iglesia enseña que el trabajo y los trabajadores deben ser tratados bien. No debería importar quiénes son los trabajadores o qué hacen.

≫ **¿Qué significa mostrar respeto por los trabajadores?**

Verdadero para ti

Tú también eres un trabajador. Lee cada enunciado. Si es verdadero para ti, encierra la cara feliz en un círculo. Si no lo es, encierra la triste. Si es verdadero a veces, y necesitas mejorar, encierra la interrogación.

1. Me esfuerzo en la escuela.

2. Hago mis quehaceres en cuanto me lo piden.

3. Estoy orgulloso del trabajo que hago.

4. Le doy gracias a mi familia por el trabajo que hace.

Respect for Workers

People work in all kinds of jobs. People work to earn money and to use the gifts and talents God gave them.

Some workers do not earn enough money. Some workers become ill or injured and cannot work at all. The Church teaches that work and workers should be treated well. It should not matter who the workers are or what they do.

≫ **What does it mean to show respect for workers?**

True For You

You are a worker, too. Read each sentence. If it is true for you, circle the happy face. If it is not, circle the sad face. If it is true sometimes, and you need to do better, circle the question mark.

1. I do my best school work.

2. I do my chores as soon as I am asked.

3. I am proud of the work I do.

4. I thank my family for the work they do.

La solidaridad humana

Las personas son diferentes de muchas maneras. Tenemos el cabello, los ojos y la piel de muchos colores diferentes. Hay personas ricas, personas pobres y personas de clase media.

Pero algo en lo que todos somos iguales es que Dios nos creó. Somos una familia humana. (Ver Gálatas 3, 28). Dios nos llama a ser sus hijos y a tratarnos con amor, bondad y justicia. En Las Bienaventuranzas, Jesús dice: "Felices los que trabajan por la paz" (Mateo 5, 9). Tratar a otros con justicia nos ayudará a vivir en paz unos con otros.

Human Solidarity

People are different in many ways. Our hair, eyes, and skin are many different colors. There are people who are rich, people who are poor, and people who are in-between.

But one way we are all alike is that God made us. We are one human family. (See Galatians 3:28.) God calls everyone to be his children. and to treat each other with love, kindness, and fairness. In the Beatitudes, Jesus says, "Blessed are the peacemakers" (Matthew 5:9). Treating others fairly will help us to live in peace with one another.

Una gran vecindad

¿Quiénes son tus vecinos? Las personas que viven cerca de ti son tus vecinos. También lo son las personas que viven en tu ciudad o pueblo.

Jesús enseñó que todas las personas son nuestros vecinos, o prójimos. Los vecinos pueden vivir cerca o lejos. Todos los humanos son parte de la familia de Dios.

Las familias y los vecinos comparten buenos y malos momentos. Es importante para nosotros amar al prójimo y tratarlo bien.

≫ **¿Cómo puedes conocer a tus vecinos del mundo?**

Resolver el acertijo

¿Qué puedes hacer para ayudar a tus vecinos? Encierra en un círculo la letra correcta de cada enunciado y escríbelas para hallar una cosa que puedes hacer por tus vecinos.

1. Encierra la letra que está en S A L pero no en S O L.

2. Encierra la letra que está en M I pero no en T I.

3. Encierra la letra que está en S O L pero no en S A L.

4. Encierra la letra que está en A R O pero no en A S O.

_____

_ _

_____

One Big Neighborhood

Who are your neighbors? People who live close to you are neighbors. So are the people who live in your city or town.

Jesus taught that all people are our neighbors. Neighbors can live close by or far away. All humans are part of God's family.

Families and neighbors share good times and bad times. It is important for us to love our neighbors and treat them well.

≫ **How can you get to know your neighbors around the world?**

Solve the Puzzle

What can you do to help your neighbors?
Circle the correct letter in each sentence and write them down to find one thing you can do for your neighbors.

1. Circle the letter that is in LOT but not in GOT.

2. Circle the letter that is in TON but not in TAN.

3. Circle the letter that is in VAN but not in MAN.

4. Circle the letter that is in BET but not in BIT.

_____

- -

_____

El cuidado de la creación

Dios creó el mundo entero: Tierra y cielo, montañas y desiertos, plantas, animales y personas. Cuando Dios hizo estas cosas, dijo que eran "muy buenas" (Génesis 1, 31). Dios dio autoridad a las personas sobre los peces, las aves y todo ser vivo. (Ver Génesis 1, 28.) Dios quiere que disfrutemos y cuidemos todo lo que Él ha hecho.

Nuestra Iglesia enseña que Dios nos dio plantas y animales para el bien de todos. Debemos cuidar de plantas, animales y los lugares donde viven, para que todos sigamos disfrutándolos.

Care for Creation

God created the whole world—the Earth and sky, the mountains and deserts, and all of the plants, animals, and people. When God made these things, he called them "very good" (Genesis 1:31). God put people in charge of the fish, the birds, and all living things. (See Genesis 1:28.) God wants us to enjoy and take care of everything he has made.

Our Church teaches us that God gave us plants and animals for the good of all people. We need to take care of plants, animals, and the places where they live, so everyone can continue to enjoy them.

Sean mis ayudantes

Tú puedes ser un buen ayudante. Puedes ayudar a tu familia en la casa. Puedes ayudar a tu maestro en la escuela.

Dios te pide que también seas su ayudante. Puedes ayudar a cuidar los dones de la creación de Dios. Puedes ayudar plantando flores y verduras. Puedes alimentar a las aves silvestres. Puedes cuidar tus mascotas. También puedes ayudar a mantener limpios los parques y el patio de la escuela.

≫ **¿Por qué debes cuidar de la creación?**

Sé un buen ayudante

Dibújate trabajando para cuidar la creación de Dios. ¿Cuáles son algunas cosas que puedes hacer para cuidar los dones de la creación de Dios?

Be My Helpers

You can be a good helper. You can help your family at home. You can help your teacher at school.

God asks you to be his helper, too. You can help take care of the gifts of God's creation. You can help by planting flowers and vegetables. You can feed wild birds. You can take care of your pets. You can also help keep parks and playgrounds clean.

≫ **Why should you take care of creation?**

Be a Good Helper

Draw yourself working to care for God's creation. What are some things you can do to help take care of the gifts of God's creation?

La Santísima Trinidad

La Santísima Trinidad es Dios Padre, Dios Hijo y Dios Espíritu Santo: Un solo Dios en tres Personas Divinas.

- Dios Padre es el Creador de todo lo que existe.

- Jesucristo es el Hijo de Dios y nuestro Salvador.

- Dios Espíritu Santo es el don del amor de Dios a la Iglesia.

Cuando haces la Señal de la Cruz y dices "En el nombre del Padre y del Hijo y del Espíritu Santo", muestras que crees en la Santísima Trinidad.

The Holy Trinity

The Holy Trinity is God the Father, God the Son, and God the Holy Spirit— One God in three Divine Persons.

- God the Father is the Creator of all that is.

- Jesus Christ is the Son of God and our Savior.

- God the Holy Spirit is God's gift of love to the Church.

When you make the Sign of the Cross and say, "In the name of the Father, and of the Son, and of the Holy Spirit," you are showing your belief in the Holy Trinity.

El credo

El credo habla de la fe de la Iglesia. Reúne las creencias más importantes de la Iglesia acerca de la Santísima Trinidad y nuestra fe católica.

Credo de los Apóstoles

Este Credo es un resumen de las creencias de los Apóstoles. A veces lo profesamos en la Misa durante el tiempo de Pascua y en las Misas con niños.

Creo en Dios, Padre
   todopoderoso,
Creador del cielo y de la tierra.
   Creo en Jesucristo, su único
   Hijo, nuestro Señor,

En las palabras que siguen, hasta decir María Virgen, todos se inclinan.

que fue concebido por obra y
   gracia del Espíritu Santo,
nació de Santa María Virgen,
padeció bajo el poder de
   Poncio Pilato,
fue crucificado, muerto y
   sepultado,
descendió a los infiernos,
al tercer día resucitó de entre
   los muertos,

subió a los cielos
y está sentado a la derecha de
   Dios, Padre todopoderoso.
Desde allí ha de venir a juzgar
   a vivos y muertos.

Creo en el Espíritu Santo,
   la santa Iglesia católica,
   la comunión de los santos,
   el perdón de los pecados,
   la resurrección de la carne
   y la vida eterna.
Amén.

The Creed

The creed tells the faith of the Church. It brings together the Church's most important beliefs about the Holy Trinity and our Catholic faith.

The Apostles' Creed

This Creed is a summary of the Apostles' beliefs. We sometimes profess it at Mass during the Easter season and in Masses with children.

I believe in God,
the Father almighty,
Creator of heaven and earth,
and in Jesus Christ, his only Son,
   our Lord,

At the words that follow, up to and including the Virgin Mary, all bow.

who was conceived by the
   Holy Spirit,
born of the Virgin Mary,
suffered under Pontius Pilate,
was crucified, died and was
   buried;
he descended into hell;
on the third day he rose again
   from the dead;

he ascended into heaven,
and is seated at the right hand
   of God the Father almighty;
from there he will come to
   judge the living and the dead.

I believe in the Holy Spirit,
the holy catholic Church,
the communion of saints,
the forgiveness of sins,
the resurrection of the body,
and life everlasting. Amen.

La Iglesia

La Iglesia es la comunidad de las personas bautizadas que creen en Dios y siguen a Jesús. La Iglesia se reúne para adorar y alabar a Dios, especialmente durante la celebración de la Misa.

Cada miembro de la Iglesia ha sido bautizado y recibido en la familia de Dios. Los católicos tienen la misión de compartir el mensaje de amor de Dios con los demás.

Para cumplir esta misión, recibimos el don del Espíritu Santo. Los seguidores de Jesús recibieron al Espíritu Santo en Pentecostés.

El Espíritu Santo le dio a cada uno de los discípulos el valor para difundir la Buena Nueva de Jesús a otras personas. El Espíritu Santo también te fortalece a ti.

The Church

The Church is the community of baptized people who believe in God and follow Jesus. The Church gathers to worship and praise God, especially at the celebration of the Mass.

Each member of the Church has been baptized and welcomed into God's family. Catholics have a mission to share God's message of love with others.

In order to carry out this mission, we receive the gift of the Holy Spirit. Jesus' followers received the Holy Spirit at Pentecost.

The Holy Spirit gave each of the disciples the courage to spread the Good News of Jesus to other people. The Holy Spirit also makes you strong.

María, Madre de Dios

María es la Madre de Dios. También es la Madre de la Iglesia. La Santidad de María es muy especial. Toda su vida, María dijo "sí" a todo lo que que Dios le pidió.

En la Anunciación, el Ángel Gabriel visitó a María y le dijo que iba a dar a luz al Salvador, al que llamaría Jesús. Como María dijo "sí", todas las personas han sido salvadas del poder del pecado y la muerte eterna.

María es nuestro gran ejemplo a seguir en la Iglesia. Con frecuencia, el Pueblo de Dios le pide a María que ruegue por ellos para que tengan el valor de decirle "sí" a Dios, en especial cuando es difícil hacerlo.

Mary, the Mother of God

Mary is the Mother of God. She is also the Mother of the Church. Mary is a very special Saint. All her life, Mary said "yes" to the things God asked of her.

At the Annunciation the Angel Gabriel came to Mary to tell her she was going to give birth to the Savior, whom she should call Jesus. Because Mary said "yes," all people have been saved from the power of sin and everlasting death.

Mary is our great role model in the Church. The People of God often ask Mary to pray for them so that they have the courage to say "yes" to God, especially when it is difficult.

Honrar a María

La Iglesia honra a María de muchas maneras especiales. Se rezan oraciones especiales, como el Rosario. Se celebran días festivos, como el de Nuestra Señora de Guadalupe. Honramos a María en todo momento, pero especialmente lo hacemos en sus días de fiesta. Estas oraciones y fiestas recuerdan a las personas que María estaba dispuesta a servir a Dios.

Muchos países celebran a María de diferentes maneras. Puedes leer algunas de estas maneras en la página 606.

Honoring Mary

The Church honors Mary in many special ways. Special prayers, such as the Rosary, are said. Feast days, such as Our Lady of Guadalupe, are celebrated. We honor Mary at all times, but especially on her feast days. These prayers and feasts remind people that Mary was willing to serve God.

Many countries celebrate Mary in different ways. You can read about a few of these ways on page 607.

Nuestra Señora de Guadalupe

En México, América Latina y Estados Unidos, las personas honran a Nuestra Señora de Guadalupe. Ella se le apareció a Juan Diego cuando él iba de camino a Misa. En ese lugar se construyó una iglesia. El Papa San Juan Pablo II nombró a Nuestra Señora de Guadalupe la Patrona de las Américas.

Nuestra Señora de Czestochowa

En Polonia, las personas honran la imagen de Nuestra Señora de Czestochowa. El Papa San Juan Pablo II tenía una devoción especial por esta imagen de María, quien es llamada la reina de Polonia. Él visitó su santuario inmediatamente después de convertirse en Papa, en 1979.

Nuestra Señora de Lourdes

En Francia, las personas honran a Nuestra Señora de Lourdes. María se le apareció a una joven campesina llamada Bernadette. En ese lugar fluye un manantial. Todavía hoy tiene poderes curativos. Personas de todo el mundo visitan el sitio.

Our Lady of Guadalupe

In Mexico, Latin America, and the United States, the people honor Our Lady of Guadalupe. She appeared to Juan Diego on his way to Mass. A church was built on that site. Pope Saint John Paul II named Our Lady of Guadalupe the Patroness of the Americas.

Our Lady of Czestochowa

In Poland, the people honor the image of Our Lady of Czestochowa. Pope Saint John Paul II had a special devotion to this image of Mary, who is named queen of Poland. He visited her shrine just after becoming Pope in 1979.

Our Lady of Lourdes

In France, people honor Our Lady of Lourdes. Mary appeared to a young peasant girl named Bernadette. A spring of water flows at that spot. To this day it has healing power. People from all over visit the site.

Los Siete Sacramentos

Los Sacramentos son signos y celebraciones especiales que Jesús le dio a su Iglesia. Ellos nos permiten participar de la vida y de la obra de Dios.

Bautismo

El Bautismo te libera del pecado y te convierte en hijo de Dios y en miembro de la Iglesia.

Confirmación

La Confirmación nos sella con el don del Espíritu Santo y celebra su ayuda.

Eucaristía

Jesús comparte su vida con nosotros en el pan y el vino que se convierten en su Cuerpo y su Sangre.

The Seven Sacraments

The Sacraments are special signs and celebrations that Jesus gave his Church. They allow us to share in God's life and work.

Baptism

Baptism frees you of sin and makes you a child of God and member of the Church.

Confirmation

Confirmation seals us with the gift of the Holy Spirit and celebrates his help.

Eucharist

Jesus shares his life with us in the bread and wine that become his Body and Blood.

Penitencia y Reconciliación

Tú dices que te arrepientes. A través de las palabras y acciones del sacerdote, Dios perdona tus pecados y te fortalece para que vivas como Él quiere.

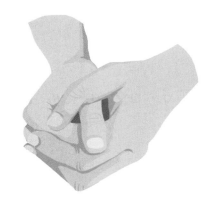

Unción de los Enfermos

En la Unción de los Enfermos, el sacerdote bendice a los enfermos graves con el óleo consagrado. Dios da consuelo y paz.

Orden Sagrado

En el Orden Sagrado, Dios bendice a los hombres para que sean obispos, sacerdotes y diáconos que guían y sirven a la Iglesia.

Matrimonio

En el Matrimonio, Dios bendice a un hombre y a una mujer bautizados para que vivan en el amor. El amor matrimonial es el corazón de la familia.

Penance and Reconciliation

You say you are sorry. Through the words and actions of the priest, God forgives your sins and strengthens you to live as he wants.

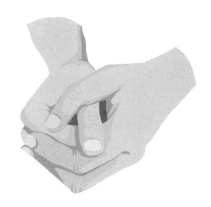

Anointing of the Sick

In the Anointing of the Sick, a priest blesses the very sick with holy oil. God gives comfort and peace.

Holy Orders

In Holy Orders God blesses men to be bishops, priests, and deacons who lead and serve the Church.

Matrimony

In Marriage, God blesses a baptized man and a baptized woman to live in love. Married love is the heart of a family.

Objetos especiales en la iglesia

Altar

El altar es la mesa al frente de la iglesia que se usa para celebrar la Misa.

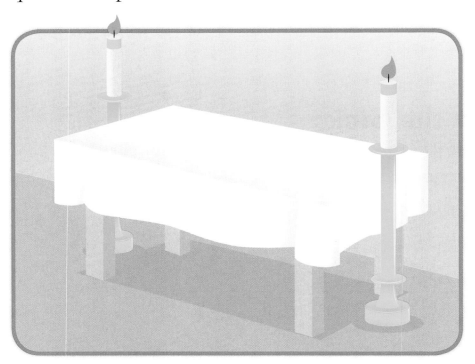

Sagrario

El Sagrario es un lugar especial de la iglesia donde se guarda el Cuerpo de Cristo, el Santísimo Sacramento, después de la Misa.

Special Things in Church

Altar

The altar is the table at the front of the church that is used to celebrate the Mass.

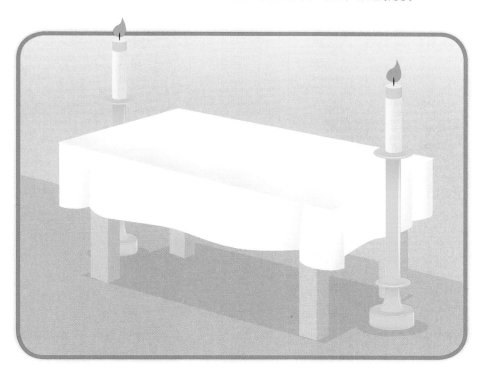

Tabernacle

The Tabernacle is a special place in the church where the Body of Christ, the Blessed Sacrament, is kept after Mass.

Vestiduras

El sacerdote usa unos trajes especiales llamados vestiduras. Algunas de sus vestiduras tienen colores diferentes para los diferentes tiempos del año litúrgico. El sacerdote usa trajes especiales porque representa a Jesús en la Misa.

Crucifijo

Un crucifijo es una cruz con una imagen de Jesús. Por lo general, se cuelga un crucifijo cerca del altar o se lleva en procesión al comienzo de la Misa.

Vestments

The priest wears special clothing called vestments. Some of the vestments that he wears are different colors for different seasons of the Church year. The priest wears special clothing because he represents Jesus at Mass.

Crucifix

A crucifix is a cross with an image of Jesus on it. A crucifix is usually hung somewhere near the altar or is carried in procession as Mass begins.

Agua bendita

Cuando entras en la iglesia, mojas la punta de los dedos en el agua bendita de la pila bautismal o en la fuente de agua bendita y haces la Señal de la Cruz. Esto te recuerda tu Bautismo.

Velas

Las velas iluminan la oscuridad. Son un signo de la presencia de Dios. Se llevan velas durante las procesiones en la Misa y también se colocan en el altar o junto a este.

Holy Water

As you enter the church, you dip your hand in holy water from the baptismal font or holy water font and make the Sign of the Cross. This reminds you of your Baptism.

Candles

Candles light the darkness. They are a sign of God's presence. Candles are carried during processions at Mass and are also placed on or beside the altar.

Cirio Pascual

En la Pascua, se enciende el Cirio Pascual para recordarle a la Iglesia que Jesús es la luz del mundo. Este cirio es una vela muy grande con la cual se encienden muchas otras velas bautismales.

Velas votivas

Algunas iglesias tienen velas especiales llamadas velas votivas. Por lo general, son de color azul, rojo o ámbar. Estas velas se encienden cuando las personas hacen oraciones especiales.

Paschal Candle

At Easter, the Paschal Candle is lit to remind the Church that Jesus is the light of the world. This candle is a very large candle from which many other baptismal candles are lit.

Vigil Lights

Some churches have special candles called vigil lights. They are usually blue, red, or amber. These candles are lit when people ask for special prayers.

Las cuatro partes de la Misa

1. Los Ritos Iniciales

Los Ritos Iniciales dan comienzo a la Misa.

- Una procesión con el sacerdote, el diácono y los monaguillos da comienzo a la Misa.
- La Iglesia pide la misericordia de Dios con una oración: "Señor, ten piedad. Cristo, ten piedad. Señor, ten piedad".
- Luego le sigue un canto de gloria y alabanza.

2. La Liturgia de la Palabra

La Liturgia de la Palabra es la primera parte principal de la Misa.

- La comunidad escucha una lectura del Antiguo Testamento y una del Nuevo Testamento
- El sacerdote, o el diácono, lee el Evangelio y da una homilía. Durante la Misa, Jesús está presente. Cristo está presente en:
  - la comunidad reunida.
  - la Palabra de Dios.
  - el sacerdote que preside.
  - en su Cuerpo y Sangre, especialmente.

The Four Parts of the Mass

1. The Introductory Rites

The Introductory Rites begin the Mass.

- A procession by the priest, deacon, and servers begins the Mass.
- The Church asks for God's mercy with the prayer: "Lord, have mercy. Christ, have mercy. Lord, have mercy."
- A song of glory and praise comes after that.

2. The Liturgy of the Word

The Liturgy of the Word is the first main part of the Mass.

- The community listens to a reading from the Old Testament and one from the New Testament.
- The priest or deacon reads the Gospel and gives a homily. During Mass Jesus is present. Christ is present in:
  - the assembled community.
  - the Word of God.
  - the presiding priest.
  - in his Body and Blood most especially.

3. La Liturgia Eucarística

La Liturgia Eucarística es la otra parte principal de la Misa.

- Se llevan al altar las ofrendas del pan y el vino.
- La asamblea recuerda la Muerte y Resurrección de Jesús.
- La Iglesia ofrece alabanzas y da gracias a Dios a través de Jesús.
- A través del poder del Espíritu Santo y de las palabras y acciones del sacerdote, las ofrendas del pan y el vino se convierten en el Cuerpo y la Sangre de Jesús.
- Antes de recibir a Jesús en la Sagrada Comunión, las personas se ofrecen la paz abrazándose o dándose la mano.

4. El final de la Misa

Al final de la Misa, el sacerdote bendice a las personas y les dice que pueden ir en paz a compartir lo que saben de Jesús.

Los católicos sirven en la Misa de varias maneras: como monaguillos, portadores de la cruz, cantores, lectores y ministros extraordinarios de la Sagrada Comunión.

3. The Liturgy of the Eucharist

The Liturgy of the Eucharist is the other great part of the Mass.

- Gifts of bread and wine are brought to the altar.
- The assembly remembers Jesus' Death and Resurrection.
- The Church offers praise and gives thanks to God through Jesus.
- Through the power of the Holy Spirit, and the words and actions of the priest, the bread and wine become the Body and Blood of Jesus.
- Before receiving Jesus in Holy Communion people offer one another a sign of peace by shaking hands or hugging.

4. The End of Mass

At the end of Mass, the priest blesses the people and tells them to go forth in peace to share about Jesus.

Catholics serve in the Mass in various ways: as altar servers, cross bearers, singers, readers, and extraordinary ministers of Holy Communion.

Tiempos y colores litúrgicos

La Iglesia tiene muchos tiempos. Cada tiempo está marcado con uno o varios colores especiales, que decoran la iglesia y las vestiduras que usa el sacerdote.

Adviento

El Adviento es el comienzo del año litúrgico y se marca con el morado. El Adviento dura cerca de cuatro semanas; en este tiempo se espera con ilusión el regreso de Jesús al fin del tiempo y lleva a la Navidad. Es un tiempo de espera y preparación.

Navidad

La Navidad se celebra con los colores blanco y dorado. El dorado puede usarse en lugar del blanco en días festivos especiales de la Iglesia. En Navidad, la Iglesia recuerda el nacimiento de Jesús y celebra su presencia con nosotros ahora. Esperamos con ilusión el regreso de Jesús al final de los tiempos.

Liturgical Seasons and Colors

The Church has many seasons. Each season is marked by a special color or colors that decorate the church and the vestments that the priest wears.

Advent

Advent is the beginning of the Church year and is marked by the color violet. Advent is about four weeks long; it looks forward to the return of Jesus at the end of time, and it leads up to Christmas. It is a time of waiting and preparing.

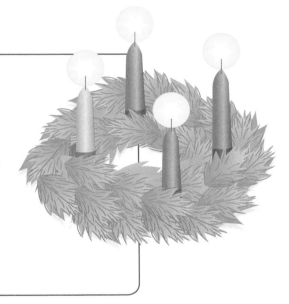

Christmas

Christmas is celebrated with the colors white and gold. Gold can be used instead of white for special Church holy days. At Christmas the Church remembers the birth of Jesus and celebrates his presence with us now. We look forward to the return of Jesus at the end of time.

Tiempo Ordinario

El Tiempo Ordinario celebra las palabras y las obras de Jesús, y se marca con el color verde.

Cuaresma

En la Cuaresma los cristianos recuerdan sus promesas bautismales de cambiar su vida y actuar más como Jesús. Como señal de preparación para la Pascua, la Cuaresma se marca con el color morado.

Triduo Pascual

El Triduo Pascual es el tiempo que dura tres días y es el más sagrado del año litúrgico. Celebra el paso de Jesús de la Muerte a la vida. Los días sagrados del Triduo son el Jueves Santo (blanco o dorado), el Viernes Santo (rojo), el Sábado Santo (blanco o dorado) y el Domingo de Pascua (blanco o dorado).

Pascua

El tiempo de Pascua comienza la noche del domingo de Pascua. Las vestiduras son blanco brillante por la vida nueva, porque el tiempo de Pascua celebra la Resurrección de Jesús. También celebra la vida nueva que la Resurrección de Jesús nos trae.

Ordinary Time

Ordinary Time celebrates the words and works of Jesus and is marked by the color green.

Lent

During Lent Christians recall their baptismal promises to change their life and act more like Jesus. As a sign of preparation for Easter, Lent is marked by the color violet.

Easter Triduum

The Easter Triduum is the season that lasts for three days and is the most holy season of the Church year. It celebrates Jesus' passing through Death to life. The holy days of Triduum are Holy Thursday (white or gold), Good Friday (red), Holy Saturday (white or gold), and Easter Sunday (white or gold).

Easter

The Easter season starts on the night of Easter Sunday. Vestments are brilliant white for new life because the Easter season celebrates Jesus' Resurrection. Easter also celebrates the new life Jesus' Resurrection brings to all.

Las leyes de Dios

Dios sabe que a veces es difícil tomar buenas decisiones. Él le dio a su Pueblo los Diez Mandamientos para guiarlo. Él quiere que nosotros también tomemos buenas decisiones.

Los Diez Mandamientos	Qué significan
1 Yo soy Yavé, tu Dios: no tendrás otros dioses fuera de mí.	Haz que Dios sea lo más importante de tu vida.
2 No tomes en vano el nombre de Yavé, tu Dios.	Usa siempre el nombre de Dios de manera respetuosa.
3 Acuérdate del día del Sábado, para santificarlo	Asiste a Misa y descansa los domingos.
4 Respeta a tu padre y a tu madre.	Ama y obedece a tus padres y tutores.
5 No mates.	Sé bondadoso con personas y animales; cuídate y cuida a otros.
6 No cometas adulterio.	Sé respetuoso con tu cuerpo.
7 No robes.	No tomes las cosas de los demás; no tomes lo que pertenece a otros.
8 No atestigües en falso contra tu prójimo.	Di siempre la verdad.
9 No codicies la mujer de tu prójimo.	Que tus pensamientos y palabras sean siempre puros; no sientas celos de las amistades de otros.
10 No codicies nada de lo que le pertenece a tu prójimo.	Sé feliz con las cosas que tienes; no sientas celos de lo que tienen otros.

God's Laws

God knows it is sometimes difficult to make good choices. He gave his People the Ten Commandments to help guide them. He wants you to make good choices, too.

The Ten Commandments	What They Mean
1 I am the Lord your God: you shall not have strange gods before me.	Make God the most important thing in your life.
2 You shall not take the name of the Lord your God in vain.	Always use God's name in a reverent way.
3 Remember to keep holy the Lord's Day.	Attend Mass and rest on Sunday.
4 Honor your father and your mother.	Love and obey your parents and guardians.
5 You shall not kill.	Be kind to people and animals; care for yourself and others.
6 You shall not commit adultery.	Be respectful of your body.
7 You shall not steal.	Don't take other people's things; don't take what belongs to someone else.
8 You shall not bear false witness against your neighbor.	Always tell the truth.
9 You shall not covet your neighbor's wife.	Keep your thoughts and words clean; don't be jealous of other people's friendships.
10 You shall not covet your neighbor's goods.	Be happy with the things you have; don't be jealous of what other people have.

El mandamiento de Jesús de amarnos

Jesús enseñó que el Gran Mandamiento y su Mandamiento Nuevo resumen los Diez Mandamientos.

El Gran Mandamiento

"*Amarás al Señor tu Dios con todo tu corazón, con toda tu alma, con todas tus fuerzas y con toda tu mente; y amarás a tu prójimo como a ti mismo*". Lucas 10, 27

El Mandamiento Nuevo de Jesús

"Este es mi mandamiento: que se amen unos a otros como yo los he amado". Juan 15, 12

Jesus' Command to Love

Jesus taught that the Great Commandment and his New Commandment sum up the Ten Commandments.

The Great Commandment

"You shall love the Lord, your God, with all your heart, with all your being, with all your strength, and with all your mind, and your neighbor as yourself." Luke 10:27

Jesus' New Commandment

"This is my commandment: love one another as I love you." John 15:12

Oraciones tradicionales

Estas son las oraciones básicas que todo católico debe saber. El latín es el idioma universal oficial de la Iglesia. Sin importar el idioma que una persona hable en su vida diaria, estas oraciones se rezan en común en latín.

Señal de la cruz

En el nombre del Padre
y del Hijo
y del Espíritu Santo.
Amén

Signum Crucis

In nómine Patris
et Fílii
et Spíritus Sancti.
Amen.

Gloria al Padre

Gloria al Padre
y al Hijo
y al Espíritu Santo.
Como era en el principio,
ahora y siempre,
por los siglos de los siglos. Amén.

Gloria Patri

Gloria Patri
et Fílio
et Spíritui Sancto.
Sicut erat in princípio,
et nunc et semper
et in sǽcula sæculorem.
Amen.

Basic Prayers

These are essential prayers that every Catholic should know. Latin is the official, universal language of the Church. No matter what language someone speaks in their daily life, these prayers are prayed in common in Latin.

Sign of the Cross

In the name of the Father,
and of the Son,
and of the Holy Spirit.
Amen.

Signum Crucis

In nómine Patris
et Fílii
et Spíritus Sancti.
Amen.

Glory Be

Glory be to the Father
and to the Son
and to the Holy Spirit,
as it was in the beginning
is now, and ever shall be
world without end. Amen.

Gloria Patri

Gloria Patri
et Fílio
et Spíritui Sancto.
Sicut erat in princípio,
et nunc et semper
et in sæ´cula sæculorem.
Amen.

Padre Nuestro

Padre nuestro, que estás en el
  cielo,
santificado sea tu Nombre;
venga a nosotros tu reino;
hágase tu voluntad
en la tierra como en el cielo.
Danos hoy nuestro pan de
  cada día;
perdona nuestras ofensas,
como también nosotros
  perdonamos
a los que nos ofenden;
no nos dejes caer en la
  tentación,
y líbranos del mal.
Amén.

Pater Noster

Pater noster qui es in cælis:
santificétur Nomen Tuum;
advéniat Regnum Tuum;
fiat volúntas Tua,
sicut in cælo, et in terra.
Panem nostrum
cotidiánum da nobis hódie;
et dimítte nobis débita nostra,
sicut et nos
dimittimus debitóribus nostris;
et ne nos indúcas in
  tentatiónem;
sed líbera nos a Malo. Amen.

Ave María

Dios te salve, María, llena eres
  de gracia;
el Señor es contigo.
Bendita Tú eres entre todas las
  mujeres,
y bendito es el fruto de tu
  vientre, Jesús.
Santa María, Madre de Dios,
ruega por nosotros, pecadores,
ahora y en la hora de nuestra
muerte.
Amén.

Ave, Maria

Ave, María, grátia plena,
Dóminus tecum.
Benedícta tu in muliéribus,
et benedíctus fructus ventris
  tui, Iesus.
Sancta María, Mater Dei,
ora pro nobis peccatóribus,
nunc et in hora mortis nostræ.
Amen.

The Lord's Prayer

Our Father,
who art in heaven,
hallowed be thy name;
thy kingdom come,
thy will be done
on earth
as it is in heaven.
Give us this day our daily bread,
and forgive us our trespasses,
as we forgive those who trespass
against us;
and lead us not into temptation,
but deliver us from evil. Amen.

Pater Noster

Pater noster qui es in cælis:
santificétur Nomen Tuum;
advéniat Regnum Tuum;
fiat volúntas Tua,
sicut in cælo, et in terra.
Panem nostrum
cotidiánum da nobis hódie;
et dimítte nobis débita nostra,
sicut et nos
dimittimus debitóribus nostris;
et ne nos indúcas in
   tentatiónem;
sed líbera nos a Malo. Amen.

The Hail Mary

Hail, Mary, full of grace,
the Lord is with thee.
Blessed art thou among
   women
and blessed is the fruit of
   thy womb, Jesus.
Holy Mary, Mother of God,
pray for us sinners,
now and at the hour of
   our death. Amen.

Ave, Maria

Ave, María, grátia plena,
Dóminus tecum.
Benedícta tu in muliéribus,
et benedíctus fructus ventris
   tui, Iesus.
Sancta María, Mater Dei,
ora pro nobis peccatóribus,
nunc et in hora mortis nostræ.
Amen.

Oraciones familiares y personales

Oración de la mañana

Señor, te alabo y doy gracias por todos los dones que derramas sobre mí. Tu bondad me salva. Te ofrezco cuanto soy, mis pensamientos, palabras y obras, al igual que todas las pruebas de este día. Amén.

Oración de la noche

Jesucristo, Dios mío, te adoro y te doy gracias por los favores que me has concedido en este día. Te ofrezco mi sueño y todos los instantes de la noche; te ruego que me libres de pecado. Que tu bendición descienda sobre mí. Amén.

Acto de fe, esperanza y caridad

Esta oración se reza en las mañanas para recordarnos que todos los dones vienen de Dios y que Él nos puede ayudar a creer, confiar y amar.

Dios mío, creo en ti, confío en ti, te amo por sobre todas las cosas, con toda mi mente, con todo mi corazón y todas mis fuerzas.

Acción de gracias

Te damos gracias por todos tus beneficios, Omnipotente Dios, que vives y reinas por los siglos de los siglos. Amén.
El Señor nos dé su paz.
—Y la vida eterna. Amén.

Bendición de la mesa

Bendícenos, Señor, a nosotros, y bendice estos dones que dados por tu bondad vamos a tomar. Amén.

Personal and Family Prayers

Morning Prayer

Blessed are you, Lord, God of all creation:
you take the sleep from my eyes
and the slumber from my
  eyelids.
Amen.

Evening Prayer

Protect us, Lord, as we stay
  awake;
watch over us as we sleep,
that awake, we may keep watch
  with Christ,
and asleep, rest in his peace.
Amen.

Grace After Meals

We give you thanks, Almighty
God, for all these gifts which we
have received through Christ
our Lord. Amen.

Act of Faith, Hope, and Love

This prayer is often prayed in the morning to remind us that all gifts come from God, and that he can help us believe, trust, and love.

My God, I believe in you,
  I hope in you,
I love you above all things,
  with all my mind
and heart and strength.

Grace Before Meals

Bless us, O Lord, and these
  thy gifts
which we are about to receive
from thy bounty, through
Christ our Lord. Amen.

Ángel de la guarda (tradicional)

Un ángel es un ser espiritual que es un mensajero de Dios.
Los ángeles se mencionan cerca de 300 veces en la Biblia.
Tres ángeles importantes son: Gabriel, Miguel y Rafael.

Ángel de Dios,
que eres mi custodio,
pues la bondad divina me ha encomendado a ti,
ilumíname, guárdame,
defiéndeme y gobiérname.
Amén.

Ángel custodio (contemporánea)

Ángel de mi guarda,
de mi dulce compañía,
no me desampares,
ni de noche ni de día,
no me dejes solo,
que me perdería.
Amén.

Angel Guardian (traditional)

An angel is a spiritual being that is a messenger of God. Angels are mentioned nearly 300 times in the Bible. Three important angels are Gabriel, Michael, and Raphael.

Angel of God,
my Guardian dear,
to whom his love commits me here,
ever this day (night)
be at my side,
to light and guard,
to rule and guide.
Amen.

Angel Guardian (contemporary)

Angel sent by God to guide me,
be my light and walk beside me;
be my guardian and protect me;
on the paths of life direct me.
Amen.

Oramos con los Santos

Al orar con los Santos, les pedimos que recen a Dios por nosotros y que recen con nosotros. Ellos hablan por nosotros cuando necesitamos ayuda.

Letanías

Una letanía es una oración con una frase que se repite una y otra vez. Algunas, son a Jesús; otras, a los Santos. Este es un ejemplo de una letanía:

Señor, ten piedad de nosotros.
Señor, ten piedad de nosotros.
Cristo, ten piedad de nosotros.
Cristo, ten piedad de nosotros.
Santa María, Madre de Dios,
ruega por nosotros.
San Juan Bautista,
ruega por nosotros.
San José, ruega por nosotros.
San Pedro y San Pablo,
rueguen por nosotros.
Señor, ten piedad de nosotros.
Señor, ten piedad de nosotros.
Cristo, ten piedad de nosotros.
Cristo, ten piedad de nosotros.
Nosotros, que somos pecadores
te rogamos, óyenos

Novenas

Una novena es una devoción privada. Es una oración que se repite durante nueve días, semanas o meses por una intención especial.

Novenas del Sagrado Corazón
- Novena de Confianza al Sagrado Corazón de Jesús
- Novena al Sagrado Corazón de Jesús

Novenas Marianas
- Novena al Inmaculado Corazón de María
- Novena a la Inmaculada Concepción

Novenas de Santos
- Novena a San José
- Novena a San Judas Tadeo

Otras Novenas
- Novena a la Divina Misericordia
- Novena a la Sagrada Familia

Praying with the Saints

When we pray with the Saints, we ask them to pray to God for us and to pray with us. They speak for us when we need help.

Litanies

A litany is a prayer with one line that is meant to be repeated over and over again. Some litanies are to Jesus; others to Saints. Here is an example of a litany:

Christ, hear us.
Christ, graciously hear us.
Lord Jesus, hear our prayer.
Lord Jesus, hear our prayer.
Holy Mary, Mother of God,
   pray for us
Saint John the Baptist,
   pray for us
Saint Joseph, **pray for us**
Saint Peter and Saint Paul,
   pray for us

Lord, have mercy.
   Lord, have mercy.
Christ, have mercy.
   Christ, have mercy.
Lord, have mercy.
   Lord, have mercy.

Novenas

A novena is a private devotion. It is a prayer that is repeated over the course of nine days, weeks, or months for a special intention.

Sacred Heart Novenas
- Novena of Confidence to the Sacred Heart
- Sacred Heart of Jesus Novena

Marian Novenas
- Novena to the Immaculate Heart of Mary
- Immaculate Conception Novena

Saint Novenas
- Novena to Saint Joseph
- Saint Jude Novena

Other Novenas
- Divine Mercy Novena
- Holy Family Novena

Palabras católicas

A

acción de gracias agradecer a Dios por todo lo que nos ha dado **(122)**

alabanza honrar a Dios y agradecerle porque Él es Dios **(116)**

ángel un tipo de ser espiritual que hace la obra de Dios, como entregar mensajes de Dios o ayudar a proteger a las personas del peligro **(340)**

Antiguo Testamento la primera parte de la Biblia acerca de Dios y su Pueblo antes de que naciera Jesús **(210)**

B

Bautismo el Sacramento en el que la persona es sumergida en agua o se le derrama agua sobre la cabeza. El Bautismo quita el Pecado Original y todos los pecados personales y convierte a la persona en hijo de Dios y miembro de la Iglesia. **(476)**

Biblia la Palabra de Dios escrita en palabras humanas. La Biblia es el libro sagrado de la Iglesia. **(8, 98)**

C

Cielo la felicidad plena de vivir con Dios para siempre **(526)**

creación todo lo hecho por Dios **(98)**

D

Diez Mandamientos leyes de Dios que le dicen a las personas cómo amarlo a Él y a los demás **(390)**

Dios Padre la Primera Persona Divina de la Santísima Trinidad **(168)**

discípulo un seguidor de Jesús que cree en Él y vive según sus enseñanzas **(372)**

E

Espíritu Santo la Tercera Persona Divina de la Santísima Trinidad **(320)**

Eucaristía el Sacramento en el que Jesús se da a sí mismo, y el pan y el vino se convierten en su Cuerpo y su Sangre **(506)**

F

fe creer en Dios y en todo lo que Él nos ayuda a entender sobre Él mismo. La fe nos lleva a obedecer a Dios. **(238)**

G

gracia el don de Dios que nos hace participar de su vida y su ayuda **(476)**

Gran Mandamiento la ley de amar a Dios por sobre todas las cosas y a los demás como a ti mismo **(258)**

H

Hijo de Dios un nombre para Jesús que te dice que Dios es su Padre. El Hijo de Dios es la Segunda Persona Divina de la Santísima Trinidad. **(6, 168)**

I

Iglesia la comunidad de todas las personas bautizadas que creen en Dios y siguen a Jesús **(306)**

imagen de Dios la semejanza con Dios que está en todos los seres humanos porque fuimos creados por Él **(136)**

J

Jesús el nombre del Hijo de Dios que se hizo hombre **(116)**

L

libre albedrío poder elegir entre obedecer o desobedecer a Dios. Dios nos creó con libre albedrío porque quiere que tomemos buenas decisiones. **(392)**

M

Mandamiento una ley que hizo Dios para que las personas la obedecieran **(258)**

María la madre de Jesús, la Madre de Dios. También es llamada "Nuestra Señora" por ser nuestra Madre y la Madre de la Iglesia. **(188)**

Misa la reunión de católicos para adorar a Dios. Incluye lecturas de la Biblia y la celebración de la Sagrada Comunión. **(508)**

N

Nuevo Testamento la segunda parte de la Biblia acerca de la vida y las enseñanzas de Jesús, de sus seguidores y de la Iglesia primitiva **(210)**

O

obedecer hacer cosas o actuar de cierta manera según lo pidan quienes tienen autoridad **(392)**

oración hablar con Dios y escucharlo **(272)**

P

Padre Nuestro la oración que Jesús enseñó a sus seguidores para rezarle a Dios Padre. Esta oración también se llama Oración del Señor. **(278)**

padrinos dos personas elegidas por tus padres para ayudarte a seguir a Jesús. Generalmente están presentes en tu Bautismo. **(482)**

paz cuando las cosas están calmadas y las personas se llevan bien entre sí **(548)**

pecado la elección de una persona de desobedecer a Dios a propósito y de hacer algo que sabe que está mal. Los accidentes y los errores no son pecados. **(408)**

Pecado Original el primer pecado cometido por Adán y Eva y que fue transmitido a todas las personas **(436)**

Reino de Dios el mundo de amor, paz y justicia que está en el Cielo y se sigue construyendo en la Tierra **(304)**

Resurrección el acto en el que Dios Padre, por el poder del Espíritu Santo, hace que Jesús pase de la Muerte a una nueva vida **(442)**

Sagrada Comunión recibir el Cuerpo y la Sangre de Jesús en la celebración de la Eucaristía **(508)**

Sagrada Familia el nombre con el que se conoce a la familia humana de Jesús, María y José **(188)**

santas personas únicas y puras; elegidas para Dios y sus propósitos **(342)**

Santísima Trinidad un solo Dios en tres Personas Divinas: Dios Padre, Dios Hijo y Dios Espíritu Santo **(170)**

Santo un héroe de la Iglesia que amó mucho a Dios, que llevó una vida santa y que ahora está con Dios en el Cielo **(340)**

servir ayudar o dar a los demás lo que necesitan, de una manera amorosa **(368)**

Siete Sacramentos signos y celebraciones especiales que Jesús dio a su Iglesia. Los Sacramentos nos permiten participar de la vida y la obra de Dios. **(458)**

Última Cena la comida que Jesús compartió con sus discípulos la noche antes de morir. En la Última Cena, Jesús se dio a sí mismo en la Eucaristía. **(504)**

Catholic Faith Words

A

angel a type of spiritual being that does God's work, such as delivering messages from God or helping to keep people safe from harm (341)

B

Baptism the Sacrament in which a person is immersed in water or has water poured on him or her. Baptism takes away Original Sin and all personal sin, and makes a person a child of God and member of the Church. (477)

Bible the Word of God written in human words. The Bible is the holy book of the Church. (9, 99)

C

Church the community of all baptized people who believe in God and follow Jesus (307)

Commandment a law that God made for people to obey (259)

creation everything made by God (99)

D

disciple a follower of Jesus who believes in him and lives by his teachings (373)

E

Eucharist the Sacrament in which Jesus shares himself, and the bread and wine become his Body and Blood (507)

F

faith believing in God and all that he helps us understand about himself. Faith leads us to obey God. (239)

free will being able to choose whether to obey God or disobey God. God created us with free will because he wants us to make good choices. (393)

G

God the Father the First Divine Person of the Holy Trinity (169)

godparents two people chosen by your parents to help you follow Jesus. They are usually present at your Baptism. (483)

grace God's gift of a share in his life and help (477)

Great Commandment the law to love God above all else and to love others the way you love yourself (259)

H

Heaven the full joy of living with God forever (**527**)

holy unique and pure; set apart for God and his purposes (**343**)

Holy Communion receiving Jesus' Body and Blood in the celebration of the Eucharist (**509**)

Holy Family the name for the human family of Jesus, Mary, and Joseph (**189**)

Holy Spirit the Third Divine Person of the Holy Trinity (**321**)

Holy Trinity the one God in three Divine Persons—God the Father, God the Son, and God the Holy Spirit (**171**)

I

image of God the likeness of God that is in all human beings because we are created by him (**137**)

J

Jesus the name of the Son of God who became man (**117**)

K

Kingdom of God the world of love, peace, and justice that is in Heaven and is still being built on Earth (**305**)

L

Last Supper the meal Jesus shared with his disciples the night before he died. At the Last Supper, Jesus gave himself in the Eucharist. (**507**)

Lord's Prayer the prayer Jesus taught his followers to pray to God the Father. This prayer is also called the Our Father. (**279**)

M

Mary the Mother of Jesus, the Mother of God. She is also called "Our Lady" because she is our Mother and the Mother of the Church. (**189**)

Mass the gathering of Catholics to worship God. It includes readings from the Bible and the celebration of Holy Communion. (**509**)

N

New Testament the second part of the Bible about the life and teachings of Jesus, his followers, and the early Church (**211**)

O

obey to do things or act in certain ways that are requested by those in authority (**393**)

Old Testament the first part of the Bible about God and his People before Jesus was born (**211**)

Original Sin the first sin committed by Adam and Eve and passed down to everyone **(437)**

P

peace when things are calm and people get along with one another **(549)**

praise giving God honor and thanks because he is God **(117)**

prayer talking to and listening to God **(273)**

R

Resurrection the event of Jesus being raised from Death to new life by God the Father through the power of the Holy Spirit **(443)**

S

Saint a hero of the Church who loved God very much, led a holy life, and is now with God in Heaven **(341)**

serve to help or give others what they need in a loving way **(369)**

Seven Sacraments special signs and celebrations that Jesus gave his Church. The Sacraments allow us to share in the life and work of God. **(459)**

sin a person's choice to disobey God on purpose and do what he or she knows is wrong. Accidents and mistakes are not sins. **(409)**

Son of God a name for Jesus that tells you God is his Father. The Son of God is the Second Divine Person of the Holy Trinity. **(7, 169)**

Ten Commandments God's laws that tell people how to love him and others **(391)**

thanksgiving giving thanks to God for all he has given us **(123)**

Índice

Los números en negrita indican las páginas donde se definen los términos.

Index

Index

Photo Credits:

vi, xii © The Crosiers/Gene Plaisted, OSC; **vii, xiii** © Our Sunday Visitor; **viii, xiv** © iStockphoto/Thinkstock; **2, 3** © Jack Hollingsworth/Photodisc/Thinkstock; **4, 5** © RunPhoto/Photodisc/Getty Images; **6, 7** © Image Copyright Andresr, 2013 Used under license from Shutterstock.com; **10, 11** (t) © iStockphoto.com/eyetoeyePIX; **10** (b) ©Paulinas; **11** © iStockphoto.com/JasonDoiy; **12, 13** © Our Sunday Visitor; **14, 15** (bg) © Image Copyright Joan Kerrigan, 2013 Used under license from Shutterstock.com; **14, 15** (inset) © The Trinity: Father, Son and Holy Spirit. 19th century coloured woodcut/Universal History Archive/UIG/The Bridgeman Art Library; **18, 19** © Image Copyright offish25, 2013 Used under license from Shutterstock.com; **26, 27** © Image Copyright Philip Meyer, 2013 Used under license from Shutterstock.com; **28, 29** © Image Copyright AISPIX by Image Source, 2013 Used under license from Shutterstock.com; **30, 31** © Image Copyright Zurijeta, 2013 Used under license from Shutterstock.com; **34, 35** © Image Copyright Philip Meyer, 2013 Used under license from Shutterstock.com; **36, 37** © Image Copyright Zurijeta, 2013 Used under license from Shutterstock.com; **38, 39** © Image Copyright Soyka, 2013 Used under license from Shutterstock.com; **40, 41** © Our Sunday Visitor; **42, 43** © Image Copyright Philip Meyer, 2013 Used under license from Shutterstock.com; **44, 45** © Our Sunday Visitor; **48, 49** (t) © Image Copyright photastic, 2013 Used under license from Shutterstock.com; **48, 49** (b) © iStockphoto/Thinkstock; **50, 51** © Image Copyright Philip Meyer, 2013 Used under license from Shutterstock.com; **52, 53** © iStockphoto.com/goldenKB; **54, 55** © Bill & Peggy Wittman; **62, 63** © Image Copyright Philip Meyer, 2013 Used under license from Shutterstock.com; **64, 65** © Bill & Peggy Wittman; **68, 69** © E Simanor/age fotostock; **70, 71** © Image Copyright Philip Meyer, 2013 Used under license from Shutterstock.com; **72, 73** © E Simanor/age fotostock; **76, 77** © The Crosiers/Gene Plaisted, OSC; **78, 79** © Image Copyright Philip Meyer, 2013 Used under license from Shutterstock.com; **82, 83** © Michael Newman/PhotoEdit; **86, 87** © Image Copyright Philip Meyer, 2013 Used under license from Shutterstock.com; **88, 89** © JJM Stock Photography/Arts/Alamy; **92, 93** (c) © iStockphoto.com/Stephan Zabel; **92, 93** (b) © iStockphoto/Thinkstock; **94, 95** © Image Copyright privilege, 2013 Used under license from Shutterstock.com; **108, 109** (bg) © Image Copyright Joan Kerrigan, 2012 Used under license from Shutterstock.com; **108, 109** (inset) © Image Copyright BestPhotoByMonikaGniot, 2013 Used under license from Shutterstock.com; **110, 111** © Image Copyright privilege, 2013 Used under license from Shutterstock.com; **114, 115** © Image Copyright bumihills, 2013 Used under license from Shutterstock.com; **120, 121** © Image Copyright marco mayer, 2013 Used under license from Shutterstock.com; **122, 123** © Image Copyright sonya etchison, 2013 Used under license from Shutterstock.com; **124, 125** (tl) © Image Copyright Christopher Elwell, 2013 Used under license from Shutterstock.com; **124, 125** (tr) © Image Copyright Gayvoronskaya_Yana, 2013 Used under license from Shutterstock.com; **124, 125** (bl) © Image Copyright Nattika, 2013 Used under license from Shutterstock.com; **124, 125** (br) © Image Copyright Leonid Ikan, 2013 Used under license from Shutterstock.com; **128, 129** (bg) © Image Copyright Joan Kerrigan, 2013 Used under license from Shutterstock.com; **128, 129** (inset) © Image Copyright eurobanks, 2013 Used under license from Shutterstock.com; **130, 131** © Image Copyright bumihills, 2013 Used under license from Shutterstock.com; **134, 135** © Jupiterimages/Goodshoot/Thinkstock; **138, 139** © Image Copyright leungchopan, 2013 Used under license from Shutterstock.com; **140, 141** © Image Copyright Nancy Bauer, 2013 Used under license from Shutterstock.com; **142, 143** © KidStock/Blend Images/Corbis; **144, 145** (t) © Hemera/Thinkstock; **144, 145** (b) © Image Copyright sianc, 2013 Used under license from Shutterstock.com; **148, 149** (bg) © Image Copyright Joan Kerrigan, 2013 Used under license from Shutterstock.com; **148, 149** (inset) © iStockphoto.com/Murat Subatli; **150, 151** © KidStock/Blend Images/Corbis; **160, 161** (c) © Our Sunday Visitor; **160, 161** (b) © The Crosiers/Gene Plaisted, OSC; **164, 165** © iStockphoto/Thinkstock; **166, 167** © iStockphoto.com/Agnieszka Kirinicjanow; **172, 173** © Image Copyright Jacek Chabraszewski, 2013 Used under license from Shutterstock.com; **176, 177** (bg) © Image Copyright Joan Kerrigan, 2013 Used under license from Shutterstock.com; **176, 177** (inset) © Image Copyright bonchan, 2013 Used under license from Shutterstock.com; **184, 185** (t) © Image Copyright Elena Kouptsova -Vasic, 2013 Used under license from Shutterstock.com; **184, 185** (b) © Anderson Ross/Blend Images/Corbis; **186, 187** © Image Copyright oliveromg, 2013 Used under license from Shutterstock.com; **190, 191** © iStockphoto/Thinkstock; **196, 197** (bg) © Image Copyright Joan Kerrigan, 2013 Used under license from Shutterstock.com; **196, 197** (inset) © Alfred Schauhuber/age fotostock; **198, 199** © iStockphoto/Thinkstock; **202, 203** © Brand X Pictures/Thinkstock; **206, 207** © Image Copyright michaeljung, 2013 Used under license from Shutterstock.com; **208, 209** © Hemera Technologies/AbleStock.com/Thinkstock; **210, 211** © iStockphoto/Thinkstock; **212, 213** (l) © ASP Religion/Alamy; **212, 213** (r) © Louie Psihoyos/Science Faction/Corbis; **216, 217** (bg) © Image Copyright Joan Kerrigan, 2013 Used under license from Shutterstock.com; **216, 217** (inset) © Image Copyright Kovnir Andrii, 2013 Used under license from Shutterstock.com; **218, 219** © Brand X Pictures/Thinkstock; **228, 229** (c) © Image Copyright rmnoa357, 2013 Used under license from Shutterstock.com; **228, 229** (b) © Image Copyright Richard Paul Kane, 2013 Used under license from Shutterstock.com; **232, 233** © Tim Graham/Corbis; **240, 241** © Myrleen Pearson/PhotoEdit; **244, 245** (bg) © Image Copyright Joan Kerrigan, 2013 Used under license from Shutterstock.com; **244, 245** (inset) © iStockphoto.com/gordana jovanovic; **246, 247** © Myrleen Pearson/PhotoEdit; **250, 251** © Gabriel Blaj/age fotostock; **256, 257** © The Crosiers/Gene Plaisted, OSC; **258, 259** (bl) © iStockphoto.com/Kim Gunkel; **258, 259** (bc) © iStockphoto.com/kali9; **258, 259** (br) © Our Sunday Visitor; **260, 261** © Image Copyright Olga Sapegina, 2013 Used under license from Shutterstock.com; **264, 265** (bg) © Image Copyright Joan Kerrigan, 2013 Used under license from Shutterstock.com; **264, 265** (inset) © iStockphoto.com/Kim Gunkel; **266, 267** © iStockphoto.com/kali9; **270, 271** © istockphoto.com/VikramRaghuvanshi; **272, 273** © Andersen Ross/age fotostock; **274, 275** (t) © Image Copyright Petrenko Andriy, 2013 Used under license from Shutterstock.com; **274, 275** (b) © iStockphoto/Thinkstock; **276, 277** © Bill & Peggy Wittman; **278, 279** © Peter Burian/Corbis; **284, 285** (bg) © Image Copyright Joan Kerrigan, 2013 Used under license from Shutterstock.com; **284, 285** (inset) © Image Copyright Podriv Ustoev, 2013 Used under license from Shutterstock.com; **286, 287** © Andersen Ross/age fotostock; **296, 297** (c) © Istockphoto.com/Dimitris66; **296, 297** (b) © Image Copyright Samot, 2013 Used under license from Shutterstock.com; **302, 303** © Image Copyright Sue McDonald, 2013 Used under license from Shutterstock.com; **304, 305** © Providence Collection/Licensed From Goodsalt.com; **306, 307** © Image Copyright Pressmaster, 2013 Used under license from Shutterstock.com; **312, 313** (bg) © Image Copyright Joan Kerrigan, 2013 Used under license from Shutterstock.com; **312, 313** (inset) © Image Copyright Monkey Business Images, 2013 Used under license from Shutterstock.com; **314, 315** © Image Copyright Pressmaster, 2013 Used under license from Shutterstock.com; **318, 319** © Our Sunday Visitor; **320, 321** © Jeff Greenberg/Alamy; **324, 325** © James Boardman/Alamy; **326, 327** © Image Copyright StepStock, 2013 Used under license from Shutterstock.com; **328, 329** © Image Copyright Andresr, 2013 Used under license from Shutterstock.com; **332, 333** (bg) © Image Copyright Joan Kerrigan, 2013 Used under license from Shutterstock.com; **332, 333** (inset) © Istockphoto.com/sjlocke; **334, 335** © Our Sunday Visitor; **338, 339** © STUDIO BOX/Photographer's Choice/Getty Images; **342, 343** © Perry Mastrovito/Design Pics/Corbis; **348, 349** © Comstock/Thinkstock; **352, 353** (bg) © Image Copyright Joan Kerrigan, 2013 Used under license from Shutterstock.com; **352, 353** (inset) © Art Directors & TRIP/Alamy; **354, 355** © Perry Mastrovito/Design Pics/Corbis; **364, 365** (c) © iStockphoto.com/Rosemarie Gearhart; **364, 365** (b) © Godong/Robert Harding World Imagery/Corbis; **366, 367** © nruboc/Bigstock.com; **370, 371** © Osservatore Romano/Reuters; **374, 375** © Image Source/Corbis; **376, 377** © Image Copyright Rob Hainer, 2013 Used under license from Shutterstock.com; **378, 379** (l) © Leland Bobbé/Corbis; **378, 379** (r) © iStockphoto/Thinkstock; **380, 381** (bg) © Image Copyright Joan Kerrigan, 2013 Used under license from Shutterstock.com; **380, 381** (inset) © Image Copyright Sergiy Bykhunenko, 2013 Used under license from Shutterstock.com; **382, 383** © Image Source/Corbis; **388, 389** (t) © Image Copyright homydesign, 2013 Used under license from Shutterstock.com; **388, 389** (c) Image Copyright Elena Itsenko, 2013 Used under license from Shutterstock.com; **388, 389** (b © iStockphoto.com/Christopher Noble; **390, 391** © PoodlesRock/Corbis; **392, 393** © Jamie Grill/Iconica/Getty Images; **394, 395** © Image Copyright michaeljung, 2013 Used under licen from Shutterstock.com; **396, 397** © Image Copyright auremar, 2013 Used under license from Shutterstock.com; **400, 401** © Image Copyright Joan Kerrigan, 2013 Used under license from Shutterstock.com; **402, 403** © Jamie Grill/Iconica/Getty Images; **408, 409** © Image Copyright altanaka, 2013 Used under license from Shutterstock.com; **410, 411** (bg) © iStockphoto/Thinkstock; **410, 411** (inset) © Erik Stenbakken/Licensed From Goodsalt.com; **412, 413** © Misty Bedwell/Design Pics/Corbis; **414, 415** © Our Sunday Visitor; **420, 421** (bg) © Image Copyright Joan Kerrigan, 2013 Used under license from Shutterstock.com; **420, 421** (inset) © Design Pics/SuperStock; **422, 423** © Misty Bedwell/Design Pics/Corbis; **432, 433** (t) © iStockphoto.com/oscarcwilliams; **432, 433** (b) © Tony Freeman/PhotoEdit; **434, 435** © iStockphoto.com/Lokibaho; **440, 441** © iStockphoto/jgroup; **442, 443** © Bill & Peggy Wittma **444, 445** © Image Copyright pedalist, 2013 Used under license from Shutterstock.com; **448, 449** (bg) © Image Copyright Joan Kerrigan, 2013 Used under license from Shutterstock.com; **448, 449** (inset) © Image Copyright filipw, 2013 Used under license from Shutterstock.com; **450, 451** © Bill & Peggy Wittman; **454, 455** © Muskopf Photography, LLC/Alamy; **458, 459** © James Shaffer/PhotoEdit; **460, 461** © Jupiterimages/Polka Dot/Thinkstock; **468, 469** (bg) © Image Copyright Joan Kerrigan, 2013 Used under license from Shutterstock.com; **468, 469** (inset) © Image Copyright alephcomo, 2013 Used under license from Shutterstock.com; **470, 471** © Muskopf Photography, LLC/Alamy; **474, 475** © iStockphoto.com/GreenStock; **476, 47** © Nugene Chiang/AsiaPix/Corbis; **480, 481** (tl) © Our Sunday Visitor; **480, 481** (tr) © Our Sunday Visitor; **480, 481** (bl) © Our Sunday Visitor; **480, 481** (br) © Our Sunday Visitor; **482, 483** © Digital Vision/Thinkstock; **488, 489** (bg) © Image Copyright Joan Kerrigan, 2013 Used under license from Shutterstock.com; **488, 489** (inset) © imagebroker/Alamy; **490, 491** © Ou Sunday Visitor; **500, 501** (c) © Pascal Deloche/Godong/Corbis; **500, 501** (b) © Image Copyrig Ersler Dmitry, 2013 Used under license from Shutterstock.com; **504, 505** © Hemera/Thinkstock; **506, 507** © Tony Freeman/PhotoEdit; **508, 509** (l) © Tolo Balaguer/age fotostock; **508, 509** (r) © James Shaffer/PhotoEdit; **510, 511** (l) © Our Sunday Visitor; **510, 511** (r) © Our Sunday Visitor; **512, 513** (t) © Pontino/Alamy; **512, 513** (b) © Bill & Peggy Wittman; **516, 517** (bg) © Image Copyright Joan Kerrigan, 2013 Used under license from Shutterstock.com; **516, 517** (inset) © Bob Daemmrich/PhotoEdit; **518, 519** © Tolo Balaguer/age fotostock; **524, 525** © iStockphoto/Thinkstock; **532, 533** © Image Copyright dotshock, 2013 Used under license fro Shutterstock.com; **536, 537** © Image Copyright Joan Kerrigan, 2013 Used under license from Shutterstock.com; **538, 539** © The Crosiers/Gene Plaisted, OSC; **542, 543** © Lou Cypher/Corbi **544, 545** © Image Copyright Stuart Miles, 2013 Used under license from Shutterstock.com; **546, 547** © iStockphoto.com/Fertnig; **556, 557** (bg) © Image Copyright Joan Kerrigan, 2013 Used under license from Shutterstock.com; **556, 557** (inset) © Myrleen Pearson/Alamy; **558, 559** © Lou Cypher/Corbis; **568-571** (bg) © Image Copyright Heather Renee, 2013 Used under license from Shutterstock.com; **570, 571** (inset) © iStockphoto/Thinkstock; **572, 573** © Franc Roberts/Alamy; **576, 577** © iStockphoto.com/asiseeit; **580, 581** © JLP/Jose L. Pelaez/Corbis; **582, 583** © Image Copyright Alina G, 2013 Used under license from Shutterstock.com; **584, 585** © Image Copyright Tony Campbell, 2013 Used under license from Shutterstock.com; **586 587** © Image Copyright Lev Kropotov, 2013 Used under license from Shutterstock.com; **588, 589** © Myrleen Pearson/PhotoEdit; **592, 593** © blickwinkel/Alamy; **594, 595** © iStockphoto.com/danwilton; **596, 597** © Myrleen Pearson/PhotoEdit; **600, 601** © AP Photo/Andrew Medichini; **602, 603** © Image Copyright Zvonimir Atletic, 2013 Used under license from Shutterstock.com; **604, 605** (l) © Stockbyte/Thinkstock; **604, 605** (r) © Jupiterimages/Brand X Pictures/Thinkstock; **606, 607** (t) © Franck Fotos/Alamy; **606, 607** (c) © Fred de Noyelle/Godong/Corbis; **606, 607** © Brian Hamilton/Alamy; **622, 623** © Our Sunday Visitor; **630, 631** iStockphoto.com/aldomurillo

Acknowledgements:

Excerpts from the *United States Catholic Catechism for Adults*, copyright © 2006, United States Catholic Conference, Inc.—Libreria Editrice Vaticana.

Los pasajes de la traducción española del *Catecismo Católico de los Estados Unidos para los Adultos* © 2007 Libreria Editrice Vaticana. Todos los derechos reservados. El licenciatario exclusivo en los Estados Unidos es la Conferencia de Obispos Católicos de los Estados Unidos Washington, D.C. y todas las solicitudes del *Catecismo Católico de los Estados Unidos para los Adultos* deben ser dirigidas a la Conferencia de Obispos Católicos de los Estados Unidos.

Music selections copyright John Burland, used with permission, and produced in partnership with Ovation Music Services, P.O. Box 402 Earlwood NSW 2206, Australia. Please refer to song for specific copyright dates and information.

Music selections copyrighted or administered by OCP Publications are used with permission of OCP Publications, 5536 NE Hassalo, Portland, OR 97213. Please refer to songs for specific copyright dates and information.

Allelu! Growing and Celebrating with Jesus ® Music CD © Our Sunday Visitor, Inc. Music written and produced by Sweetwater Productions. All rights of the owners of these works are reserved.

Ángel custodio (contemporánea) de *Oraciones Católicas del Pueblo de Dios* © 2003 de Arquidiócesis de Chicago: Liturgy Training Publications.

Bendición de la mesa, Acción de gracias, Oración de la mañana, y Oración de la noche del *Lib católico de oraciones* © 1984, de Catholic Book Publishing Corp.

"Canticle of Simeon" (retitled "Evening Prayer) and "Grace Before Meals" from *Catholic Household Blessings and Prayers Revised Edition*. Translation copyright © 2007 by United States Conference of Catholic Bishops.

Twenty-Third Publications, A Division of Bayard: "Feast of the Guardian Angels" (retitled "Ange Guardian") and "Grace After Meals" (retitled "Grace After Mealtime") from 500 *Prayers for Catholic Schools and Parish Youth Groups* by Filomena Tassi and Peter Tassi. Text copyright © Filomena Tassi and Peter Tassi.